JN089540

忘れられない中国滞在エピソード

受賞作品集

中国産の現場を訪ねて

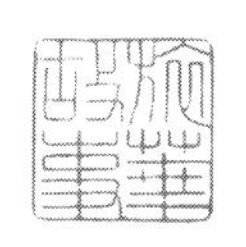

衆議院議員 海江田万里・参議院議員 矢倉克夫

池松俊哉 など82人共著

段躍中 編

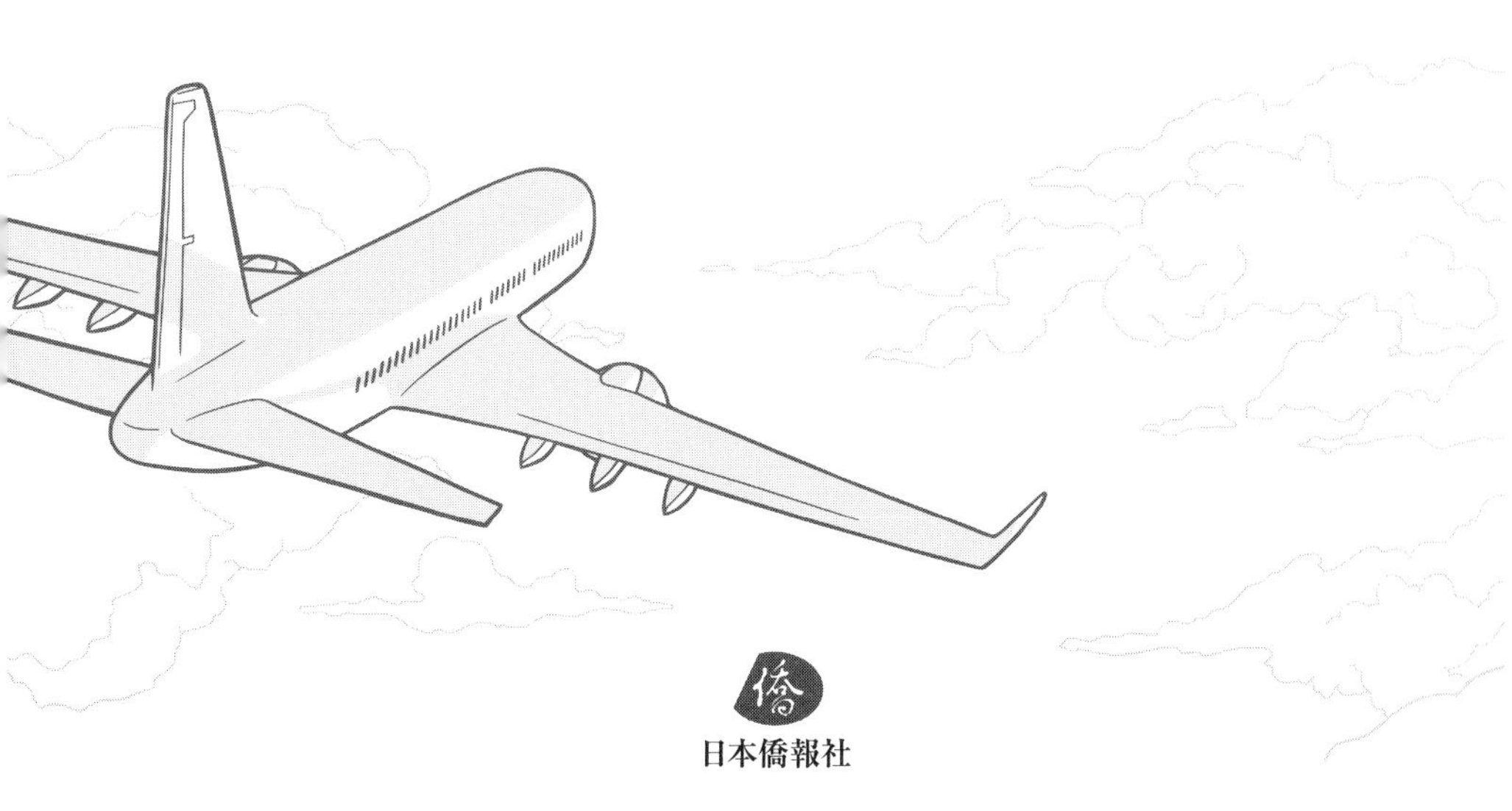

日本僑報社

第三回「忘れられない中国滞在エピソード」受賞作品集出版にあたり

孔鉉佑大使からのメッセージ

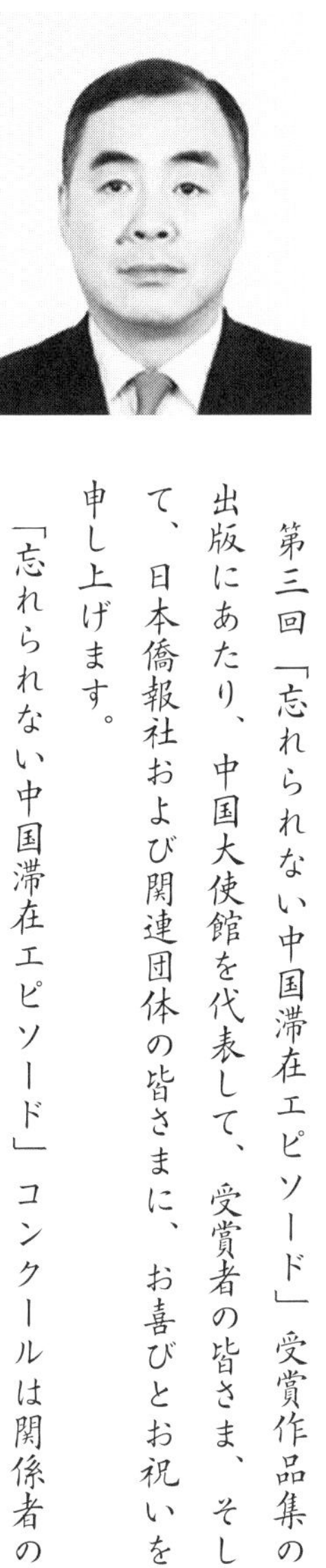

第三回「忘れられない中国滞在エピソード」受賞作品集の出版にあたり、中国大使館を代表して、受賞者の皆さま、そして、日本僑報社および関連団体の皆さまに、お喜びとお祝いを申し上げます。

「忘れられない中国滞在エピソード」コンクールは関係者のたゆまぬ努力により、年々成長をし続けてきています。三年目となる今年のコンクールに、合計二百十九本の応募作品が中国、日本、フランス、チリなど四カ国に在住する日本人の方々から投稿されています。応募者の居住地域で言えば、過去最多です。また、応募者の職業も国会議員、会社役員、団体職員、公務員、大学教師など、社会各界を網羅することとなっています。さらに、年齢層も九歳の小学生から定年退職者まで幅広く及んでいます。

第２回表彰式にて、挨拶の言葉を述べる孔鉉佑大使

そして何よりも、特筆すべきなのはバラエティーに富んだ応募作品の内容です。実体験で語る新中国七十一年間の発展、中国産品質への再認識、「三国志」との出会いで迎えた人生の転機、中日間の悲惨な戦争の歴史への自らの探究、貧困脱出に命を捧げた中国地方幹部への感心など、どれも読者に感動を与え、人々に中日関係を深く考えさせるテーマです。また、新型コロナウイルス感染症対応をめぐるエピソードも多数寄せられており、それらの作品の中では、感染症という共通の試練を前にする中日両国国民の「一衣帯水、同舟共済」および「山川異域、風月同天」の精神が生き生きと語られています。

多くの応募者は、中国そして中国人と触れ合う前後の対中感情の変化に言及しており、口をそろえて「百聞は一見にしかず」と感心しています。まさに、中国での自らの体験を通して、初めて中国の発展の脈拍に触れ、中国人の親切さと気さくさを肌で感じ、メディア報道の影響で、ステレオタイプ化した中国認識の殻を打ち破ることができました。国の交わりは民の親しみにあり、こういった認識の好転が必ず国民感情の改善につながり、両国関係発展の民意的基礎を打ち固めるものとなるでしょう。

現在、中日関係は改善と発展の勢いを保っています。この間、習近平国家主席と菅義偉首相が電話会談をし、双方は政治的相互信頼を絶えず増進し、互恵協力を深化させ、人的文化交流を拡大し、新しい時代にふさわしい中日関係を構築することで一致しました。新しい情勢のもとで、中日両国の民間交流がよりいっそう活発になるものと確信しております。

今回の作品集の刊行で、より多くの日本人の方々が、「等身大」の中国を認識し、中国そして中国人と進んで触れ合い、自らの全面的で客観的な「中国観」を持つことを希望しております。また、皆さんの積極的な行動で、両国国民の相互理解のさらなる深化と中日関係の持続的な改善と発展が実現できることを祈念し、私からのお祝いのメッセージといたします。

二〇二〇年十一月吉日

中華人民共和国駐日本国特命全権大使

孔鉉佑

目次

二等賞

三等賞

あとがき

付　録

中国建国七十周年と私の中国の思い出

衆議院議員　海江田　万里

中国建国七十周年の記念すべき日に私は天安門広場に設けられたパレードの観覧席にいた。十年前の建国六十周年の記念パレードを参観した私は、十年後の七十周年にも北京を訪問し、再度、盛大なパレードを見ようとひそかに心に誓っていた。十年来の宿願が叶って私は、大いに満足するとともにその機会を与えてくれた中国の友人に心から感謝したい。

私が、六十年、七十年の中国建国の節目の祭典への参加にこだわるのは、私の生年も新中国建国と同じ一九四九年であるからだ。十年前の建国六十周年は、「還暦」の歳で、今年は「古希」にあたっていた。父親が付けてくれた名前が「万里」ということもあり、中国の七十年の歴史は私自身の歴史と重なり合って、この日の感慨はひとしおであった。

私が、初めて中国を訪問したのは国交回復後三年目の一九七五年。その際、中国日本友好協会の廖承志会長、孫平化秘書長（当時）とお目にかかり、日中友好の重要性についてお話を伺った。その後、私が政治家を志したのは、この時のお二人の話を聞いて、日本と中国の友好関係を政治家として発展させたいと考えたことにも由る。この時は、もちろん毛沢東主席も周恩来総理も健在であった。

一九七六年九月の毛沢東主席の死後、「四人組」の問題を克服し、鄧小平総書記が党の指導権を確立した。中国の「改革開放」政策のスタートは一九七八年十二月の中国共産党第十一期三中全会で、その後一九九二年に、中国の「社会主義市場経済」の理論が確立した。「社会主義市場経済」の理論は一言で表せば、土地などの所有は集団所有制を堅持し、使用（利用）権は市場で自由に取引が行われるものである。所有と使用を分離する考え方が、その後の中国経済の発展に大いに寄与したことは特筆すべきである。所有と使用が分離する考え方はシンガポールなどでも見られ、アジアでは歴史的にも認められた考えである。

その後の江沢民主席の時代に注目すべきは、鄧小平氏が路線を引いた香港の祖国復帰が実現したことであろう。

また、一九九七年にアジアを襲った経済危機を果断な行動力で、乗り切ったことは正しく評価されるべきと考える。たしかに当時の、巨額の財政出動は、その後、中国の債務問題となって今日の中国経済に影を落としているが、あの時の、判断と行動が無ければ、アジアの経済危機はさらに長引き、日本の受ける影響もさらに深刻なものとなっていたことは容易に想像がつく。

私は一九九九年五月に、民主党の訪中団の一員として北京で江沢民主席とお目にかかった。氏は前年に訪日されたこともあり、会談は歴史認識について時間のほとんどが割かれ、私たちのために「前事不忘　后事之師　以史為鑒　開闢未来」の十六文字を揮毫してくれた。この書は今でも私の手元にある。

1975年大寨人民公社にて（海江田万里事務所提供）

胡錦濤主席の時代には私はいくつもの思い出がある。私は、一九九三年冬、国会議員になった直後に中国を訪問した際、中日友好協会の方から「この人は必ず将来の中国の最高指導者になるから会っておきなさい」と言われて、国務委員時代の氏に面会している。

胡錦濤主席は、「改革開放」政策が新たな時代に入った新たな指導者で、「和諧」を主張し、その親しみやすい人柄は、日本にも多くの胡錦濤ファンを生み出した。もちろん私もその一人であった。その後一九九八年に、日本の各政党が副主席であった氏を日本に招いた際に、私は民主党の接遇の担当者として、当時、自民党の接遇責任者であった安倍晋三総理と羽田飛行場のタラップの下で氏を迎えた記憶がある。胡錦濤氏は、その後、主席になってからも北京や東京でお目にかかるごとに、いつも温かい笑顔で接してくれたことが印象に残っている。

現在の習近平主席は次の主席と目されていた時から、腐敗の撲滅に主導的な役割をはたしてきた。経済発展と富裕層の腐敗は密接な関係があるが、共産党が国民の信頼と支持を受け続けるためには不断の腐敗との戦いが必要である。

また、「一帯一路」の大戦略は中国だけでなく、中国

中国建国70周年記念式典が行われた天安門広場にて、筆者（海江田万里事務所提供）

に連なるアジア・ユーラシアの国々にとっても発展の契機になる気宇壮大な構想である。最初は、この構想に否定的であった日本政府も、最近は、この構想に前向きになって、中国を含め、アジア・ユーラシアの国々とウイン・ウインの関係を作る機運がもりあがっていることは歓迎すべきことである。

　中国の経済発展は、習近平主席の時代にＧＤＰ規模がアメリカを抜いて世界一になることは確実視されている。ＡＩなどの先端技術の発展は目覚ましく、現在の中国は「経済大国」というより「デジタル大国」との表現が適切であると考える。

　十年後の建国八十周年の記念式典も私は北京で参観したいと考えているが、年齢を考えると、それが実現するかどうかは分からない。人の命には限りがあっても、国の発展は政策が正しく、それを実行する勤勉な国民がいれば、永遠のものである。

海江田 万里（かいえだ ばんり）

衆議院議員、立憲民主党顧問、前衆議院決算行政監視委員長、元内閣府特命担当大臣（経済財政政策・科学技術政策）、元宇宙開発担当大臣、元経済産業大臣、元衆議院財務金融委員長、元衆議院経済産業委員長、元民主党代表。

一九四九年（昭和二十四年）東京都生まれ。慶應義塾大学法学部政治学科卒業後、金融、経済評論家の第一人者として、テレビ・ラジオ・新聞・雑誌などを舞台に、わかり易く税金や経済の解説を行う。中国通としても知られている。

一九九三年七月の第四十回衆議院選挙に出馬、東京一区で当選、以降四回当選するも二〇〇五年衆議院選挙で惜敗。二〇〇九年八月第四五回衆議院選挙にて国政復帰。二〇一二年十二月第四六回衆議院選挙にて再選、二〇一四年（平成二十六年）十二月第四七回衆議院選挙で惜敗。二〇一七年（平成二十九年）十月第四八回衆議院選挙にて国政復帰。

近年の主な著書は『人間万里塞翁馬』（双葉社）、『海江田ノート～原発との闘争一七六日の記録～』（講談社）、『二〇一一年、あなたの「定年後（セカンドライフ）」は大丈夫か』（主婦と生活社）、『海江田万里の音読したい漢詩・漢文傑作選』（小学館）、『団塊漂流～団塊世代は逃げ切ったか』（角川書店）、『手にとるように税金がわかる本』（かんき出版）。

中国を知り 世界を知り 人間を知る

参議院議員 矢倉 克夫

「そうだ中国、行こう。」

そう決めたのは、アメリカで働いていた二〇〇五年の冬。きっかけは、同じ法律事務所に働いていた中国人弁護士の友人の一言でした。

北京オリンピックを控えた中国の成長ぶりを熱く語る彼。その時言われた言葉が、「Katsuo は、こんな遠くにあるアメリカの情報は多く知っているのに、最も近い隣国である中国のこと、そんなに知らないよね。」でした。確かにそうだな、と。

と同時に私の心が直感的に叫びました――「これからの世界を知るには中国を知らなければダメだぞ」と。生来の中国歴史好きも後押し。それで、冒頭の決断となったのです。

〝善は急げ〟早速、所属元の日本の法律事務所を必死に説得。「えっ⁉」と最初は驚かれましたが、ありがたいことに事務所に在籍のまま、上海にある復旦大学に自費で語学留学することが決定、翌二〇〇六年六月、勇んで中国へ。

ただ、颯爽と降り立ったのはいいですが、中国語は全く話せません。タクシーの運転手に、Here! Here! などと言いながら、復旦大学の住所を書いた紙を渡し、身振り手振りでなんとかたどり着いたのも、今ではいい思い出です。その半年後には、北京の法律事務所で働くのですから、我ながら大した度胸だったなと思います。

上海での半年間、本当に楽しかったです。

確かに、勉強だけの半年間でした。とにかく、二十四時間すべて中国語、中国語、中国語。学校に行く途中もベッドの中でも中国語のCDを聴き続け、屋台で売っている三元（当時のレートで四十五円）の焼きそばを食べながら猛勉強でした。

しかし、全く辛くはありませんでした。むしろ、中国語の勉強は、音楽を聴いているような安らぎを感じました。中国語のもつ旋律といってよいほどの響きがそうさせるのでしょう。

上海が纏う空気感が、さらに私を心地良くさせてくれました。

時間があればバスで中心部へ移動、上海語と普通語が入り混じる車内も好きでした。お気に入りの旧フランス

復旦大学留学生寮の部屋から臨む、朝焼けの上海（2006年10月当時）。遠方に東方明珠塔も

租界地エリアへ。着くと広がるプラタナス並木、復興西路や陝西南路など、あてどなく歩くと異世界に来た気分になります。人民公園に行くときは、外で将棋をしている人たちといつも会話しました。復旦大学近くの市場に行くのもほぼ日課でした。

ふと目も向けると、三輪リヤカーに高さ三メートルくらいの荷物を山積みに載せ平気な顔で移動する人がいます。そして、その横にある昔ながらの建物の向こう側に、林立する近代的な高層ビル群。

古きと新しきが同居した新世紀中国の胎動を現場で感じることができたことは、間違いなく私の一生の財産です。

肝心の中国語も、段々と形になってきました。

当初は耳から入る欧米人の習熟速度に全く敵いませんでした。しかし、最初の二ヶ月間、徹底的に発音を学び、音を聞き続けた結果、耳が慣れてくると加速度的に理解が深まりました。やはり、漢字文化を共有しているアドバンテージは強いです。中国語ほど、日本人が学ぶべき言語はないでしょう。

そして、二〇〇七年に北京へ。ここも楽しかったです。北海公園で、一緒に太極拳を踊ったりしました。前海

参議院公明党を代表し、来日された全国人民代表大会代表団を歓迎（二〇一八年一月、前列二列目右端が筆者）

沿いのおしゃれなカフェでゆったり仕事も。私の住んでいた北京中心部は、建設ラッシュ。まさにここにも新世紀中国の胎動が感じられました。のちに同じ国会議員の同僚となる伊佐進一さんも、当時は北京にいて、彼にはよく火鍋をおごってもらいました。この恩は忘れません（笑）

振り返り、中国滞在のこの一年間、私は、中国を知り、世界を知り、そして人間を知りました。

中国で得た一番の宝は、多くの友人です。なかでも、上海で知り合った中国人の友人たちとの交流は私の生涯の心の支えとなるでしょう。彼らとはよく卓球をしながら（絶対に勝てませんでした）、会話をしました。中国語と日本語の〝互相学習〟をした毛さんの協力には感謝してもしきれません。

実は、彼ら彼女らは、私にとって単なる友人というより同志と言っていいものです。というのも、ともに連れだったバスツアーで事故に遭い、生命の危険を乗り越えた仲間だからです。事故というのは、私たちが乗ったバスが山道を走行中、天候不順もあってガードレールを突き破り、下に落ちてしまったというものでした。幸い、すぐ近くが土手だったので死ぬ人もなく助かりましたが、今思い出してもゾッとします。

この時のエピソードを語り出したら紙面がいくらあっても足りないくらいなのですが、詳細は省きます。しかし、私たちは、喜怒哀楽の極限を共有し、同じ生命の危機を乗り越え、互いがまるで生まれる前からの友人であるかのような絆を感じました。

それ以来、私が中国を語るとき常に浮かぶのは、彼ら彼女らの顔なのです。

中国から帰国後、私は国会議員となりました。

二〇一八年五月には、日中友好議員連盟の一員として、高村元自民党副総裁や北側公明党副代表などと訪中、この時は、中国共産党中央政治局常務委員で、全国人民代表大会常務委員会の栗戦書委員長と面会をいたしました。そして日本に帰国から数日後には、今度は、議院運営委員会の理事として、訪日されていた李克強国務院総理を歓迎しました。

また、同じ年の一月に陳竺中国全国人民代表大会常務委員会副委員長を団長とする十名ほどの訪日団をお迎えした時は、メインスピーカーの一人として、ほぼ丸一日をかけ、今後の日中関係についても議論し、発言もしました。私からは特に、日中の共通の課題である環境問題や高齢化問題などについて議論を深め、地球的課題解決にあたり使命を共有し、学び合うことが関係改善に繋がること、また、地域間連携の重要性などを訴えました。

これらの時も、私の脳裏には常に、中国の友人たちとの上海、北京での日々が浮かびました。

今後、政治家の立場で、中国に限らず多くの国々と協議をする機会も増えるでしょう。複雑な国際社会の現実は、ともすると体制や主義、イデオロギーの違いなどで勝手に人間を色付けし、分断に導く危うさを内包しています。

しかし、私の一年間の経験は、国と国との語らいといえども、最終的に、同じ人間同士の語らいであるという信念を与えるとともに、外交に必要な根気と辛抱強さ、そして、信頼と誠実を教えてくれました。

あの一年間は私を、「中国に学びにきた外国人」から「同じ大地に根付く同じ人間」に脱皮させてくれたのです。

いま、公明党の青年委員会の委員長として望むことは、日中の青年たちの交流をより深めあい、一人でも多くの青年たちが、同じ人間として魂と魂の触発を豊かに語りあうことです。両国のため、世界のため、そして一人一人の未来のため、人間主義の外交を、草の根レベルから広めたい。それが私の決意です。

矢倉 克夫（やくら かつお）
参議院議員（二〇一三年より）、公明党青年委員会委員長、元農林水産大臣政務官。東京大学法学部卒。二〇〇〇年、弁護士としてアンダーソン・毛利・友常法律事務所入所。二〇〇五年にカリフォルニア大学ロサンゼルス校法学修士課程修了、米国法律事務所にて出向勤務を経た後、二〇〇六年六月、復旦大学にて中国語研修、中国キングアンドウッド法律事務所等にて出向勤務を経るなどのち、二〇〇九年一月より経済産業省参事官補佐。著書「世界で勝てる日本をつくる」「現場を走り、世界に挑む」。

百聞は一見に如かず

会社員　池松　俊哉

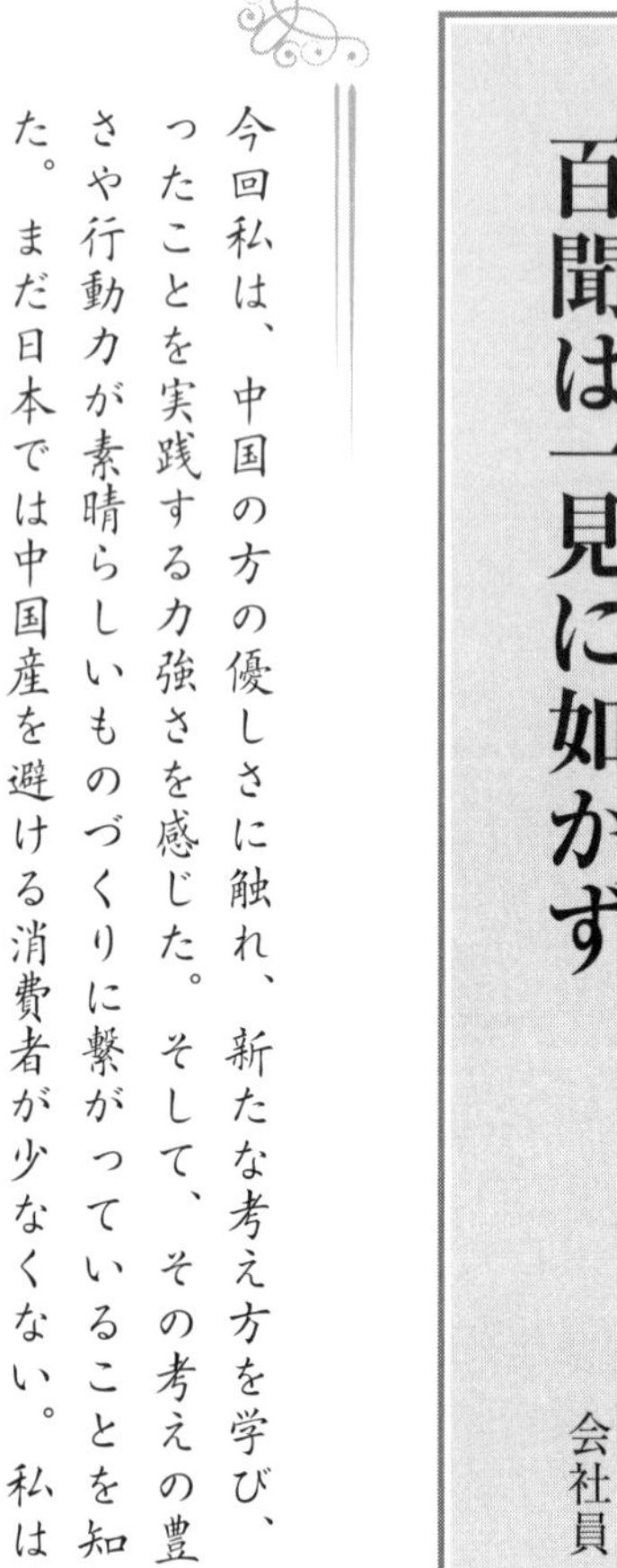

今回私は、中国の方の優しさに触れ、新たな考え方を学び、思ったことを実践する力強さを感じた。そして、その考えの豊かさや行動力が素晴らしいものづくりに繋がっていることを知った。まだ日本では中国産を避ける消費者が少なくない。私は胸を張って日本中にこう言いたい。「イメージと実際は全然違う。百聞は一見に如かず。一回行けば、あなたも私のように中国のファンになる」と。

私は全国に約一万四千店舗あるコンビニチェーンの本部で、原料調達や商品開発を行う仕事をしている。今、コンビニチェーンの商品供給は、中国なしにはやっていけない。例えば、レジ横の唐揚げ、お惣菜の蒸し鶏、サラダチキン等は、中国産であることが多い。それは、価格優位性だけではなく、ハイレベルな品質管理と高い技術力ゆえだ。しかし、日本では安心安全の観点から中国産を避ける消費者が少なくない。正直、私自身もフェア

思い出の本場料理と中国のスイカ

な判断ができていたとは言い切れなかった。百聞は一見に如かず。食品の調達販売をする者として、中国の製造現場を実際に見に行くことにした。

二〇一九年七月、大連・瀋陽・青島の工場を一週間かけて回った。これは私にとって初めての訪中であった。工場へ到着すると、総経理の李さんが日本から来た私を快く出迎えてくれた。早速、李さんに工場の中を案内していただいた。仕事柄、日本国内の工場は数え切れないほど見てきたが、今回訪問した中国の工場の品質管理や衛生基準のレベルの高さは、私の人生の中で片手に入るほど素晴らしかった。作業場に入る際には、体に髪の毛がくっ付いていないかをチェックする専任の門番がおり、まつ毛は抜けない程度に専用の掃除機を当てて吸わなければいけないのだ。

私が最も感心したのは、給料の歩合制を活かした仕組みを作り、生産効率アップと高品質を維持していた点である。多くの日本の工場と異なり、時給制ではなく歩合制を採用しているのだ。例えば焼き鳥を製造する場合、鶏肉をトリミングするグループ、串打ちするグループ、焼くグループに分け、さらにそれぞれのグループ内で三〜四人毎のチームを組む。各チームの出来高に応じて給料が支給される。そして、スピードばかりを追って品質が低下しないように、各グループにはチェック者がいる。ここで弾かれるとペナルティーとして減給の対象になる。逆にチェック者は、基準に満たない商品を見つけた分だけ給料が増える。つまり、相互作用によって生産効率を高めながら、高品質を維持しているのだ。

従業員は当然、仕事に集中しているため、私が横を通っても見向きもしない。頑張った分だけしっかりと評価される仕組みであり、従業員の自社満足度は九割を超えているそうだ。従業員が納得して働くことができ、確かな品質を維持できるこの仕組みは、すごく効率的であると感じた。

驚いたのはこれだけではない。工場の隣に養鶏場ととさつ場を作り、鮮度抜群の鶏肉を加工しているのだ。生ものは鮮度が命であり、スピードを重視してこの仕組みにしたそうだ。さらに、鶏の餌であるトウモロコシや大豆等の飼料も自社で生産している。餌の栽培、養鶏、加工、パック詰めまで、全て自社で行っているのだ。私の知る限り、日本でそこまでの仕組みを構築している会社は聞いたことがない。鶏の餌に至るまで全て自社の厳しい基準で作っているからこそ、李さんは安心安全に絶対の自信を持っているのである。中国のハイレベルな品質管理と高い技術力は、こうした仕組み作りから成っていることを知った。

工場の周りを歩いていると、敷地内に住居やお店、公園があった。工場とは思えないほど広くまるで町のようだ。李さんによると、この工場では約一万人が働いており、従業員に安心して働いてもらえるように住居を用意しているそうだ。従業員のことを考えて住居やお店、公園を作るスケールの大きさと人としての優しさに驚かされた。

今回見た光景は、私が今までイメージしていた中国の工場とは程遠かった。日本の工場が学ばなければいけない仕組みや考え方がたくさんあることを感じた。

工場見学を終えると、李さんが中国の家庭料理を振舞ってくれた。食べきれないくらい本場の料理が並べられ、どれも美味しくいただいた。デザートには李さん自慢の中国のスイカを出してくれた。こちらもものすごい量が並べられた。美味しくて十切れ食べると、追加で十切れ出してくれた。残してはもったいないと思い完食しようとすると、さらに三十切れ出してくれた。気が付いたら一人でスイカ一玉くらい食べていた。後に知ったが、中国では食べきれない量を出すことが、お客さんに満足してもらうおもてなしだという。とても恥ずかしくなったが、中国の方の優しさを改めて感じる良い機会でもあった。

今回私は、中国の方の優しさに触れ、新たな考え方を学び、思ったことを実践する力強さを感じた。そして、その考えの豊かさや行動力が素晴らしいものづくりに繋がっていることを知った。

まだ日本では中国産を避ける消費者が少なくない。私は胸を張って日本中にこう言いたい。「イメージと実際は全然違う。百聞は一見に如かず。一回行けば、あなたも私のように中国のファンになる」と。

池松 俊哉（いけまつ としや）

一九八八年生まれ。二〇一一年筑波大学生命環境学群卒業。二〇一三年筑波大学大学院生命環境科学研究科博士前期課程修了。二〇一三年～現在、大手コンビニエンスストアにて原料調達・商品開発を担うマーチャンダイザー。趣味は自然観察・保護活動。二〇〇九年「地球にやさしい作文・活動報告コンテスト」（読売新聞社主催）で内閣総理大臣賞受賞。

一等賞

ともにコロナの災いを乗り越え　友好の絆強く

団体役員　星野　信

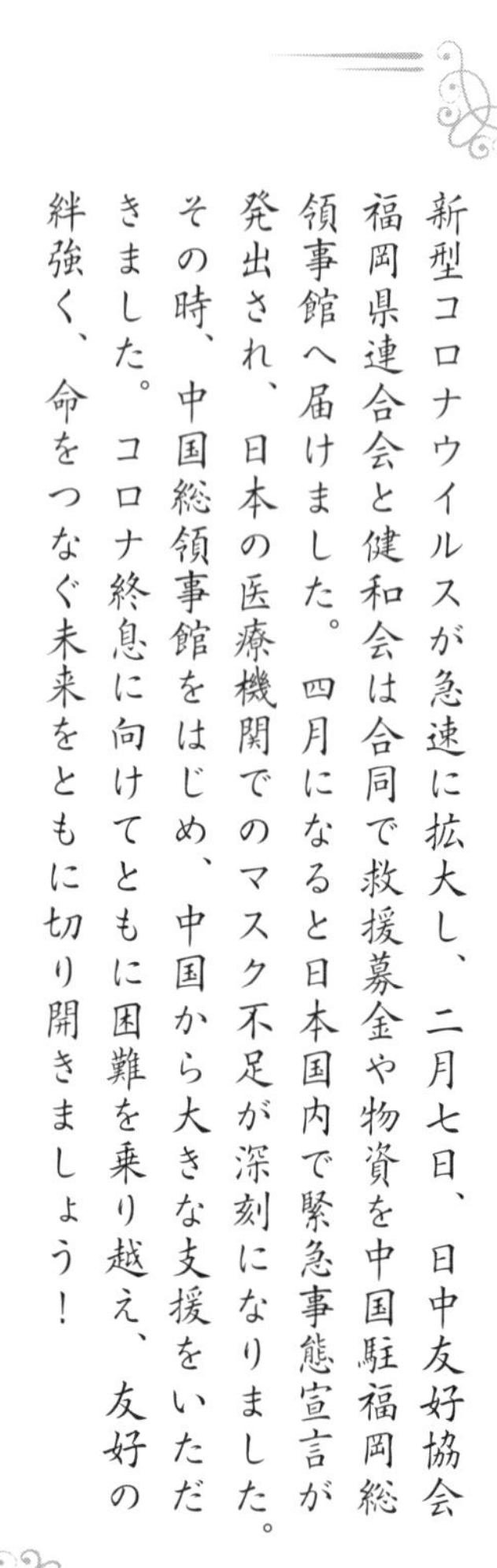
新型コロナウイルスが急速に拡大し、二月七日、日中友好協会
福岡県連合会と健和会は合同で救援募金や物資を中国駐福岡総
領事館へ届けました。四月になると日本国内で緊急事態宣言が
発出され、日本の医療機関でのマスク不足が深刻になりました。
その時、中国総領事館をはじめ、中国から大きな支援をいただ
きました。コロナ終息に向けてともに困難を乗り越え、友好の
絆強く、命をつなぐ未来をともに切り開きましょう！

「加油　武漢」救護物資を中国駐福岡総領事館へ贈る

日本中国友好協会は、新型コロナウイルス肺炎の発生地である中国湖北省武漢市での感染が急速に拡大し、一刻の猶予も許されない状況の下、一月二十九日には救援募金とともに、マスクなどの感染防止品を中国へ贈ることを呼びかけました。日本中国友好協会福岡県連合会（以下、協会福岡県連）は直ちに調達に走りましたが、どの店舗も品不足で手に入りません。公益財団法人健和

会に相談したところ救護キットを調達することができました。

二月七日、協会福岡県連と健和会は合同で、マスクやゴーグル、防護服、手袋など救護キット百二十セットを八幡支部の協力を得て、中国駐福岡総領事館へ届けました。

中国は故郷　日本は祖国

さらに、緊急な呼びかけで寄せられた救援募金をすぐにでも届けたいと二月十九日、福岡県中国帰国者の会の木村琴江会長、川添緋砂子事務局長と健和会有光信恵看護部長、協会福岡県連星野信副理事長が福岡総領事館を訪問し、募金を手渡しました。康暁雷代理総領事から謝辞が述べられるとともに「今回、日本中国友好協会福岡県連合会は中国の防疫物資が不足している現状を受け、支援物資と義援金をご寄付されましたことで、新型コロナウイルスの収束の戦いに多大なご貢献をされました。よってそのご厚意に対して、深甚なる感謝と敬意を表します」と心のこもった「感謝状」が三者へ渡されました。

中国残留孤児帰国者のみなさんは、四川大地震の時も直ちに立ち上がり募金を中国へ送金するなど、「日本は

中華人民共和国駐福岡代理総領事康暁雷（中央）より感謝状をいただく。（左より）筆者、福岡県中国帰国者の会事務局長川添緋砂子、福岡県中国帰国者の会会長木村琴江、健和会看護部長有光信恵（以上敬称略）

「加油 武漢」の激励文を添えて救護キットを送る八幡支部のみなさん

祖国・命の恩人である中国は故郷」という感謝の気持ちをひと時も忘れてはいません。

ともに困難を乗り越え、友好の前進を

康代理総領事は「現在、中国全土から三万人を超える医師を湖北省へ派遣して、感染防止と治療に当たっています。日本でも感染が広まっているのが心配です。日中両国が協力し合って、ともに困難を乗り越え、友好の絆が強く前進することを願っています。柳川市からは市長さんが市民に呼びかけ多額の募金を届けてくださいました。武漢市と友好都市である大分市からはマスクが三万枚送られてきました。各界のみなさんから多大なるご理解とご支援をいただいていることに感謝いたします」と述べられました。

健和会の有光信恵さんは「不足していると思われる救護セットを直ちに贈りました。医療関係者の皆さんが大変ご苦労されていると思います。一日も早い収束を願っています」と述べ、帰国者の川添緋砂子さんは「中国残留孤児帰国者の配偶者はみんな中国人です。新型肺炎は大変心配しています。戦争の時私たちは中国人に助けられました。私は命のかぎり貢献したい」と話すと、康代理総領事は「帰国者のみなさんが戦争の時、悲惨な体験をされた苦労は知らないのでお話しを聞きたいです」と涙して募金を受け取られました。

「山川異域 風月同天」「青山一道 同担風雨」

その後四月になると、日本国内において新型コロナウイルス感染拡大に伴う緊急事態宣言が発出され、日本の医療機関でのマスク不足などが深刻になりました。その時、中国総領事館から、医療用防護服、消毒液、マスクなどが健和会へ贈られてきました。また、八幡支部との交流がある「中国国際青年交流中心」の友人からは、長屋王が詠んだ漢詩「山川異域 風月同天」（日本と中国は山も川もその風景は異なっているが、吹く風や月の光は同じ空のもとにある）の詩を添えてマスクが送られてきました。早速、健和会に届けました。

また、中国杭州市在住で以前、福岡日中文化センターで学んでいた瀋浩氏（ファンファンコミック社主）から、協会福岡県連岩佐英樹副会長宛に「新型コロナでご苦労されていると思います。中国では若干落ちついてきました。県連を通して防護マスクを送らせて頂きます」とのメッセージを添えて、防護マスクが送られてきました。この防護マスクの一部を田川支部にも渡していたところ、「社会福祉法人 つくしの里」でマスクが不足していると会員の方から連絡があり、早速、中村仁美田川支部事務局長と岡田敬助事務局次長が、つくしの里を訪ねてお渡ししました。

哈爾浜（ハルビン）市日本孤児養父母連合会からも、「新型ウイルスが猛威を振るい、中国の大地を吹き荒れ、私たちの故郷ハルピンも免れませんでした。日本の友人の深くあつい心を一杯にして、防御用品は海を越えて私たちの手もとに届き、私たちに『青山一道、同担風雨』（同じ山を見る近隣同士、ともに風雨に耐えよう）の濃いよしみを感じさせました。ご恩に感謝してやみません。心にしっかりと刻みます。現在、日本の予防用品がやっと足りる状態だと知って、私たち哈爾濱市日本孤児養父母連合会は、募金活動を行いました。中国の多くの方が努力してマスクを購入しましたので、あなた方に郵送します」と心からの感謝の気持ちが込められた「日本の友人への手紙」と共に、マスクが送られてきました。

協会福岡県連が昨年九月、「平和の旅」で哈爾濱市日本孤児養父母連合会を訪問し交流した時の養母李淑美さん（九十五歳）の優しい瞳が思い出されます。

「春雨や身をすり寄せて一つ傘」（一つの傘で身を寄せ合って春雨を乗り切ろう）。遼寧省大連市から友好都市の北九州市に届いた二十万枚のマスクには、この夏目漱石の俳句が添えられていたと西日本新聞（四月三日付）が報じています。福岡市にも友好都市広州市から三十万枚のマスクが届けられていました。

コロナ終息に向けてともに困難を乗り越え、友好の絆強く、命をつなぐ未来をともに切り開きましょう！

星野 信（ほしの まこと）

日本中国友好協会全国理事、福岡県連合会副理事長。一九四三年生まれ。一九六二年三月、国立熊本電波高校卒業。同年四月、九州朝日放送勤務。二〇〇三年同社退社。二〇〇四年北京聯合大学応用文理学院に短期留学。二〇一一年～二〇一八年全国常任理事・福岡県連事務局長。二〇一五年九月、大使館主催「戦後七十年強制連行中国人殉難労働者慰霊碑維持管理者懇談会」に出席。二〇一七年七月、中国駐福岡総領事館招待で訪中。趣味は旅行とビデオ撮影。訪中は四十回以上。

一等賞

山川異域 風月同天 青山一道 同担風雨

看護師 岩崎 春香

二〇一八年八月より北京市にある中日友好病院国際部にて日本国際協力機構の青年海外協力隊看護師隊員として活動していた。しかし新型肺炎の影響で、二〇二〇年一月緊急帰国となった。新型肺炎に関連して多数のメディアで私の活動が報道されたが、私の出来ることをしただけだ。四月から神奈川県の軽症者宿泊施設での勤務を決めたのは、中国の同僚達の姿を見ていたから。そして彼らが北京から応援してくれているから。

中日友好病院の日本人看護師と聞けば、ピンとくる方もいるのではないだろうか。それは私だ。新型肺炎に関連して多数の中国メディアで私の活動が報道されたが、私の出来ることをしただけだ。私なりの中国の方々への恩返しだ。私は「中国で新型肺炎と闘った日本人」ではない。「新型肺炎の闘いに身を投じる勇気ある医療従事者と共にありたいと思った、普通の日本人看護師」である。今回は緊急帰国までのあの時のことを、回想録として皆さんにお話ししたい。

二〇一九年十二月末、当時中日友好病院国際部で青年海外協力隊看護師隊員、いわゆる看護師のボランティアとして活動をしていた。外交部の尹さんに頼まれて、日本語のメールを添削していた。私は何気なく「そういえば原因不明の肺炎が出てるって聞いたけど。」尹さんは「ああ、まぁ大丈夫だよ。それより、活動終わったらどうするの？　中国の看護師免許取ってみたら？　それとも進学？」と特に気にしていない様子だった。任期が残り半年に迫っていた私は、活動後も中国と関わる仕事がしたかった。色々な可能性を探そうと思っていた。年が明けた二〇二〇年一月第一週、桂林の近くに住んでいる知人から「春節予定ないなら桂林おいで！　南の春節を体験しなよ！」と、お誘いメッセージをもらった。桂林は中国でも有数の観光スポットだ。その日、私は飛行機のチケットを予約した。中国の日常が、そこにはあった。

数週間後に私は日本に戻ることを余儀なくされ、数ヶ月後に世界が様変わりしているなんて思いもせずに。

一月に入ると、ニュースで原因不明の肺炎について取り上げられることが多くなった。

一月の第二週から、病院内の空気は日に日に緊張感を帯びていった。職員のサージカルマスクの着用が義務になり、防護服の着脱訓練、感染症に関する講義が毎日行われた。原因不明の肺炎の臨床症状がＳＡＲＳに似ていることなどが分かってきた。複数の地域で感染者が見つかるようになった。そんな渦中に国際部の劉看護師長が言ったことを今でもはっきり覚えている。

「私は北京のＳＡＲＳ患者の看護に志願した。当時は布マスクしかなくて、防護具も布のものしかなかった。Ｎ95マスクもなかった。あの時は治療に当たっている私たちですら知らないことが沢山あって、不安だらけだった。防護服はあの時よりも格段に良くなった。政府の対応も情報の開示も早く、ＳＡＲＳの時とは全然違う。だから大丈夫。」

自信をもって言う彼女を見て、私はどんなことがあっても中国に残ろうと決めた。一月十五日、国際部外来のスタッフで新年会をした。それが国際部外来スタッフの皆と食べる、最後の食事会だとは知らずに。

一月第四週に行われる予定だった国際部の新年会は、キャンセルになった。同僚の程さんに「春節は北京から出ない方がいい、北京に戻ってこられなくなるよ」と言われた。飛行機をキャンセルし、知人にはまたいつか行くからと連絡した。

　看護師ボランティアとして何が出来るだろうか。私は外来棟のソファや手すりやボタンを、ハイターで拭いてまわった。それしか出来ない自分が、歯がゆかった。春

中日友好病院国際部の同僚達と共に

節が近づくにつれ、新型肺炎患者の治療に当たる医療従事者の写真を見ることが多くなった。物資が十分でないため防護服を着たまま休む姿は、同じ医療従事者として心が痛んだ。

　一月二十三日、中国政府は武漢の事実上の封城を決めた。私の春節はこうして始まった。

　一月二十四日、母から、私が購入依頼していたマスクを送ったと連絡が来る。武漢の医療従事者の記事を見つけた。春節で実家に戻る途中に武漢に戻る決心をした若い医師、いつ呼び出しがあってもいいよう武漢に残ることにしたＩＣＵの看護師達、休憩せずに厚い防護服に身を包んで働く医療従事者。自らの意思で新型肺炎の治療の最前線に立つ彼らの姿に感極まり、読みながら溢れては流れる涙を止めることは出来なかった。私は直ぐにパソコンを立ち上げ、拙いながら日本語に翻訳し、北京で日本語のフリーペーパーを出している知り合いに記事をあげてもらった。結果、約二千五百人以上の人に読んでもらえた。

　一月二十五日、中国にいる一人の人間として医療従事者として、自分が出来ることをしたかった。武漢の医療従事者に向けて「私たち日本人も、武漢にいる医療従事

者に敬意を表します」という絵を描いた。感染予防の絵を描いて日本語と中国語のバージョンを作成し、中国語は大変お世話になった日本語ペラペラの陳さんと程さんにチェックしてもらった。SNSに投稿し、拡散を依頼した。その夜、陳さんから「中日友好病院も救援隊を派遣するそうです。明日出発するそうです」と連絡があった。

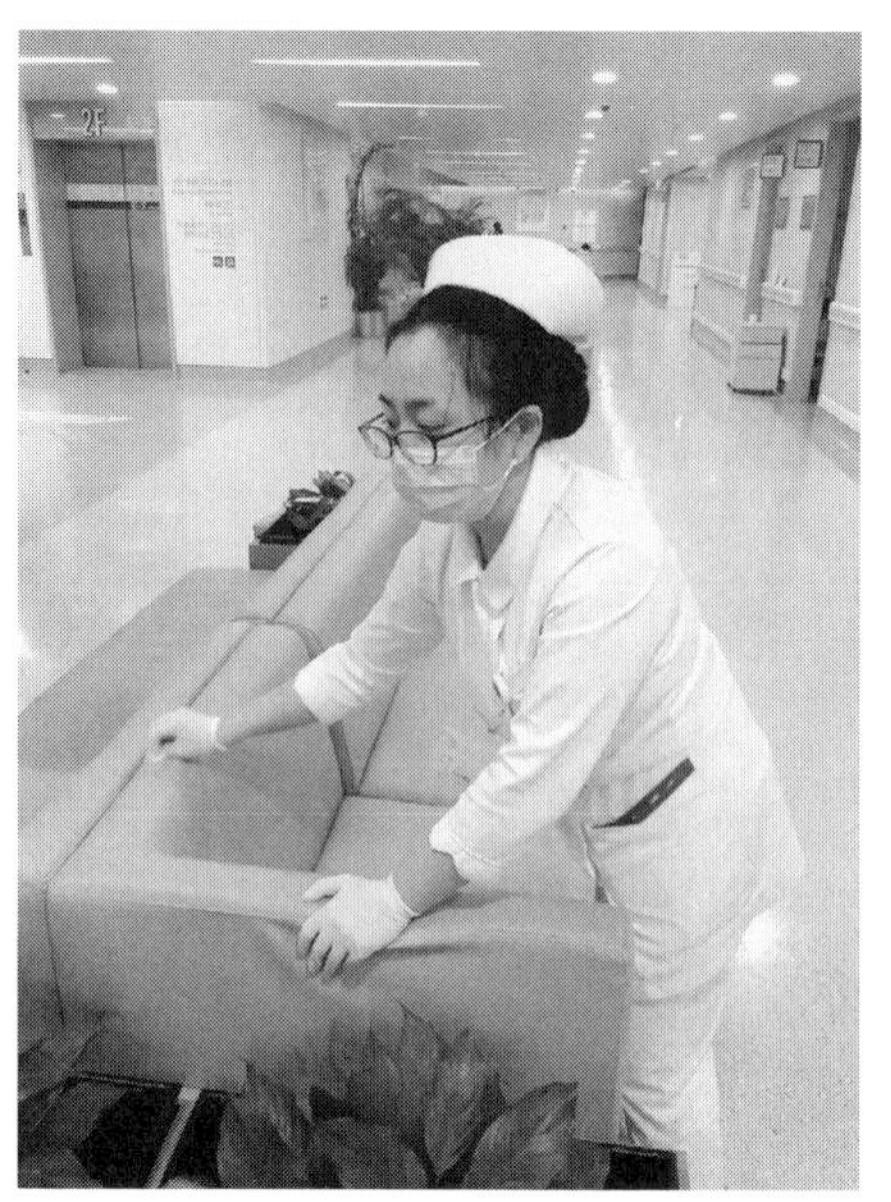

春節前に国際部外来のソファをハイターで拭く筆者

一月二十六日、中日友好病院の同僚たちが救援隊の写真をウィチャットに投稿していた。その中に、国際部外来で一緒だった王麗麗さんの姿があった。私はすぐさま彼女にメッセージを送った。「麗麗老師，一定保護自己，一定安全回来！（麗麗さん、気を付けて、必ず無事帰ってきて！）」彼女からすぐ「頑張って」と日本語でメッセージが返ってきた。涙を流しながら、心のどこかできっと大丈夫だと思った。同時に新型肺炎が私の中で強烈な現実味を帯びた瞬間だった。

一月二十七日、感染予防の絵の中国語を直しながら、多方面から「絵、見たよ！」というメッセージをもらった。少しでも役に立てていることを嬉しく思った。

一月二十八日、日本国際協力機構本部から中国にいる青年海外協力隊の緊急帰国命令が下り、一月二十九日に帰国となることを告げられた。ウィチャットに気持ちをぶつけた。程さんから「どうしたの⁉」と心配の電話が入り、感極まって「我真不想回日本～‼（本当に日本に帰りたくない～‼）」と電話越しで大泣きした。程さんが見送りに来ると言うので、危ないから辞めた方がいいと何度も言うが「一人で帰らせたくない。荷物、一人で片付く？　手伝おうか？」と優しい言葉をかけてくれるので、また大泣きした。泣きながら荷物を片付けるが、荷物が多すぎて収まらない。どうにかこうにか詰めたら、日付が変わっていた。

一月二十九日、その日の夕方の便で帰国予定だった私は、その日の午前中まで帰国したくなくてごねていた。そんな中、日本からマスクが届く。昼過ぎ、国際部の劉看護師長、国際部同僚の程さん、馬さん、張さんが見送りに来てくれた。姿をみただけで、泣きそうだった。皆私にプレゼントをくれ、お礼に少ないながらマスクを渡した。「春になって暖かくなったら、戻って来れるね」とマスク越しでも分かる笑顔を向けてくれた。私は日本に帰らなければならない事態を受け入れ、絶対に戻ってくると心に誓った。

中日友好病院の同僚たちは、皆無事に北京に戻ってきた。桜は既に散り、もうすぐ学校が再開する。春はとうに過ぎ、六月初旬の日本は真夏の様に太陽が降り注ぐ。

世界は様変わりした。

日本での新型肺炎の感染状況は少し良くなったが、まだまだ予断は許さない状況だ。私は四月中旬から地元神奈川県で新型肺炎の軽症者宿泊施設で看護師として勤務している。私がこの仕事をしようと決めたのは、中日友好病院の同僚達の姿を見ていたから。恐怖があまりないのは、彼らが北京から私を応援してくれているから。

山川異域　風月同天
青山一道　同担風雨

出勤途中で見上げたみなとみらいの空も、中日友好病院で見上げた空も、同じ空で繋がっている。遠くない将来また皆に会える日を心待ちにしながら、私は今日も仕事に向かう。

岩崎　春香（いわさき はるか）
日本での看護師経験後、二〇一八年四月から日本国際協力機構の青年課外協力隊（現ＪＩＣＡ海外協力隊）事業に参加、二〇一八年八月より北京市中日友好病院国際部にて外来を中心に看護師ボランティアとして活動。二〇二〇年一月末に新型肺炎の影響で緊急帰国。二〇二〇年六月現在神奈川県新型コロナウイルス感染軽症者宿泊施設にて看護師業務に従事。

一等賞

「焦裕禄精神」と共に

地方公務員　畠山 修一

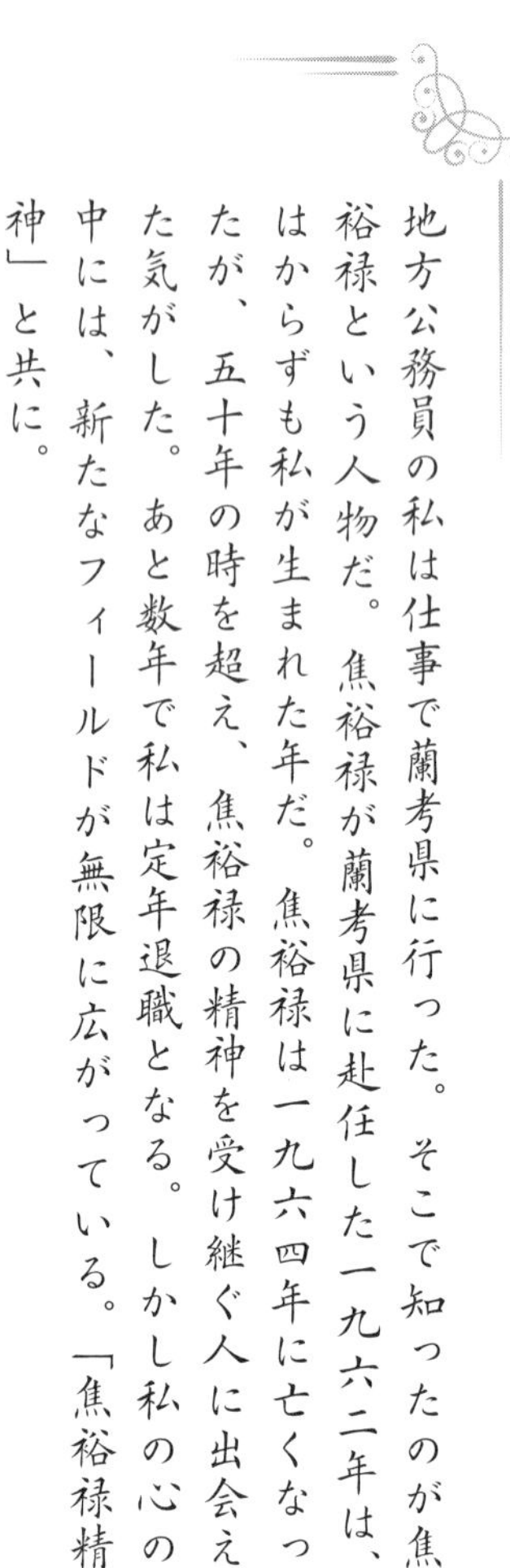
地方公務員の私は仕事で蘭考県に行った。そこで知ったのが焦裕禄という人物だ。焦裕禄が蘭考県に赴任した一九六二年は、はからずも私が生まれた年だ。焦裕禄は一九六四年に亡くなったが、五十年の時を超え、焦裕禄の精神を受け継ぐ人に出会えた気がした。あと数年で私は定年退職となる。しかし私の心の中には、新たなフィールドが無限に広がっている。「焦裕禄精神」と共に。

中国には二〇一四年から昨年までの間に七回足を運んだ。すべて河南省開封市だ。残念ながら今年は、新型コロナウイルスの関係で行けないでいる。始まりは自治体国際化協会の専門家派遣事業で、稲作指導に行ったことだ。

二度目に訪問した際、当初計画にはなかった蘭考県への指導を要望された。当然、なんの準備もしていない。果たして期待に応えられるのかと心配になった。残念な

「焦裕禄精神」を受け継ぐ小麦の育種家の沈天民さん（右）との再会

がらその時は、先方の都合でキャンセルになってしまったのだが。

　来いと言ってみたり、来なくていいと言ってみたり、一体、蘭考県とはどういう所なのか。少しムッとした気分にもなったが、帰国後、いろいろと情報を集めてみた。そして知ったのが「焦裕禄」という人物だ。

　蘭考県は、中国の中でも最貧県の一つとされ、彼、焦裕禄が県書記として赴任した一九六二年頃は、最悪の状態にあった。その根本原因は「三害」、即ち「風害」「水害」「塩害」の三つだった。多くの人々が故郷を捨て、食を求めて他県へ逃げ出して行った。そんな状況の中、やって来た焦裕禄は、「三害」に挑み、四十二歳という若さで肝臓癌のために亡くなった。彼の胸の内には蘭考県のことしかなかった。死を前にして彼は組織に対し、死後も蘭考の人々が沙丘を治めていくのを見続けたいので、遺体を蘭考の沙丘に埋めて欲しいと要望した。

　焦裕禄が蘭考県に赴任した一九六二年は、はからずも私が生まれた年だ。

　四度目の訪問の際、ようやく蘭考県に行くことができた。南馬庄という村だった。張硯斌さんという若いリーダーが迎えてくれた。いもち病が多くて困っているのだと語っていた。田んぼに入り、実態を把握し、いくつかアドバイスをした。

「焦裕禄幹部学院」で昼食をとった。焦裕禄が植えた桐の樹が大木となっていた。見上げた瞬間、涙がドッと溢れ出た。その後、「蘭考展覧館」で焦裕禄に関する展示を見た。そして彼のことを書いた本を買った。帰国後、電子辞書を操りながら本を読んだ。彼の生涯を知るにつけ涙がこぼれた。

それ以来、焦裕禄に関する本を中国から取り寄せては、むさぼり読んだ。

歴史上、何度も決壊した黄河に、翻弄されてきた河南省の人々の苦労も知った。一九四二年に河南省で大飢饉があったことも学んだ。この年の十二月五日、私の祖父はガダルカナルで戦死した。その二十年後の十二月六日、焦裕禄が蘭考にやって来た。不思議な縁に心が動いた。

そして次女の焦守云さんが書いた「我が父　焦裕禄」を読んだ時、これをきちんと翻訳して、彼の墓前に供えようと思った。

五度目の訪問の際、沈天民さんという方に会った。小麦の育種家だった。日本の著名な小麦の研究者、木原均先生からもご教示をいただいたと、自慢げに話していた。

お父さんは蘭考県の医者だった。跡を継げば安泰の人生だった。しかし子供の頃から病院に来る人たちを見て、病気になるのは食べる物がなくて飢えているからだと感じた。この人たちに腹一杯ご飯を食べさせたい、そのためには医者になるより、こんな土地でも沢山とれる小麦を育種することだと決めた。そしてその意志を固めるに至ったきっかけは、焦裕禄の生き様を知ったことだった。

焦裕禄は一九六四年に亡くなったが、五十年の時を超え、焦裕禄の精神を受け継ぐ人に出会えた気がした。この時、沈天民さんから、小麦の栽培指導に協力いただける日本の専門家を紹介して欲しいと頼まれた。

なかなか期待に応えられないまま時が過ぎ、翌二〇一八年八月八日、お詫びかたがたお会いしに行った。

硬い握手をし、記念の写真を撮り、訪問した趣旨をお話しし、深く頭を下げた。沈天民さんは「そんなことはいい」とニッコリ笑ってくださった。そして、これから食事をしたら「焦裕禄記念園」（ここに焦裕禄の墓がある！）でテレビ取材を受けるから、一緒に出て欲しいと言われた。沈天民さんはどうも初めからそのつもりだったらしく、着替えはあちらでと、隣の部屋を指差した。しかし何も知らされていなかった私には、午前中、田んぼの調査で着ていた、汗と泥にまみれた作業着しかなかった。

汗だくになって沈天民さんと、何度も何度も撮影を繰り返し、ようやく焦裕禄の墓の前に辿り着いた。私は翻訳した「我が父　焦裕禄」の原稿を墓前に供え手を合わせた。そして誓った。

「黄河の水で苦しんだ人々が、黄河の水で幸せになっていく物語を綴ります」と。

ホテルに戻る道すがら、汚い作業着で撮影に臨んでしまって本当に良かったのかと心配していた。すると日程調整等に尽力くださったスタッフの金鑫さんが、助手席から後ろの席にいる私に向かって、振り向きざまに拳を振って、「焦裕禄精神！」とエールを送ってくださった。汚い作業着こそが、彼の精神なんだと。

嬉しかった。

あと数年で私は退職となる。しかし私の心の中には、新たなフィールドが無限に広がっている。

「焦裕禄精神」と共に。

畠山 修一（はたけやま しゅういち）

一九六二年四月十二日生。高知大学農学部卒業。一九八五年四月、埼玉県に入庁、川越農業改良普及所に配属。以後、加須農業改良普及所、本庄農業改良普及センター、東松山農林振興センター、埼玉県農林総合研究センター（現・埼玉県農業技術研究センター）、春日部農林振興センター、埼玉県病害虫防除所にて勤務。二〇一八年四月、春日部農林振興センターに赴任し現在に至る。中国には二〇一四年の自治体国際化協会の専門家派遣事業で稲作指導に行ったことがきっかけで、それ以来現在に至るまで河南省開封市、蘭考県を何度も訪れている。

心に残る戦争の真実をたどる旅

団体役員　田丸 博治

いくつもの旅の中で何よりも強烈な苦しみを私に与えた物は、「侵華日軍南京大屠殺遇難同胞紀念館」です。日本陸軍が殺害して池の中に遺棄した死体の発掘が行なわれ、無数の遺骨が現れた状態のまま保存されるなど、普通の人間の行為とは決して思えない残酷な写真が数え切れないほど私の心に残っています。これだけの証拠があっても、南京事件は中国人の作り話だとか主張して逃げる日本人のあることに憤りを覚えます。

中国への旅行は一九九四年八月にシルクロードを訪ねる旅の目的地の烏魯木斉（ウルムチ）から吐魯番（トルファン）を訪ねキジル千仏洞、火炎山、交河古城、莫高窟等の景観に与えられた驚きから始まって八回になります。

その旅が病みつきとなって、北京、万里の長城、上海の外灘、烏鎮、重慶から始まる長江下りに含まれる白帝城と数える事が困難になります。当時、山峡ダムの建設の最中でその上流から下流へ、閘門を利用する必要は無く観光船もそのまま長江を下ることが可能でした。数多くの世界遺産の中に名前の挙がる九寨溝、黄龍、桂林、千枚田を積み重ねたかのような龍背など強烈な印象として今でも鮮やかに心に残っています。

個人的に日本語を教えていたハルピン出身の女性に、妻の出生地であるハルピンを案内してもらう約束が、彼女のお兄さんの結婚式に出席することを名目に実現しました。スーツを着て参加した式には新郎以外にスーツを着た人は無く、なんとなく気まずい記憶が今も残っています。

侵華日軍南京大屠殺遇難同胞紀念館の壁（南京で虐殺されたとされる市民・軍人の総数）

ハルピンの西方にある平房の七三一部隊の跡地を訪れました。広大な平野に場違いな大きな建物が残っており、七〜八十米離れた所に大きな煙突が二本残っている半ば崩れた建物がありました。敗戦時、石井四郎部隊長の命令で、証拠隠滅が行われたにもかかわらず、隠滅し尽くせなかった建物がいくつも残っており、本館の中には一本の柱に縛られた三人の中国人青年が写った写真が展示されていました。思いつく限りの残酷な人体実験を行っている状況を想像して作った実験室が幾つも再現されていました。

元七三一部隊の隊員であった人が戦後四十四年過ぎた時点で、この場所を訪れて書かれた手記が展示されていました。その文をそのまま記します。

「五十年近い年月の間、胸に抱き続けていた謝罪と悔恨の思いを今日現すことが出来た。元隊員であることの身分を明かしての訪問は、あまりに心の重いことであったが、私は、私なりに区切りをつけたかった。合掌

一九八九・六・一五　石橋直方　六十六才」

いくつもの旅の中で何よりも強烈な苦しみを私に与えた物は、「侵華日軍南京大屠殺遇難同胞紀念館」です。個人的に二回、日中友好協会のツアーで一回と三回訪れて頭に刻み込まれています。「３０００００」と大きな

文字が黒々と純白の壁に書かれた数字が訴えかける力に圧倒される一日本人でした。『「東史郎日記」案図集』（新華出版社）を記念館で購入して帰り、その内容の真実に基づく説明、解説に、心底、日本陸軍の犯した残酷な行為に対して怒りに震える思いでした。さらに、綿密な実証活動の結果による訴えが、東京地裁、東京高裁、最高裁、全てに於いて、却下された事を知り、真実が認められない日本の司法制度に強烈な疑念を感じました。

記念館の中に入ると、日本陸軍が殺害して池の中に遺棄した死体の発掘が行なわれ、無数の遺骨が現れた状態のまま保存され、その場所全体を大きな建物で覆い、ありのまま残して入館者に見せています。何人かの軍人が行なった蛮行を自慢するためか、写真に撮り、当時朝鮮人の営業する写真屋に現像、焼き付けを頼んだため、その写真屋さんがあまりの残酷さに驚き、全ての写真を一枚ずつ秘密裏に保存して、それを記念館に寄贈したものが展示されていると伝えられています。その写真の中に七〜八人の中国人の頭を切り取って、あたかも洗濯物のように二本の杭の間の針金にくくりつけて、吊り下げているものがありました。また、殺害した中国人の口に巻き煙草を差し込んで、あたかも死人が煙草をすっているかのように見せたものもありました。これらの写真全てに、中国語、英語、日本語の解説がつけてあります。普通の人間の行為とは決して思えない残酷な写真が数え切れないほど私の心に残っています。

これだけの証拠があっても、南京事件は中国人の作り話だとかまぼろしだと、主張して逃げる日本人のあることに憤りを覚えます。中国政府が国として「恨みに報いるに徳をもってせよ」との崇高な理念から、戦後の賠償を全て放棄したからと、強制連行問題の責任を取らない企業の態度にも怒りを覚えます。

この状況の中で、日中友好協会の目的とする日中両国民の相互理解と友好を深めることの意義深さを、さらに強調しなければならないと思います。

田丸 博治（たまる ひろじ）

二〇一四年八月、日中友好協会に入会し、堺支部の立ち上げからの会員です。堺支部長、浅田勝美氏が福建省竜岩で日本語指導をしておられる時、その学校を訪問して、妻と二人で授業を一コマいただき、学生さんにお話をしたことが二回あります。その訪問の続きに桂林や九塞溝に行きました。中国の世界遺産も見なければならないものが、まだ、沢山あります。

一等賞

生きる希望と光を与える三国志

作家　佐藤 奈津美

十三歳の時いじめを受け、「早く死ねばいいのに」と言われた私は、三国志と生きる道を選んだ。同じ時代、同じ国に生まれた同級生や担任教師よりも、三国志の英雄たちの言動と生き方が、私に命の重さや尊さを教えてくれた。「孔明先生が会って下さるような人間になるまでは、死ねない！」。
中国で叶えた幸せは沢山あるが、一言で表すのなら「生きる幸せ」と言えるだろう。大好きな三国志の英雄たちに感謝！

三国志の英雄たちと私が千八百年もの時空を超えて再会を果たしたのは、私が十三歳の時だった。当時、クラスメートや担任からいじめを受けていた私にとって毎日が生き地獄。

天地人、神仏全てが敵となっては私の存在そのものを有罪であると裁いているようだった。それでも「早く死ねばいいのに」と言われても死ななかったのは、死ねなかったから。

三国志は一般的に戦記のイメージが強いが、私にとっては生きる希望と光を与える人生と命の源泉だった。同じ時代、同じ国に生まれた同級生や担任教師よりも、三国志の英雄たちの言動と生き方が、私に命の重さや尊さを教えてくれた。

人間はここまで他人のために命を懸けられるんだと、命を大事にできる生き物だったんだと教えてくれた三国志の英雄たちの人生は、消えかかった私の命の火を守ってくれた。

そんなある日、中国のドラマで李法曾氏主演の「諸葛孔明」を見て、死んでいる場合じゃない！　と生きる覚悟を決めた。というのも、大好きな三国志の英雄たちが話している中国語が全く聞き取れなかったから。それまで中国語の勉強をしたことがなかったので当然のことだ

孔明先生が眠る武侯墓にて

が、どんなに大好きでも言葉が一つも分からないという現実は
「今死んでも中国語が分からないから、人生の師である孔明先生と話ができない！　その前に、そもそも私は人間としてまだまだ未熟。孔明先生が会って下さるような人間になるまでは、死ねない！」

中国語を学び、中国へ行き、人間力を高め、孔明先生に謁見する！　という人生の野望に目覚めさせた。

こうして十三歳にして人生最大の窮地に陥った私は、三国志と生きる道を選んだが、その決断が正しかったと言わんばかりに、手始めに修学旅行先が中国である高校に無事、入学。

念願かなって訪れた憧れの中国では壮大な地平線を前に、電光石火の一目惚れ。

十代と言う若さの特権もあり、三国志への情熱はさらに加速し、遂には高校卒業後、蜀の首都である成都に六年間留学することが出来た。

就職のためではなく、純粋に三国志文化に浸りたいがためだけに、単身三国志の国へ行ったことで私の人生は本格的に始まったと言えるだろう。

当初、中国語が不案内なまま成都に留学した私は、日本語を勉強する同年代の中国の学生に異口同音に「奇怪」呼ばわりされていた。私が現地で最初に覚えた中国語は「奇怪」である。だがそんな奇怪な日本人留学生を「素晴らしい！」と大絶賛し、誰よりも理解、応援してくれたのが当時の担任教師であり、私の人生で唯一無二の恩師と呼べる人である。

恩師には中国語以外にも、三国志文化や、人として生きる上での大切なことを学ばせてもらった。まさに教師の鑑。中学時代の担任に爪の垢を煎じて飲ませたいものである。

自分自身を理解してくれる人に会えるとは思っていなかったし、期待すらしていなかった。況してや中学時代から敵対視していた教職にある人が知己になろうとは夢にも思わなかった。だから、人生は面白いのだと思う。

日本では出会えなかった「恩師」と呼べる人との縁は今でも続いており、毎年成都へ帰る度に三国志仲間として交流している。

だが、三国志の英雄たちが起こした奇跡の縁はこれだけに留まらなかった。

三国演義のドラマを見て、孔明先生が奏でている楽器「古琴」に興味を持ち、著名な古琴の先生に師事したが、

ひょんなことから知り合った兄弟子である道士さんたちと意気投合。「玄子」と言う中国名を貴重な縁とともに授かった。

あれから二十年近く経った今でも玄子は字として愛用しており、三国志のノリで義兄弟となった道士さんたちとの交流も会う度に新たな学びや縁を広げながら続いている。

同級生と担任教師によるいじめの日々に耐えながらも人間不信にならず、恩師や道士さんのように、日本にいては絶対に知り合えない世界の人たちと「心交」を深められていること、中国語を学んだことにより、中国語圏に限らず、ドイツやフランスを始めとする海外の友達ができて欧州まで会いに行けたこと、などなど列挙していてはキリがないほど、人の和と人生の可能性を広げられたのは、他でもない、三国志のおかげである。

勿論、辛酸を舐めさせられたり、悲しい想い、悔しい思いをすることもあるが、それさえも三国志の英雄たちが私を成長させるために与えたギフトだと思っている。

既に二十年以上前になるが、私が成都へ旅立つ前日、かつて戦地として中国へ赴いたことのあった祖父が私に手向けた言葉は、今でも鮮明に覚えている。

その忘れられない祖父の言葉は、「中国の人は腹を割って話せば、日本人よりも分かり合える」だった。

命を懸けて中国へ行った祖父が、人生を懸けて中国へ行く私に受け継いだ想いと言葉は、中国の人と交流すればするほど、心に深く染み入る。

最後に、中国で叶えた幸せは沢山あるが、一言で表すのなら「生きる幸せ」と言えるだろう。大好きな三国志の英雄たちに感謝！

佐藤 奈津美（さとう なつみ）

十三歳の時に千八百年もの時空を超えて三国志と「再会」を果たす。以来、二十八年間、年中無休で三国志が大好き。現在は人生の師と仰ぐ孔明先生に私淑したことを個人出版で広めながら、三国志に学んだことを人生幹にするライフスタイルを提案している。また毎年、心の故郷である蜀へ里帰りし三国志文化を愛する現地の人と交流を深めている。

二等賞

新たな日中関係へ

――踏み出した小さな一歩――

教師　山本　佳代

自宅を出て、駐車場に向かう道路上に段差がある。わずか五センチメートルほどの段差だ。しかし、一歳の歩けるようになったばかりの娘にとっては難敵だ。立ち止まり、一人で渡ろうとしない。私にとっては何でもない事でも、娘にとっては大きな挑戦であり、日常生活の中で「はっ」と気づかされる事も多い。いつからだろうか、「変化」を恐れて「挑戦」しなくなったのは。

今年のお正月、新年の挨拶とともに中国の友人から連絡があった。春節休みを利用して、名古屋に遊びに来るという。四年前の私の結婚式後のパーティー以来の再会を約束し、再会を心待ちに準備をした。

結論からいえば、この再会は叶わないものとなった。再会の日の朝、コロナウィルスの影響で飛行機が減便しており、急遽朝一番の飛行機で帰国するという連絡が入ったからだ。

この時は新型肺炎の恐ろしさよりも、友人に会えなかった無念さが勝っていた。しかし、これを機に意識が変化していった事は間違いない。一月末になり、中国の罹患者数が急増している報道に触れ、事態の深刻さに気がついた。

「中国の友人を助けたい」。夫が唐突に言い出した。普段ならどうするのと詳細を聞いてから動く私だが、この時は返事一つで行動に移した。まだ、日本での支援活動が大きく動き出していない時であり、夫婦で相談した結果、マスクを購入して中国に送る事を決めた。

夫が知人や受け入れ先、郵送方法を中国の友人と話を進める中、私は娘を抱えて、マスクを買い集めに走った。この時、すでに日本でも購入制限がかかっており、在庫もなくなりつつあった。

先ずは近所のドラッグストアに行ってみたが、売り切れていて一枚も買うことが出来なかった。近隣のドラッグストアも五枚入り小袋タイプのものは少量買えたが、五十枚入りの大容量ボックスタイプは買えなかった。五軒目くらいの大型スーパーでようやくボックスタイプのマスクを一箱買うことができた。

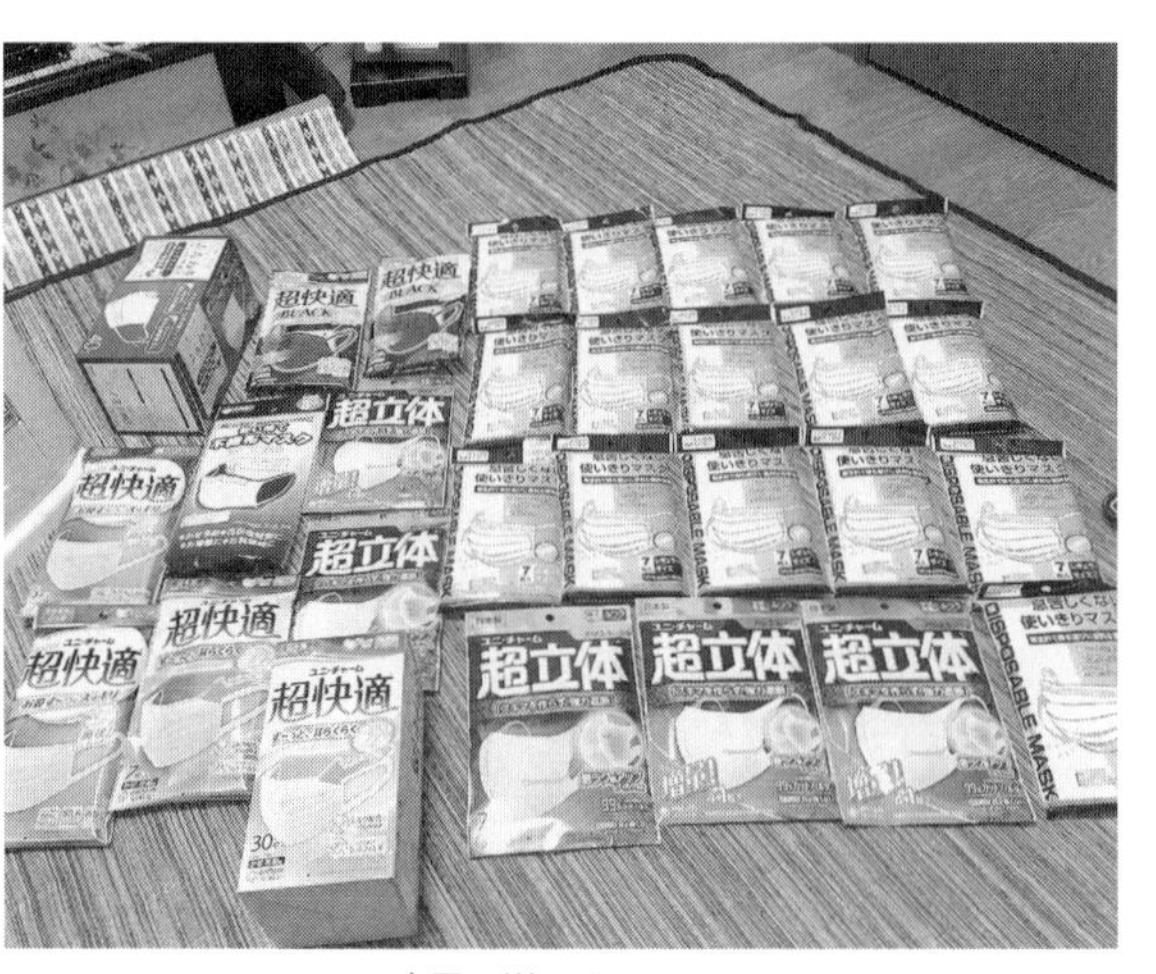

中国に送ったマスク

十軒程周り、約半数の店が売り切れで買うことすら出来ない状況。購入できたマスクも売価が高い小分けタイプものであり、予算の半分を使用して、枚数にして百枚強しか買うことができないでいた。一刻も早く、沢山のマスクを送る事が感染拡大に対する有効な手段であり、焦りにも似た感情が生じた。ネットで探しても、入荷未定であり、万策尽きたと、心が折れそうになった。

そんな時だった。買い物へ出かけようといつもの道を進むと、娘が一人であの段差を乗り越えたのだ。あまりに突然の出来事であり、驚いたが、嬉しさが込み上げて来た。日々成長する姿に力をもらうと同時に、未来の日本と中国を担う子供達のためにも、頑張らなければいけないと気持ちを新たにした。

再びスーパーやドラックストアを回ったが、相変わらず売り切れで、買えずにいた。休憩もかねて、たまたま立ち寄ったコンビニで我が目を疑った。マスクが陳列されているのだ。七枚入りで、お手軽な値段で買える使い捨てマスク。「コンビニは高い」というイメージがあり、利用を避けて来たが、百聞は一見に如かず。実際に見て確かめなければと思った。

それからはコンビニを中心に回り、順調にマスクを集める事ができた。予算を少し超えてしまったけど、約三百枚のマスクを買い集める事ができ、支援の形を整える事ができた。

次はどう中国に送り届けるかの問題が立ちはだかった。この問題は夫が取り組んでくれていたのだが、知人は「予算は?」、「受け入れ先は?」と、腰が重たい様子。私達の力は小さく、弱いのでできるだけ多くの人達とともに動きたかったが、前例の無い活動に理解を得るのに苦労していた模様だ。

結果的に一部を公的機関に寄付して送る事とし、残りを中国の武漢に住む友人に直接送る事とした。友人は日本語学校の先生であり、来日した際に名古屋の街を案内した。最初は仕事の話だけであったが、新年の挨拶や日本・中国の情報をやりとりするうちに仲良くなった人だ。

その後、日本各地から支援の輪が広がった事を知り、嬉しいと感じる反面、支援の規模を競うような報道には違和感を覚えた。しかし、大阪の道頓堀に「中国加油！武漢加油！」の支援メッセージが掲げられるなど、これらの支援活動は日中関係が新たなステージに突入したと感じる出来事となった。

日本でも新型肺炎の脅威が増してきた三月中旬。ようやく武漢にいる友人からマスクが届いたと連絡があった。仕事で国際郵便を使うのだが、早いもので三日もあれば中国まで書類が到着してしまう時代である。便利さを改めて感じる反面、そのスピード感に慣れてしまい、何か大切なものを忘れてしまっている気がした。

マスクが私たちの手元を離れて、約一カ月強の旅路。この間、愛知から東京にいる中国の友人の手に渡り、友人が中国へと携えて戻り、武漢まで届ける段取りをしてくれた。日本人、中国人関係なく、本当に多くの人の協力があって、初めて届ける事ができた。支援というと、一方的に相手を助ける感じがするが、こんなにも一体感や達成感を感じたのは初めての経験だった。

今回の支援活動を通じて、私は日本と中国はより身近になったと感じている。双方が同じ痛みを味わい、それを乗り越えようと、共に支え合ったからだ。一方で訪日観光客の中国人が居なくなって、商売が立ち行かなくなった人などもいて、多くの日本人が中国の影響や身近な繋がりを広く認識するきっかけとなった事は間違いない。

一方で中国との交流は途絶えてしまっている。私の勤める日本語学校では、四月に入学予定であった新入生の多くが入国できていない。中国へ帰りたい学生は帰れない、日本に来たい学生は来れないという状態だ。支援活動を通じて、盛り上がって来た日中友好の機運を逃さないことも今後の支援活動として取り組んで行きたい。

中国からお礼のマスク

今、みんながみんな経験した事の無い世界にいる。目に見えないウィルスに日常は侵食され、多くの不安や不満が噴出し、少なくとも「コロナ」以前と同じように生活するのは困難な状況だ。報道される罹患者数の増減に一喜一憂し、いつ訪れるかわからない自粛とその先にある終息を待ち望む日々を過ごしている。

そんな日々の中でも娘は日々新しい一歩を踏み出している。変化を恐れず、挑戦する事で必ず新しい世界は見えてくるし、日本と中国は必ずこの困難を克服し、より良い関係を築けると思う。互いに支え合う中で、日中双方で確かめ合った絆があるのだから。いつの日か娘を中国の友人達に紹介できる日を信じて。

山本 佳代（やまもと かよ）

愛知大学現代中国学部卒。在学中に天津・南開大学に留学し、屋台で羊肉串を食べることにハマる。卒業後は一般企業の事務を務めた後、中国での留学経験から、国際交流に携わりたいと思い、日本語教師を志す。現在は愛知国際学院の非常勤講師として、中国を中心とした学生に日本語を教えている。

二等賞

中国少数民族の世界に魅せられて

会社員　築切　佑果

二〇一五年九月、私は湖北省の片田舎にある民族大学に日本語教師として赴任しました。自分で決めたこととは言え、日本での安定した会社員生活を捨てて、家族の反対を押し切ってまで、このような選択をした自分自身に驚きました。けれど、その選択に一点の迷いもなく、むしろこれから始まる中国での生活に期待で胸がいっぱいでした。

私と中国との出会いは小学生の時に見た一本の旅番組です。その番組は芸能人が世界各地の家庭に滞在し、現地の人々との交流や暮らしを伝えるという内容で、ある時、中国雲南省に暮らす少数民族、ハニ族が紹介されていました。彼らが山間部に作り上げた三千段にも及ぶ棚田と色鮮やかな民族衣装の美しさに、当時の私は一気に「中国の少数民族」に魅了されてしまったのです。その番組がきっかけで、大学では中国文化を専攻し、在学中には蘇州大学へ短期留学したり、中国サークルでは留学生と一緒に市民の方に中国語を教えたりしました。そして、大学三年生の時にアルバイトで貯めたお金で、念願叶って、あのテレビで見た雲南省へ行くことができました。実際に見る棚田は言葉では言い表せないほど壮大で、思わず息を呑むほどの絶景でした。写真スポットでは貸し民族衣装を着て写真を撮ったり、地元の素朴な料理を堪能したり、夢のようなひと時を過ごすことができました。初めて来た場所なのに、どこか懐かしくて、故郷のような居心地の良さを感じました。

私が日本語教師として赴任することになった湖北民族大学は湖北省西部の恩施土家族苗族自治州にあります。恩施はその名前の通り、土家族と苗族が多く、民族文化の豊かな山々に囲まれた町です。日本語学科には土家族を中心に、北は朝鮮族や満州族から南はタイ族やトン族

学生のお母さんにちまき作りを習う

の学生まで中国各地から来た少数民族の学生たちが日本語の勉強に励んでいます。

ある年の冬休み、当時三年生だったチワン族の王さんが帰省するのに合わせて彼女の故郷を訪ねました。王さんは中国南部の広西チワン族自治区の出身で、大学から彼女の故郷までは、高速鉄道と夜行列車を乗り継いで、半日がかりの大移動です。列車の中では彼女の家族のこと、故郷のこと、学生生活のことなど、様々な話をしました。日本語学科の学生といえども、私以外に日本人のいない恩施では、授業以外で学生が日本語を話す機会はありません。そんな彼女にとって、半日の間ずっと私と日本語で会話するのは大変だったはずです。彼女の実家ではお母さんの手作り料理をたくさんご馳走になりました。中でも忘れられないのが中華ちまきです。王さんのお母さんが作るちまきは、粘り気の強いもち米の中に豚バラ肉と大きな栗が入っていて、ほのかに香辛料の香る甘めの味付けです。聞くところによると、チワン族も日本人と同じようにお祝いの時には好んでもち米を食べるそうです。私と王さん姉妹もお母さんに習って、笹の葉で生のもち米を包もうとしますが、なかなか上手くいきません。それでも優しく、そして根気強く教えてくれたお母さん。みんなで一緒に包んだちまきは今までに食べたちまきと比べ物にならない美味しさで、何個も食べてしまいました。私にとって中国の母の味は王さんの家のちまきです。

また、ある年の国慶節には、ガイドブックでたまたま目にした四川省の奥地にある丹巴というチベット族の村を訪ねることにしました。翌朝七時に成都を出発する長距離バスに乗るため、前日はインターネットでバスセンター近くの安宿を予約していました。当時の私は簡単な中国語しか分からず、宿主のお母さんと会話するのにとても緊張していたのを覚えています。「あなた、明日は何時のバスに乗るの？　どこに行くの？」「朝七時のバスに乗って、丹巴へ行きます」「あら、そう？　そこは私の故郷よ。あなたの国では桜が有名よね？　私の故郷も桜がきれいで、いつも日本の桜を見ると故郷のことを思い出すわ」。日本から遠く離れた中国の奥地にも桜が咲くなんて知りませんでした。そして、桜を見て様々な想いを巡らせるのは日本人だけではないのだなと感じました。この一言がきっかけで私の緊張は一気に解け、同時にチベットの人々に親しみを抱くようになりました。その後、私は連休のたびに四川省のチベット族の村に足を運びました。高くそびえる雪山、繊細で色鮮やかな仏教寺院、チベットの人々の素朴な人柄は一生忘れられません。

もし、中国の少数民族の存在を知らなければ、私はニュースで報道される「中国」しか知らずにいたし、中国語を勉強して、中国で働くどころか中国に足を運ぶこともなかったと思います。少数民族の多様で多彩な文化を知って、たくさんの中国人と出会えたことは私の人生の宝物です。

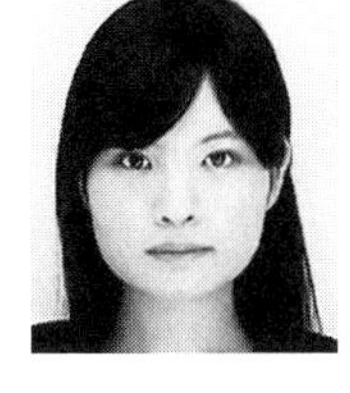

築切 佑果（つききり ゆか）

一九八九年、大阪府生まれ。宮崎公立大学在学中に蘇州大学短期留学。大学卒業後、物流企業に就職。会社閉鎖後に雲南民族大学留学。二〇一五年～二〇一八年、湖北民族大学にて日本語教師。二〇一六年、第六回「外教看中国」撮影コンテスト優秀賞。二〇一七年、第三回湖北省大学生日本語作文コンテスト優秀指導教師賞。第七回「外教看中国」撮影コンテスト優秀賞。大阪府日本中国友好協会会報誌にて定期的に寄稿。

二等賞

没事儿

主婦　橋本 理恵

中国語・中国茶・中国料理に中国ドラマ・C－POPに卡拉OKと気付けばどっぷりハマってしまった私の中国好きだが、敢えて言うなら、「没事儿！」、少し巻き舌気味に言うこの言葉が私にとって中国で一番の魅力だと思う。私は中国の北部に滞在していたため、普通話では舌を巻かず「没事！」になるだろう。日本語に訳すと「大丈夫！」とか「大したことない！」といった意味になる。中国に滞在していると度々この言葉を耳にする。

二〇〇七年から二〇一四年までの約八年、私は主人の転勤に伴い中国の天津市で生活をすることになった。正直それまでは中国に対してあまり印象がなく、突然転勤が決まった日も、「え！　中国？　どうする⁉」とどちらかといえば不安が大きかったように思う。ただ、これから確実に経済成長をする国、その国で実際に生活をする経験は必ず私達にとってプラスになるだろうと駐在を決意した。

とはいえ、言葉も全く分からない国で当時四歳の娘を連れての暮らしは思いの外苦労に満ちていた。娘は現地の幼稚園に通い始めたが、当初は言葉や習慣の違いからか登園をしぶることも度々。私は拙い英語と学びたての中国語で先生方とコミュニケーションをとり、なんとか娘が楽しく登園できるようやりとりをしたが、先生方はいつも「没事儿！」と相談に乗ってくれたり要望を聞いてくれたりした。

住まいは幸い会社が家具付きのマンションを借りてくれたが、毎日何らかの問題が発生する。昨日は水漏れ、今日は洗濯機がずっと回っていて止まらない！　とその度にマンションの管理会社に連絡するが、少し修理しては「没事儿！」と言う。しばらくすると再び故障することが何度もあったので、私としては再発しないよう根本から修理してほしいのだが、なかなか伝わらない。修理に対する考え方が全く違う。

日本と中国はお隣同士で、私達は外見的にもほとんど変わらない。にも関わらず日頃の生活の中で、「え⁉」と驚くことや困ってしまうことは沢山あり、「これは違うだろ！」と思って文句を言うと、やはり「没事儿！」とあっさり言われる。

中国で暮らしはじめてまだ数年の頃、正直この「没事儿！」に、「全然没事儿ちゃうやんか！」と関西人の私はツッコミを入れるほど、全然大丈夫でない状況に対する日本と中国の感覚の温度差みたいなものに苛立ちを覚えていた。今思えば、当時の私は日本人の考えの枠内でのみ物事を捉え、とても狭い世界で判断をしていたのだと思う。

その後また月日が流れ、中国語でのコミュニケーションも上達し、様々な出来事を経験するにつれ、「確かに没事儿！なのかも⁉」と自分でも思えるようになった。

購入したシャツのボタンが取れかかっていたので店員にそれを伝えると、「没事儿！　自分で付け直したら良いよ！」と言われ驚いたが、確かにそれくらいの事は自分ですれば済む事だと思えた。

財布を忘れて市場に買い物に出かけてしまった時、「没事儿！　お金はまた今度で良いよ！」と店のおばさんは品物を渡してくれた。「日本ではありえないな……」と思いつつ、人情深いやりとりに心がほっこりした。

2008年、北京・天安門広場にて

小学校の保護者会活動では日本人と中国人の母親達が一緒にイベントを企画することがあった。日本人の母親達は何ヶ月も前から企画を考えたりスケジュールを立てるが、中国人の母親は「そんなに早くから決めなくても没事儿！」と言って動きに温度差がある。しかしイベント当日には中国人の母親達もしっかり行動を決めてきて、終日楽しい思い出を作ることができた。事前に計画立てることのへ温度差、百パーセントに近い成功を求めることへの温度差を感じたが、「細かいことは没事儿！」と純粋にその時間を楽しむことが大成功なのだと感じた。

当たり前だが中国人にも「没事儿！」では済まされない事も沢山あるが、確実に日本人よりも「没事儿！」の範囲が広くて大らかだと思う。日本人の私から見ると、細かいことは一々気にせず、大体が良ければそれで良いじゃないか！　と言った感じにも思える。もし私がずっと日本で生活していれば、日本の常識や考え方のみが基準になり、それが当たり前として生きていただろう。中国で中国人の「没事儿！」に多く触れる事で、自分の中の物の見方や許容範囲に対して、「本当にそうじゃないとダメ？」と疑問符を掲げることができ、「それは没事儿！　でも良いんじゃない?!」と受け入れられるようになった。

日本に帰国し生活していると、改めてここはマナーやルールがはっきりしていて、周りの目を気にしながら秩序を重んじる国だと感じる。もちろんそこに日本の素晴らしさがあるのだが、時にそれ故のストレスも感じやすく、「心が狭くなっているのでは？」と自問自答してしまうことがある。そんな時は必ず「没事儿！」と自分に言い聞かせ、いつも明るく陽気な中国で出会った人々のことを思う。

橋本　理恵（はしもと　りえ）

一九七四年生まれ。追手門学院大学卒業。結婚後、主人と娘の三人で中国天津市にて約八年の駐在生活を送る。滞在中は中国語や中国茶の学習（高級茶芸師中国国家資格所持）に励みながら、現地の生活を満喫する。現在は大阪在住。中国からのインバウンド顧客対応の仕事や、留学生の日本語勉強ボランティアに携わる。かつて全然興味がなかった中国だが、今では生活の一部となり、日本にいながらも中国ドラマを観たり音楽を聴いたり、滞在中の生活を懐かしんでいる。

二等賞

凍ったハルビンの温もり

会社員　藤本　陽

「中国に行くなんてやめときや！　危ないやろ！」「なんで中国行くん⁉」

　私が大学四回生の時、北京大学に留学すると友人に話すと決まって反対や驚きの声が聞こえた。多くの大学生が英語圏に行くのに対し、反日や大気汚染に関する報道が目立った当時、中国に行くなんて「変人」扱いされるのが普通だったし、賛同してくれる人なんていなかった。

　それでも私は中国を選んだ。なぜなら、日本の文化の多くは中国に由来しているにもかかわらず、斯様に「中国嫌い」が日本で横行・蔓延している理由を知りたかったからだ。報道や噂ではなく、自分の目で本当の中国を見たら、実際に中国人自身になりきって現地に飛び込んでみたら、新しい、面白い世界が見えるのではないかという期待も背中を押した。

　中国語をほとんど話せない状態で入った北京大学では最初から苦難の連続だった。二〇一四年九月、やや熱気のこもる北京空港から北京大学向けのバスに乗ったにもかかわらず、全く知らない場所に降ろされた。予約したはずの自分の寮部屋が無く、色んな事務所をたらい回しにされながら重いスーツケースをひきずって大学構内を歩き回った。頼れる知人もいない中、嫌なことが相次いで、私は初心を忘れ、段々「中国人」が嫌いになった。中国のことが好きで、本当の中国を知りたくて来たはずなのに……。心の中で煩悶した。

　一月の冬休みにハルビンに旅行した。特に思い入れは無く、単純に極寒の地がどういうものかを体験したかった。北京から寝台列車に乗り、細かな雪の降る真っ白なハルビン駅に到着した。駅前の道路は滑りやすく、落ちているマントウは凍って固まり、携帯電話はすぐに使えなくなった。買ったコーラが歩いているうちにみぞれの

ハルビン侵華日軍第七三一部隊罪証陳列館

ようになり、鼻の奥が痛くなった。

　姜さんに会ったのはハルビン駅北側にある一泊四十元のユースホステル。二段ベッドの上が私で彼が下。延安出身（延安が中国人にとって特別な地であることを後日知った）、南京大学で経済学を勉強する彼は最初、私のことを「いけすかない」香港人だと思ったらしい。発音（口音）が異なり、普通の中国人とは少し異なった格好に見えたのが理由だが、日本人だと知ると尚更驚いた。「日本人は好きじゃないんだ」と率直に言う姜さんに最初私は返す言葉が無かったが、充電器を貸し借りする中で徐々に会話が増えた。一緒にハルビン名物のロシア料理や犬肉も食べに行ったし、足の指先をしもやけになりながら太陽島の雪祭りや氷雪大世界にも出かけた。

　ハルビン滞在も終盤に差し掛かる中、私は思い切って彼を七三一部隊記念館（侵華日軍第七三一部隊罪証陳列館）に誘った。「南京大虐殺記念館で嫌な勉強は十分だよ」と苦笑いする彼は「第一、君は敵側の日本人なのになんで俺を誘うんだ？」と挑戦的に問いかけた。返答に窮する私に対し「戦争ドラマのせいかもしれないけど、日本の過去の行いは許せないんだ。被害を受けたのは僕じゃないし、君が悪くないのも知ってるんだけど」と弁解したものの、結局行く事になった。

ハルビン市内からバスで一時間ほどで郊外の記念館に着き、人もまばらな展示場を無言で見て回った。見るに堪えないほど暗く凄惨な内容だった。日本人には肩身の狭い、いたたまれない空間だった。

耳まで凍る中、野外展示を見学している時に何かの拍子でふと私が「僕は広島出身で、祖父は原爆の後遺症で早く亡くなり、僕は顔も覚えてない」と語ると、姜さんは少し驚いた顔をした。

その夜は凍った松花江を慎重に歩きながらハルビンビールを片手に対岸まで歩いた。お互い黙っていたが、何となく考えていることは伝わってきた。

姜さんが急にポツリと「君と知り合えて良かった」と漏らした。「日本人は悪いと思っていた偏見が少し解消したかも。君のお爺ちゃんも被害者なんだな」。

姜さんとは次の日、ハルビン駅前で別れた。彼は中国最北端の漠河まで更に北上、私は北京に戻る。力強い握手で「今度日本行くから、その時は相手してくれよ！」と笑顔で言われた時、私の胸の底が熱くなった。

その後、しばらく彼とは微信のやりとりが続いたが、私の留学が終わり、中国との距離が遠くなると次第に連絡を取らなくなり、やがて途絶えた。残念ながら彼との会話はそれからも無く、今に至る。

いま世界は「対立」で満ちている。しかし、現在私が駐在する南米チリでは、日本人と中国人のささやかな交流が広がっている。火鍋屋では四川省出身の気さくなおじちゃんが激辛麻婆豆腐をつくってくれ、青島ビールで乾杯する。

偏見や対立という言葉を目にするたびに、私は凍った松花江を歩いたあの夜を思い出す。もちろん、簡単に解決できる問題は少ないと知っているが、いつかビール片手に分かり合える日が来ると信じている。

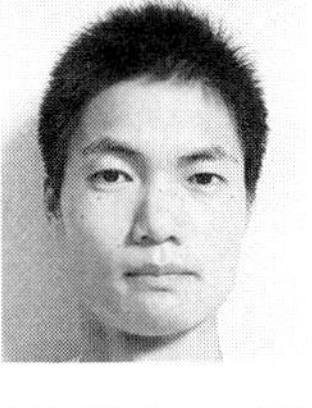

藤本 陽（ふじもと あきら）

一九九二年十月広島県出身。二〇一一年に京都大学文学部入学、二〇一四年九月から二〇一五年七月まで北京大学に留学し、留学期間の前半は対外漢語学院にて中国語、後半は光華管理学院にて金融・経済学を学ぶ。二〇一六年四月より住友商事㈱へ入社。三年間の東京本社勤務を経て二〇一九年四月より南米チリ共和国首都サンティアゴ市へ赴任、現地鉱山会社に出向し内部監査業務に従事する。現在はサンティアゴにおける中華料理店巡りを趣味とし、草の根交流を深める。

本当の中国を求めて

会社員　宮坂　宗治郎

二〇〇九年、もう十年以上も前ですが、私は中国の北京に短期留学しました。たった一カ月だけの留学でしたが、私の中だけにある中国を知り、人生感も視野も広げてくれた貴重な時間だったので、記したいと思います。

留学前、私は中国という日本とは国土も人口も文化も異なる大国に興味がありました。といっても、それらは旅番組などのメディアから得たイメージとの比較でしかなかったので、実際に中国に行き、中国の地を歩き、人と触れ合いたいと思ったのが始まりでした。一方、残念ながら当時のメディアからは日中関係の悪い情報も流れていたことは事実です。しかし、中国人留学生の友人がいたこともあり、メディアの悪い情報から見える中国人と友人の中国人には乖離があるとも感じていたので、「本当の中国」がどうであるかを自分で行って、直接確かめたいという気持ちもあったのです。

留学が初めてだった私は少しの緊張感と大きな期待を持ち、北京へと降り立ちました。滞在先は、留学先であった北京大学のキャンパス内にある留学生寮でした。

留学生活は平日の午前中から昼過ぎまで中国語の授業があり、中国人教師が日本語も英語も話すことなく、中国語のみの授業で、とても刺激的なものでした。それだけでも充実の日々だったのですが、平日の午後と休日は授業がなかったこともあり、外出しない日はありませんでした。

当時、北京大学に在学中の学生に友人が何人かいたので、留学することは事前に伝えていました。そのため、北京大学の友人と外出することが多く、天安門広場、景山公園、王府井にも一緒に行きました。さすが現地人だけあり、バスの乗り継ぎ、電車の最短、最安ルートを調べ、案内してくれました。印象的だったのは、景山公園

万里の長城にて

でした。景山公園の階段を登り切り、景山公園の頂上にある万春亭から見た故宮と北京の街並みはどこまでも続いていていて、日本とはまったく違う街の作りが、そこにはありました。歴史に現代を溶け込ませたような北京の街並みを見て、中国人は先代を重んじ、何千年という長い歴史に誇りを持っているのだと感じました。この場所に連れてきてくれた友人にはとても感謝の気持ちでいっぱいになり、中国の大きさと偉大さを感じた一日となりました。この日の北京は晴れていて、景山公園に吹いていた風はどこか心地の良いものでした。

別の日、大学側が企画してくれていた万里の長城を観光する日帰りツアーに参加しました。大学キャンパス内から大型バスに乗り、万里の長城へ行きましたが、道中、長いこと山を登って行くのがわかりました。万里の長城は突然現れ、大きさに圧倒されたことは今も心に残っています。

さっそく万里の長城の道へと上がると、前を見ても後ろを見ても、その道は遥か彼方まで続いていました。どちらに進むべきか悩みそうでしたが、観光向けの前方向に進むと、中々急な階段があり、段差にも大きなばらつきがあったので、当時の作りがそのまま残っていると感じました。進めるところまでの最終地点に着き、その先の道を眺めると、道はどこまでも広大な山々を上り下りしながら、ずっと先まで続いていました。しばらく見ていると、どこかへといざなわれそうで、不思議な感覚がありました。こんな延々と続く長い広大な道を遥か昔に作り上げた中国人は、やはりすごい。自然に逆らわず、山々の形状に沿って敷かれた道を見て、ここにも中国人の美的感覚がありました。

まだまだ記したい体験はたくさんありますが、これらの体験からだけでも私の中の「本当の中国」に十分答えが出ました。

中国人は熱い魂を持っていて、先人を大切にしている、尊敬もしている、だからこそ昔の中国人が作ったものが世界に認められ、世界遺産になっているものも多い。そして、それらがしっかり今の中国人が作った街と共存しているのを見て、それが中国だと感じました。そんな先人を尊敬する中国人とそんな中国人が作った壮大な中国を私は尊敬します。

ちなみに、メディアの情報から見る中国人へのイメージの乖離ですが、留学中に行動を共にしてくれた中国人の仲間は皆、親切で日本も好きだと言ってくれる最高にすてきな仲間です。そして、彼らは中国人です。それが私にとっての中国人で答えになっていると思います。

あれからもう十年以上もの年月が経ってしまいましたが、今も中国と繋がり続けています。日中友好のボランティア団体のスタッフとなり、イベント企画、運営、開催を行いながら、多くの中国人と日本人の交流をサポートしていますが、私自身も中国人の方々と多く交流させて頂き、日々楽しい時間を過ごさせてもらっています。

どうやら、私の出した「本当の中国」の答えに間違いはなかったようです。

宮坂 宗治郎（みやさか しゅうじろう）

二〇〇八年三月、日中友好三十周年記念日本大学生訪中団に選抜され、北京などを訪中。二〇〇八年七月、日中友好三十周年記念中国大学生訪日団受入れ学生に選抜され、ホームステイに北京大学の学生受入れなどを行う。二〇〇九年二月、北京大学へ留学。二〇一〇年十月、上海万博大学生訪中団に選抜され、上海万博を訪中。現在は神奈川県日中友好協会チャイ華へ所属し、ボランティア活動に参加。

中国の酒文化にみる表と裏

会社員　濱岸　健一

お酒は、喜びや悲しみ等、常に人の情緒に影響を与え、時として人生まで左右してしまう身近な世界共通の嗜好品とも言える。そんなお酒というツールが、無論ビジネスにおいても重要な役割を果たし、日本では「ノミニュケーション」という流行語が出来るくらい、お酒と仕事は切っても切れないものであった。中国でもこの酒文化は、まさに中国固有の文化を形成するにあたっての必要不可欠な要素であり、むしろ日本以上にこのお酒というツールが、ビジネスに深く根付き、人々の人生を決定づける役割さえ果たしてきた。

最近は、政府のお酒を伴うビジネスでの宴会は粛清され、影を潜めるようになったが、私が二〇一一年に中国へ赴任した際は、お酒を中心に駆け引きを行う中国特有の宴会文化には、度肝を抜かれたものである。まず豪華なフルコース料理が並べられ、役職や地位序列に応じた整然たる席順、そして独特の緊張感である。何よりもその宴席の中心には、白酒（別名、中国の国酒と呼ばれ、アルコール度数は平均四十五度程度）が陣取り、主賓の乾杯の音頭とともに宴会が始まるのである。

宴会と言っても、日本人が想像する上司部下も関係ない無礼講といった雰囲気のものではない。暗黙のルールとして、その高濃度アルコールを、一気に飲み干さなくてはならず、中国語で「来、来、来、干！（さぁさぁさぁ、飲み干せ！）」という主賓の掛け声がかかると、同席した者は、皆一様に一気飲みを始めるのである。そして間髪入れずに、空いた盃になみなみと白酒が注ぎ足され、宴席が終わるまで何度も何度もその乾杯が行われる。しかも、決してその場で酔いつぶれてはいけない裏の掟が存在する。

ちなみに、当の私はというと、遺伝的にお酒には非常

豪華なテーブルセッティング

に弱く、全くの下戸である。しかし、そんな急性アルコール中毒問題や、遺伝的にお酒が飲めない体質であると長々と説明したところで、もちろん取り合ってくれるような国ではない。決まって日本人は、元来お酒が飲める大和民族だという不確かなレッテルを貼られ、潰れるまで無理やり白酒を飲まされた日本人駐在員も少なくないだろう。

ある日、仕事上どうしても欠席できない大連のとある宴会で、何とか自分を守るために、とっておきの秘策を考えた。米どころ富山県で育った私にとって、大好物はまさに白米。白米なくして生きてはいけないほどの無類の白米好きの私は、お決まりの白酒攻めに遭った際、次のように主賓に提案した。「白酒の原料は高粱であり、穀物から作られたものです。白米も言ってみれば同じ穀物であり、白という共通項もあり、根本は同じようなものです。よって、私は白酒の代わりに、このお椀の中の白米を一気飲み（一口で食べきる）します！」と言いながら、一瞬のうちに白米を食べ終わると、周りは拍手喝采。主賓から「お前は酒を飲まなくてよいから、この白米を一気飲みしてくれ」と言われ、その日は、結局一滴も白酒を飲まなくて済んだのだ。それ以来、他の宴会でもこの特技を披露し、瞬く間に皆の心を掴むと同時に、なんとか白酒攻めを回避できたのである。

そもそもこのエピソードで私が伝えたいことは、それだけ中国には独特な酒文化が存在することだ。出来ることなら、誰だってそんな宴会には参加したくないだろう。しかし、これはビジネス上人脈づくりの場でもあり、人々は様々な期待や思惑を抱き、巧みな駆け引きをしながら、なんとか乗り切ろうとするのである。誰も表立って口にはしないが、いわば中国の裏の文化を如実に体現したものだと言える。

物事には必ず表と裏があり、四千年の歴史の中で、中国はこの表と裏の顕著な二面性で形成されてきた文化を持っていると私はつくづく感じる。裏としての酒文化のエピソードは、中国の華やかな表の文化を語る上では、不適切だとして非難されるかもしれない。しかし、中国人なら誰もが知っている事であり、外国人も多少なりとも裏の文化を知る機会があっても良いのではないか。日中の文化交流の美談ばかりを語るのでは面白くない。この裏の文化を知ってこそ初めて、そこで暮らす人々の真の姿を知ることになり、本当の意味で中国を理解することへ繋がっていくと思う。

私は、中国に来て既に十年以上経つが、未だに分からない事ばかりで、中国の友人から「中国で生き抜くには、二つの目では足りず、四方八つの目が必要だ！」と指摘されたことをよく思い出す。中国の奥深さ、物事の複雑さ、文化の表と裏を知るには、私たち外国人は一生の年月をかけても完全に理解するのは難しいのかもしれない。言い換えれば、それだけ難解で魅力的な国なのである。

濱岸 健一（はまぎし けんいち）

MUJIホテル北京総支配人。一九八〇年富山県富山市生まれ。二〇〇四年千葉大学卒業後、国費留学生として北京林業大学大学院へ留学、二〇〇八年に修士号を取得。大学院を卒業後、北京での現地採用勤務を経て、二〇一〇年より現職のUDS株式会社に入社。二〇一一年より中国勤務。北京、大連、蘇州、海南島等中国各都市でホテル事業開発業務に従事し、二〇一五年よりMUJIホテル北京の開発を手掛け、二〇一八年オープン後、現総支配人職。

命に国境はない

主婦　橘　高子

私は大学卒業後の一九九七年に中国北京に留学し、中国で働いていた日本人の主人との結婚を経て、二〇一二年まで中国での生活を送ってきた。十年以上の生活の中では本当に様々なことがあり、洛陽への一人旅、各国の留学生との交流、香港返還、息子の現地幼稚園の入園、SARSの流行、北京オリンピックなど、思いつくままに挙げだしたらきりがないが、やはり一番印象深いのは出産、特に次男の出産であろう。

一九九九年に長男を北京のとある病院で出産した時は外国人ということで「国際病棟」に入れてもらえた。そこでは広々とした個室が与えられ、食事も烏骨鶏のスープなど、高級食材を使用した産後メニューを部屋まで運んでもらえ、至れり尽くせりだったのでゆったりと産後を過ごすことができた上、看護師さんも日本語が堪能だったので多いに安心感があった。部屋にもう一つベッドがあり、主人もそこに泊まり込むことができたので、初めての出産はなにもかも順調だった。その経験があったので、次男の妊娠が分かった時も、同じ病院、できるなら長男の出産でもお世話になった中国人のベテラン先生にお願いしようと決めた。

病院でその先生に二度目の妊娠を報告したところ大変喜んでくれた。出産の時の入院の話になると、「前回の入院とは違って、一般病棟での出産しか受け入れられなくなった。看護師も日本語は話せないがそれでもいいか？」と言われた。すこし粘って国際病棟に入れてもらえるよう交渉したが「それが嫌なら他の病院へ行ってもらうしかない」とけんもほろろである。すこし迷ったが、「やはり同じ先生にみてもらいたい」ということと「中国語は留学生活で身についているのでなんとかなる。そもそも先生とも中国語でやりとりしているのだし」とい

家族で行った内モンゴルで。広々とした草原に圧倒されました

う若さゆえの自信と「中国の人と一緒に入院するなんてめったにできない経験かも」というちょっとした好奇心から「一般病棟で産みます！」と宣言し、中国の方と同じ条件で産むことに決めた。ちなみに、この先生は私の出産の直前に骨折され、最後まで見てもらうことはできなかった。

二〇〇二年の三月半ばのある夜、ついに陣痛が始まり、主人、長男と一緒にタクシーで病院へ。顔見知りの看護師さんが空いている病室を手配してくれたので主人と息子はそこで待機となり、私はひとり分娩室の隣の部屋で陣痛に耐えながら時間をつぶしていた。出産のギリギリまで看護師さんが様子を見に来てくれてその時がきたら分娩室へいく、という流れは長男の時に分かっていたので、精神的には余裕があり、私の前に出産している妊婦さんの様子に聞き耳をたてることもできた。

そうこうしている内にいよいよ分娩室へ移動となり、ストレッチャーで運ばれてドアが開くと、狭い分娩室に待機していた十五人ほどの看護師さんたちが一斉にこちらを見た。「あれ、人多くない？」と思ったが、こちらに発言する権利はなく、されるがまま分娩台に乗せられると、先生が私の周りをぐるりと取り囲むように看護師さんたちに指示し、「この妊婦さんは……」「ここに前回の出産の時に切開した跡が……」なんてことまで説明していた。大勢の前で出産するという話は聞いていなかったが、陣痛もマックスになっていた私にとってはもうどうでもよく、次男をこの世に送り出すべく、大勢の前でいきんだ。多分すごい形相だったと思う。痛みで頭がぼんやりする中、一人の若い看護師さんが私の手を握りながら、ずっと励ましてくれていたことははっきり覚えている。

そして無事出産。赤ちゃんの元気な産声が聞こえ、ほっとして目を開けると、看護師さんが号泣していた。そして、嗚咽しながら私の手をより強く握ってきた。看護師さんの手の力強さを感じながら「命に国境はない」としみじみ思った。もちろん当たり前のことなのだが、頭ではなく心で理解した瞬間であった。

北京から日本に戻ってから八年になるが、今でもたびたび自分が中国にいる夢を見る。地元のスーパーで買い物しているところや留学生宿舎でご飯を食べているようなたわいのないシーンだが、非常にリアルで懐かしい。やはり私にとっては二十代、三十代の人生の大切な時間を過ごした土地であり、第二の故郷という思いは強い。

日本と中国との関係はたびたび難しい局面を迎え、色々な報道を目にすることもあるが、そのたび病院で感じた「命に国境はない」を思い出し、日本と中国の架け橋になれる道を日々模索している。

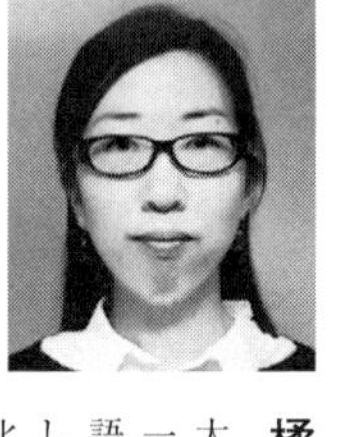

橘 高子（たちばな こうこ）
大学で学んでいた中国語に惹かれ、卒業後の一九九七年に北京に留学。北京郵電大学で中国語を学ぶ。その後、大学で出会った主人と結婚し、主人の仕事に合わせて二〇一二年七月まで北京に滞在。その間、二度の出産を経験。たまに中国語の翻訳をしつつ、また中国に行く日を夢見ている。

二等賞

〝大愛〟に包まれて

語学教育事業者　湯山　千里

「千里さんは〝大愛〟を持っています。中国語で〝大愛〟というのは自分本位ではない、本当に他人のことを考えた私利私欲のない〝愛〟のことです」流暢な日本語で披露宴のスピーチをしてくれたのは、中国人の張剣飛さんだ。彼は中国からわざわざ飛行機で駆け付け、参列してくれた。当日は神社での挙式で、私は彼に「神社での結婚式は披露宴の前に早く行われるけど、参加は自由だから披露宴から来てもらってもいいよ」と言ったが、彼は是非出席したいという。早朝から行われた挙式に私の親族と一緒に出席してくれた。私は内心少々心配だったが、挙式の後、彼は私に「本当にすばらしかった。こんな体験はできない。中国人の友人も誘えればよかった」と言ってくれたことを十年以上経った今でも、鮮明に覚えている。

中国の地域研究に取り組んでいたある日、友達の紹介で彼に出会った。私は国際関係学科だったが、彼は国際経営学科に留学していた。ちょうど私の研究テーマが広東省に関するもので、卒業後、帰国した彼は深圳で会社を設立したことから、研究に必要な機関との連絡を取ってくれたりした。

大学院時代、彼は留学生として来ていたので、日本語はもちろん流暢で、私は彼とはいつも日本語で話していた。研究のため中国へ二週間ほど滞在することになったある日、私が日本語で話しても全く日本語を話してくれなくなった。私に「千里(チエンリー)は一人で順徳へ資料を探しに行かなければならない。これではだめだ。今後、私は日本語は話さないから」と言った。最初は頑として日本語を話してくれないことに、とまどいと一抹の不安を覚えたが、私も私であきらめなかった。そして私は日本語を話し、彼は中国語を話すという、傍から見れば不思議な会

2015年、香港にて張剣飛さんと

話をすることになったのである。今となっては、彼の配慮にとても感謝している。これがきっかけで私は自信を持って中国語を話すことができるようになったからだ。

中国滞在時、彼は私に教育部門を立ち上げるから一緒に会社で日本語教師として働かないかと声を掛けてくれたが、日本人だからといって日本語が教えられるわけではないので、まずは教授法を勉強して経験を積みたいと言って、日本へ帰国した。結局その期待には応えられなかった。

私は台湾で日本語教師になったが、毎年のように新制HSK六級を目指して彼の住む深圳を訪れた。その度にいつもいろいろな所に連れて行ってくれ、いつもおいしいものをご馳走してくれた。その後、中国人との食事では会計前に伝票を奪い合って、自ら支払わなければいけないのだと悟った。

新制HSK六級習得後は、深圳へ行くことも減り、いつも「いつ会いに来る?」と微信でメッセージが来るが、「近いしすぐ行ける。いつでも会えるから」というような気持ちもあって次第に会いに行くことが減っていた。

ある日、台湾でいつも通り授業をしていた私は、携帯の着信に気がついた。彼から何度か電話があったようだった。連絡してみると「無事でいる？」と言う。何のことだか全く見当がつかなかったが、台湾で地震があったと聞いて心配して電話を掛けてくれたのだという。そしてすぐに連絡できなかったこちらが悪いのにもかかわらず「連絡してくれてありがとう。本当にありがとう」と言った。後で私が無事であることを知って涙を流したということを知った。私はすぐ電話に出られなかったことに申し訳なさを感じた。

　月日は流れ、彼に出会ってから約二十年が過ぎた今年、コロナウイルス感染症でマスクが全く手に入らなくなった。彼にマスクが手に入らないことを伝えると、「ここでマスクが手に入るかチェックしてみる。もし手に入ったら送るから」と言う。私の所より深圳の方が大変な状況なのだから手に入ることはないだろうと思っていた。数日後、連絡があった。「今マスクは本当に手に入りにくい。数日かけて探してやっと少し手に入った。送るから住所を教えてほしい」ほとんど外出もできない深圳に住んでいる彼に本来は、私が何かしてあげなければならないのに……。不甲斐なさを感じ、涙が流れた。私のことを思って奔走してくれる彼こそ〝大愛〟を持っている人なのだ。

　私が中国で叶えた幸せは、念願だった中国へ行けたこと、中国をテーマにした研究論文が書けて修士号を得たこと、中国語を習得する楽しさを知ったことなどたくさんある。その中で、一番は言うまでもなく、中国を通してかけがえのない友人と知り合うことができ、〝大愛〟に包まれる幸せを身をもって知ったことである。

　外国に住み、言語を教えている身であっても、異文化交流、異文化理解というのは本当に難しいといつも思う。文化によって表現方法は違っても、相手を思いやる温かい気持ちに国境はなく、必ずいつか相手に伝わるものだ。〝大愛〟を常に持って、これからも民間交流を続けてゆきたいと思う。

湯山 千里（ゆやま ちさと）

法政大学にて東洋史を専攻、二年次に北京大学語学研修に参加。三年次に交換留学生として一年間台湾に留学。大学時代は中国語サークル、日中学生会議等に参加。帰国後、早稲田大学アジア太平洋研究科にて修士号を取得。卒業後、学習院大学外国語教育研究センター勤務（教育嘱託）を経て、二〇〇五年より台湾で日本語教師として勤務。現在、台湾高雄にて中国語と日本語の教室を開きながら、ライター、通訳、ガイドなどに従事。

私の第二の故郷

大学生　藤井　由佳

二〇一八年六月のある日、私は一通の封筒を手にした。胸を高鳴らしながら開けたその封筒の中には「李可鑫」という女の子からのメッセージが入っていた。「あなたと会うのがすごく楽しみだわ！」。その言葉を受け取ったあの日の高揚感を私は昨日のように覚えている。

中国語を学び始めて二年目に入ったその年、私は自分の中国語の実力を試してみたい、同年代の子どもたちと交流して刺激を得たい、自分の目でリアルな中国を見てみたいとの思いからイオン1％クラブが主催する日中ティーンエイジアンバサダー活動への参加を決意した。この活動は日本と中国の高校生が国の代表「小大使」として互いの国を訪れて表敬訪問や文化体験、ホームステイなどの活動を通して両国に対する理解を深めることを目的とした活動で、この年私の高校は初めて参加校として選出されたのだった。「このチャンスを逃したくない」、そんな熱意と日々の努力が実を結び、私は無事中国への切符を掴み取った。これが四月のことだった。それから七月の中国の小大使たちの来日までは忙しい日々が続いた。彼らに日本の良さを知ってもらいたい、彼らと良い関係を築きたいと、家族や小大使の仲間達と一丸となって準備に励んだ。

そして訪れた七月、私は可鑫との感動的な出会いを果たした。この一カ月毎日連絡を取り続けていた彼女と会えたこと、そして彼女が私を見つけるなり笑顔で駆け寄って来てくれたことに彼女との運命を感じ、胸が高鳴った瞬間だった。その後私たちは首相官邸への表敬訪問や学校訪問など様々な活動に参加した。また、可鑫と一対一で過ごしたホームステイでは日本の伝統的な文化を体験してもらおうと手巻き寿司を振舞ったり、地元の祭りに浴衣を着て出かけてみたり、浅草の街を散策したりし

2018年、北京にて「第二の家族」と

た。初めての渡航で不安もあっただろうに終始言葉の通じない私の家族にも気を回して和やかに接してくれたことが印象的であった。

ついに、十月になって私たちが中国を訪れる時がきた。正直中国に行くまではとにかく不安な気持ちでいっぱいだった。しかし、北京の人々の温かさ、ご飯の美味しさ、美しい中国伝統文化が不安を打ち消すとともに私を中国の虜にしていった。特に、可鑫の家族は言葉が通じないなりにも私と積極的にコミュニケーションをとってくれた。親戚総出で出迎え、笑顔でもてなし、日本について興味を持ち日本を知ろうとしてくれた彼らの姿勢、そして「またいつでも戻っておいで」と私にかけてくれた言葉に私は北京の人の優しさを感じたとともに、まるでここが「第二の家族」であるかのように思えた。

もちろん自分の中国語が相手に伝わらず悔しい思いもしたが、一生懸命聞き取ろうとしてくれる、心で会話しようとしてくれる北京の人たちの優しさから私は何よりも大切なことを学んだ。それは相手を理解しようとする姿勢だ。自分の価値観で物事を図るのではなく、相手の文化や思想、人間性を尊重することで言葉が通じなくても分かり合える。中国に行ってみなければ気づかなかったであろうこの発見は、私の価値観を大きく変えることとなった。

今回この活動に参加して、実際に中国を訪れたからこそ自分の、日本の、中国の良さも悪さも見つめ直すことができた。知らなかった新たな魅力、自分の見えていた世界の狭さ、自分の身で体験して初めて知る事実を知り学べたことは、もっと自国について、中国について、世界についての今日の私の興味の源泉へとつながっている。

またそれと同時に、報道や先入観に頼った視点で物事を見ることの怖さも知った。リアルな中国を見たことで、特定の事柄に対して偏った見方で報道されてしまう、情報が語り継がれてしまうことがこの世界における多くの「誤解の種」になるとともに、私たちも気づかぬうちにその影響を受けてしまっているという現状についてとても考えさせられた。

今回の活動を通して私が学生として、そして日本人としてできることは何なのか。小大使になることが決まってから活動を終えるまで、私はずっとこのことを考えて活動にあたってきた。しかし、ちっぽけだった私ができたことは家族や友達、周りの人に自分の経験を語ることぐらいであった。もちろん、中国との縁がなかった私の家族、中国についてよく知らなかった友達、中国についてさまざまな印象を抱いた周りの人たちに中国のリアルを広めることができたことはとても大切な一歩だったと思う。だが、それだけで満足してしまっていいのか、もっとできることがあるのではないかと私の中の「中国に魅了された私」が叫び続けてやまないのだ。

たった一週間しかない滞在であったが、この経験は私にとって人生のターニングポイントとなる特別な経験であった。私はもっと中国について学び、中国語を上達させて、いつかまた中国を訪れたいと考えている。そして今回得た一生の友と切磋琢磨しながら本当の意味での日本と中国の架け橋になりたいと思っている。

藤井 由佳（ふじい ゆか）

筑波大学人文・文化学群人文学類在籍。自分の可能性を広げたい、言語を足掛かりに世界のリアルな姿を見てみたいとの想いから、高校一年生で中国語を学び始める。高校時代には全日本中国語スピーチコンテストや日中ティーンエイジアンバサダー活動への参加を経験する。現在は大学で中国語、英語を中心に言語学を学んでいる。

二等賞

全身で中国を感じる

会社員　執行　康平

異世界。その言葉が最適だろう。成都双流国際空港に降り立った時、絶望を感じた。普段は家族、友人、恋人よりも現状を確認するＳＮＳが全く使用できないのだ。臓器を一つ失ったような感覚。あって当たり前のモノが使えない。いかに相棒のアイフォンに依存していたかを思い知らされる。

しかし、悲しみにふけっている場合ではない。初めて一人で冒険に出た時のことを思い出す。ロールプレイングゲームのような感覚。アナログなフェイストゥフェイスという手法で情報を集める。周囲の東洋人、邦人と似た顔つきだが、明らかに邦人とは異なる人類に声をかける。格闘技だったら二階級ほど異なる大きさの人類だ。ロールプレイングゲームと異なるのは、この東洋人は考え、自分で考えた言葉で話してくれること。ワクワクする。自分の使える知識、道具、思考を駆使し、お互いにコミュニケーションを取りあう。しかし、相対する東洋人はスマートフォンという裏技を使えるのだ。複数の中国人とコミュニケーションを取り、経験値を獲得しながら目的地のトランジットホテルまでなんとかたどり着く。

滞在できる時間は限られているため、一眠りして四川の街に繰り出す。ついた時は成都の夜の暗さと、天気の悪さで気づかなかったが、とても立派な街並みだ。道路はなんと片側二車線以上ある。自分の居住地の香川県よりはるかに都会ではないか。

道端の食堂で寝起きには刺激が強い四川料理を嗜み、白湯で胃の中を落ち着かせ、目的地へと旅立つ。昨晩獲得した経験値を最大限活用し、相手にスマートフォンを利用してもらいながら、目的地までのルートを確認する。地下鉄という文明の利器を用いて移動することにした。地下鉄の利用客は多いが他の諸外国と比較すると治安がいいように感じる。同じ東洋系の人種だからなのか、セキュリティがしっかりしているからなのかは不明だが、スリや犯罪には合わないと確信した。小奇麗な車内は日本の地下鉄よりもはるかに先進的で、ＳＦの世界にいるようだった。

　目的地の「文殊院」にたどり着く。中国のお茶文化を感じるためにどうしても訪れたかった。ここはさらに異世界を感じる。老若男女たくさんの地元民や観光客が埋めきあっていた。デートしているカップル。年末の買い出しに来ている家族連れ。煙草を吸いながら麻雀にふけるグループ。友人とお茶をたしなむ人々。タピオカを売る人。道端には片足がない老人。ローカルを肌で感じることができた。中庭のようなオープンスペースでお茶を頂く。フードコートのような中庭で、自分の好みのお茶を購入し、青空の下現地民はお茶を嗜んでいた。屋外で友人と楽しむティータイム。これが中国のお茶の文化だと感じた。私はＳＮＳへの投稿のことも考えてハーブティーのようなお茶のお店を選んだ。ＳＮＳが使えない環

武侯祠にて

境であることを忘れて。店員さんは非常に魅力的だった。黒のタートルネックに赤い数珠のネックレス。非常にシンプルな服装であるにも関わらず、私は一目で虜になってしまった。伝統的なアクセサリーを主張させすぎず、適度に身につけ、笑顔を見せるわけでもなく毅然とした態度で提供してくれた。

色とりどりの木の実がどっさり入った万華鏡のような美しいお茶。木の実の一つ一つが輝いて見えた。透明なポットに入ったそのお茶は、まるで宝石屋のショーケースのように思えた。次第にそのショーケースの中の色が変わっていく。成都の寒さに震えながら、香りを楽しみながら、色の移り変わりを楽しんだ。周囲の中国人同士の井戸端会議に耳を傾けながらお茶を頂いた。中国大陸の冬の寒さに触れながら頂く自然の甘味を感じるお茶は、身体の隅々まで届き、旅の疲れを癒してくれた。

量り売りで買った中国菓子と一緒にそのお茶を頂いた。なんとも贅沢なひと時。日本、自分の知っている世界では決して味わうことのできない味。異世界の味。これまで味わったことのない味。しかし、懐かしさも感じる味。この文殊院で味わった、温もりを感じたティータイムを「中国四千年のティータイム」と名付けた。

至福のひと時を終え、ホテルへと戻った。またSF世界かと錯覚する地下鉄に乗った。どうやら中国の地下鉄は爽やかな柑橘系の香りがするらしい。日本の汗と熱気が混ざった車内とは大違いだと感じた。ふと隣を見ると、オレンジを丸かじりしている女子学生。なるほど、柑橘系のフルーツを食べているから、あんなに匂いがきつい中華調理を食べても、中国人はそんなに匂いが気にならないのかと理解した。

ホテルに帰り、写真を撮るだけの機械となってしまったアイフォンを見る。写真を見ながら一日だけの異世界の冒険を振り返る。思わず笑顔になる。SNSなしでも笑顔になれる。幸せを感じることができるじゃないかと思いながら、夢の中へと旅に立つ。明日たどり着く旅先のことを考えながら。

執行 康平（しぎょう こうへい）
一九八九年福岡県で生まれる。二〇一五年香川県に移り住み、会社員として働き始める。仕事の合間で海外旅行に出かける。直感で文章を書きたくなり、本稿を作成した。

困難に負けない学生の熱意

教師　小椋　学

「先生できました」。学生たちから写真が届いた。じゃがいもやにんじん、玉ねぎの他、肉やとうもろこし、グリンピース、ブロッコリーなどが入っているのが見えた。初めて作ったとは思えない出来栄えで、レストランで注文した料理の写真かと思ったくらいだ。とても美味しそうに見えた。

私が見たのは学生たちが作ったカレーライスの写真だ。別にカレーライスを作る課題を出した訳ではなかったが、多くの学生が自分の家でカレーライスを作った。学生たちの作ったカレーライスは、どれも少しずつ違う。具の大きさが違うし、具の種類も違う。お皿も違うし、盛りつけ方も違う。どれも学生の好みや性格などが反映されたオリジナルカレーだ。大学の食堂にはカレーライスの店もあるから、カレーライスを食べたことのある学生は多いが、作ったことのある人はいなかったようだ。話によると、冬休みからずっと家にいた学生たちは、普段とは違うものを家族に食べさせたいと考え、私の書いたカレーライスのレシピを見ながら作ったそうだ。学生たちはカレーライスを食べながら家族とどんな話をしたのだろうか。大学生活のこと、授業のこと、日本のこと、日本人教師のことも話題になったかもしれない。普段とは違う食事をしたことで、学生たちとその家族が楽しい時間を過ごせたなら、とても嬉しく思う。

新型コロナウイルスの感染拡大によって、いつから大学で授業が行われるのか全く見通しが立たなかった。当初私が中国に行くまでの間、中国人の先生が代わりに授業を行うという話だったが、結局大学のスケジュール通りに私が授業を行うことになった。授業方法はライブ形式ではなく、毎週教材を作って送り、学生がその教材を見ながら勉強することになった。一年生の会話授業は毎

オリジナル教材『学覇日語』を手に持つ日本語科１年生

年市販の教材を使っていたが、学生にぴったり合っているとは言えなかった。そこで、これまでの教育経験を生かして教材を作ることにした。

私は中国と韓国でそれぞれ一年間の留学経験があり、その時に素晴らしい会話教材に出会った。その教材は留学生の生活をしっかり把握した上で作成されており、会話文はそのまま留学生活で使える実用的なものだった。一方、市販の日本語会話教材は学生の生活に合わないところも少なくなかった。そこで、学生に合った日本語会話教材を作りたいと以前から思っていた。

自分で教材を作るから会話のテーマは自由に設定できる。私が用意したテーマは、地下鉄、バス、WeChat、タオバオ、スポーツ、忘れ物、誕生日、趣味、出前、病気、ゲーム、料理、ダイエット、夏休みだ。どれも学生の大学生活を思い浮かべながら書いたものだ。そのため、学生は大学にいなくても、大学にいるのと同じような感覚で勉強できる。毎週教材の構想を練って作るのは大変だったが、学生が家で勉強している姿を思い浮かべながら、少しでも楽しく勉強してもらいたいという思いで作ったので、全く苦ではなかった。また、授業だけでなく、毎年好評だったお寿司作りもできないため、何か代わりにできることはないかと考えた。そこで、カレーライスを作る会話文を載せることにした。一人が作り方を説明しながら、友達二人と一緒にカレーライスを作るというストーリーだ。会話文だけでなく、レシピも添えることにした。学生たちはこの教材を見ながら、カレーライスを作って私に写真を送ってきたのだ。

ところで、学生が私に送ってきたのはカレーライスの写真だけではなかった。学生の中には、カレーライスのレシピを参考にしながら、自分の得意料理を日本語で書いて送ってきてくれた人もいた。ギョーザ、お粥、長寿麺、野菜炒め、トマトと玉子炒めなどだ。得意料理を教えてくれたことはもちろんのこと、日本語を勉強する学生の熱意に私は心を打たれた。

日本では小学校から大学まで休校が続いており、その間十分な教育が受けられず問題になっていた。そのため九月入学の検討も行われた。一方、中国では決められた大学のスケジュールどおり授業が行われた。日本は想定外のことがあるとパニックになり対応が遅くなることが多いが、中国は冷静に判断し、素早く解決方法を見つけ出すことができる。大学や教師は教育が遅れないように努力したし、学生もそれに応えるように一生懸命勉強した。学生が授業に積極的に参加してくれたおかげで、私も無事最後まで授業を終わらせることができただけでなく、学習の遅れを感じることもなかった。授業は教師と学生が一緒に作っていくものだから、私の授業がうまくいったのは学生のおかげだ。

熱意さえあれば、どんな困難も乗り越えられる。どんなに学習環境に恵まれていなくても、勉強したいという気持ちさえあれば、これまでどおり勉強を続けることができるということを学生たちは証明してくれた。

強く逞しく生きていこうとする学生たちに出会えたことに感謝し、これからも共に成長していきたいと思っている。

小椋 学（おぐら まなぶ）

南京郵電大学外国語学院日本語科講師。中国の北京語言大学と韓国の高麗大学での語学留学経験を生かし、楽しくて学習効果の高い日本語授業を目指している。中国人の学生に合った教材作りにも関心があり、オリジナル教材の『学覇日語』は口語編と写作編がある。また、南京の観光地を日本語で紹介したガイドブック『私が薦める南京の観光地』の作成や大学での講演など、日中交流に向けた取り組みも積極的に行っている。

二等賞

マカオにおける新型肺炎との闘い

会社員　渡邊　真理子

新型肺炎はじわじわと世界中に広がり、二〇二〇年には未曽有のパンデミックとなりました。

六月十二日の時点で世界の感染者は七百四十万人を超え、亡くなった人も四十一万人以上、しかもさらにその数は増え続けています。そのような状況下にありながら、現時点（二〇二〇年六月十二日）で新規感染者が二カ月以上ゼロ、また累計四十五名いた感染者も既に全員退院し一人の死者もでていない場所があります。それが私が現在住んでいる中国特別行政区である「マカオ」です。

「マカオ」がこのような他に類を見ない素晴らしい成果を上げたのは、マカオ政府の迅速かつ的確な対応とマカオ居民の不断なる協力があってこそだと実際に身をもって感じました。マカオ政府とマカオ居民が官民一体となって新型肺炎と闘い、また現在も闘っている様子をそこへ住む日本人として伝えたいと思います。

マカオ政府の初動の速さ

新型肺炎の情報は衛生局のホームページをはじめ、その他多くのチャネルから毎日発信されています。最初に情報発信されたのが二〇一九年の十二月末。武漢で発生している原因不明の肺炎のクラスターに関しての情報と、国境では検温装置で監視が行われているという説明。最前線の医療スタッフへの注意喚起。海外旅行に行く際には、混雑した場所ではマスクの着用をすることと、現地の病院に行くことを避けるように、またマカオに戻ってから具合の悪くなった人はすぐに病院に行って渡航歴も合わせて報告するように注意喚起しています。

一月一日には衛生局（マカオの政府保健機関）局長が記者会見を開き、武漢のフライトの乗客へはマカオ空港で検温していること、検疫強化のためにスタッフを追加していること、医療スタッフに感染対策や感染検出のト

エレベーターのボタンは１時間毎に消毒

レーニングを行っていること、十分な医療品を確保していることなどを説明。仁伯爵綜合醫院（マカオの公共病院）院長からは、重篤患者が出た場合に病院のベッドを確保できるように対策をしていること、軽症または不急の診療は民間クリニックへ行くよう呼びかけています。

一月二日には衛生局がカジノの代表者と対策会議を開き、感染症の予防と管理対策について話し合い。その後も連日会議や各業界へのセミナーなどが行われ、感染者が出る前の段階から対策は着々と進められていました。

感染者が確認されてから

マカオで最初の感染が確認されたのは一月二十二日のことです。武漢からの旅客でした。

最初の感染者確認を受け、消費委員会が衛生用品の供給状況と価格を調査し市場への供給が不足していることを把握し、マスクやその他衛生用品を含む物価が高騰しないよう監視。政府が十分な量のマスクを確保していることを伝え、パニックにならず必要に応じて購入することを求めました。

翌日には政府がマスク供給計画を発表。政府の指定する五十六の薬局でマカオ居民と外国人従業員はＩＤを提

封鎖されたマカオの公園

示して十日の間に一人十枚のマスクを購入できるというものです。購入できる薬局の場所と在庫数は衛生局のウェブサイトから確認ができるようになっています。この計画により買い占めによるマスク不足が解消されました。

行政長官の賀一誠氏も、自ら国境の防疫状況を視察。一月二十三日には会見を開き、住民の生命を守るため春節期間中のすべての大型イベントをキャンセルすることと、それに対する住民の理解を求めました。住民が最新の情報を把握できるように様々なチャネルを通じて予防と管理情報の発信を続け何事も隠蔽するようなことは決してしないと伝え、住民にも個々が予防を始めるようにと強く訴えました。この時点で、今後の状況に応じてはカジノを閉鎖する可能性もあるということを示唆しています。

公共の文化施設や公園なども次々と閉鎖が発表されました。街中に設置されている遊具や健康器具に使用禁止のテープが張られ人出も激減し、まるでゴーストタウンのように。街のいたるところに、マスク着用と手洗いを促す張り紙が貼られ、大人数で集まらないようにとの注意喚起が行われました。

カジノは二月五日から十五日間完全に閉鎖されました。

マカオ経済の要ともいえるカジノを閉鎖するというのは、経済よりも防疫・マカオ市民の生命を優先するという政府の覚悟がうかがえました。

政府からの情報発信は毎日続き、消費者委員会が定期的に物価の高騰がないようにチェックしていることや、マスクの供給が十分足りている事、物流には全く問題がないという事、住民は個人の衛生管理に気を付けるようにという注意喚起が常に行われていました。

一時買い占めによるスーパーの品薄状況がありましたが、政府からの度重なる情報発信も功を奏して住民の間には大きなパニックもなく冷静に対応していました。

マカオ住民も全員マスク着用を徹底、外出を自粛、大人数で集まらないなどの要請を粛々と守り、政府・住民が一丸となって新型ウイルスと闘おうという気持ちになっていたと感じます。

感染拡大後の水際対策

感染の状況に応じ、政府は入境の際の検疫措置も強化してきました。

第一波（武漢からの感染）
——最初の感染確認は一月二十二日

一月二十七日から：湖北省から、もしくは十四日以内に湖北省に渡航歴がある人は新型コロナ無感染の医者の証明が必要に。

第一波からの感染は十名にとどまり、第二波の最初の感染者が確認されるまでは四十日間も新規感染者が確認されていませんでした。

第二波（ヨーロッパなど海外からの感染）
——最初の感染確認は三月十五日

三月十八日から：中国本土・香港・台湾の居住者および外国人従業員を除く外国人の立ち入り禁止。

三月十九日から：中国本土・香港・台湾からの外国人従業員を除くすべての外国人従業員はマカオ立ち入り禁止。

三月二十五日から：中国本土・香港・台湾に居住し、入国の十四日以内に中国以外の国または地域を訪問した人は入国禁止。

五月十一日からは条件が少し緩和され、珠海からの外地労働者に限り条件つきでマカオへ入境できるようになっています。

マカオ政府の経済支援

政府の経済支援策も迅速でした。

三月から五月の三カ月の電気代・水道代を全額補助。

マカオＩＤ保有者に対し五月から利用可能な電子消費カードＭＯＰ三千（約四万円）分を配布（八月からは新たにＭＯＰ五千分追加）。また、その後も追加支援策としてマカオＩＤを保有する給与所持者へＭＯＰ一万五千、中小企業へも従業員数に応じてＭＯＰ一万五千～ＭＯＰ二十万の補助金が支給されます。その他にも、失業者向けの給付金付き職業訓練や、個人事業主を対象とした低金利融資なども盛り込まれています。

電子消費カードを利用できるようになった五月一日には既に一カ月近く新規感染者がでていない状況だったため多くの市民が街へ出て食事や買い物を楽しみ、消費が増えました。地元の経済活性化に大きな役割を果たしていると感じます。

現在のマカオ

現時点（二〇二〇年六月十二日）マカオの感染者数はゼロ、閉鎖されていた文化施設などもオープン。街に出る人の数も増え、ようやく新型肺炎前の状態に戻ってきました。ただ、今後段階的に国境を開きマカオ外からの旅客を迎えることになると、また次の感染の波が押し寄せてくるでしょう。それでも、これまでのマカオの対策をつぶさに見てきた身として、これからも政府と住民が一丸となってきっとこの未曽有の危機を乗り越えられるだろうと信じています。

渡邊 真理子（わたなべ まりこ）

南華旅遊有限公司勤務。一九七五年東京都生まれ。国際基督教大学卒。夫が家業であるマカオの旅行会社を継ぐのを機にマカオに移住、自身も旅行業に従事、マカオ在住歴十年以上。高校生・中学生の二児の母。趣味はマカオ散策で、マカオののんびりした生活が好き。

二等賞

仲間の男気に感謝

会社員　柳原　拓郎

大学生活の後半二年間を中国の天津市で留学生として過ごした。中国での生活を気に入った私は、現地の知り合いからの紹介もあって、留学中に天津での就職を決めた。そうして私は二〇〇七年の夏から天津の小さな日系企業で働き始めた。社長以外に日本人はいない、小さな会社。日本語を話せるのは社長だけ。そこが、私の社会人デビューの場となった。

社長の中国語は仕事をうまく回せるほどのものではないので、社内のあらゆる情報が私を通して社長や日本の本社と中国人スタッフとの間を行き来することになった。まさに、要のポジション。社会人デビューしたてのひよっこなのに。

私の中国語は、業務においても問題はなかった。自分の中国語が通用するのだろうか、という心配はあったが、言葉の壁を感じることは少なく、心配は杞憂に終わった。

私が苦しんだのは、ありがちな話ではあるが日本と中国の板挟みになることだった。社長や日本の本社からの指示は、日本人としては至極当然な内容ではあっても中国人スタッフには伝えにくい、というものがよくあった。文化の違う二つの国の間に立って、ただの翻訳機になれれば楽なのだが、私にだって感情はあるし、日中両国に対する理解もあるので、翻訳機にはなりきれなかった。

中国人スタッフに伝えた指示の中で一番つらかったのは、春節期間の出勤だった。一月ごろ。日本から鉄製品のサンプル作成の依頼があった。大きな取引になりそうな案件で、日本の本社にいる営業担当たちからの期待も大きい依頼だった。しかし、納期に間に合わせるにはどうしても春節期間に工場を動かさなければならなかった。日本の本社からの指示は「工場を春節期間にも稼働させ、納期に間に合わす」というものだった。

もちろん、後日代休を取らせる、という条件も付いていたが、中国人にとっての春節は日本人にとっての正月以上に重要なお休みである。後で休めるからといって、ほいほいと返上したくないお休みなはずだ。

工場で働く同僚たちと白酒で乾杯

街中が賑やかなお祝いムードに包まれる春節。誰しもが昨年の憂いを忘れ、新たな年への希望に浮かれる。そんな空気を私は二年間の留学で体験していた。日本のスタッフだってそういった事情は知っているし、わかった上でのお願いだとは言ってはいるが、ただ知っているのと実際に体験しているのとでは意味が違う。春節を返上せよ、というのは、春節を実際に体験している私にとってはなかなか伝えにくい指示だった。しかも、サンプル作成の担当者三名はすべて地方出身者。春節の帰省を楽しみにしていることも聞いていたし、納期が春節期間と重なることに気づいたのか、まだ翻訳前で日本語だったサンプルの仕様書を見るリーダーの胡さんの表情が曇っていたのも、私は目撃してしまっていた。

とは言え、日本側の気持ちもわかる。私だって日本人である。仕事を一番に考えたい気持ちはわかる。それでも、そういう日本文化を押し付けすぎて嫌がられることがとても怖かった。社会人一年目のひよっこはどうすべきか迷い、ため息ばかりついていた。

サンプル作成の指示がメールで届いた翌日。電話で日本の担当者に納期をずらすことはできないかと相談した。中国の文化についても説明し、できる限り食い下がったが、ダメだった。その時の私は疲れた暗い顔になっていたのだと思う。無意識のうちに胡さんの方を見ると目が合った。すると、胡さんは私に歩み寄ってきて、「気にするな。俺は何をすればいい？」と言った。驚いた私が話を聞くと、胡さんのサンプルチームは全員が春節を返上するつもりだという。気にするなとは言ってくれたが、できれば休みたかったというのが本音なのはわかっていた。もしかすると、日本と板挟みになっている私を見かねたのかもしれない。私は胡さんの配慮に甘えることしかできなかった。申し訳なさと、感謝で一杯だった。

春節がやってきた。出勤しているのは工場長と私と胡さんたちだけ。静かな工場に切断機や溶接機の音だけが響いていた。お正月の二日目にサンプルは完成した。胡さんは、何度も頭を下げて感謝を伝える私に嫌味ひとつ言わず、「今から俺んちで新年会をするぞ」と飲みに誘ってくれた。

胡さんの家は、郊外にあるレンガ造りの平屋。決して衛生的ではないその部屋で、胡さんの手料理とアルコール度数五十二パーセントの白酒をサンプルチームと共に楽しんだ。そして私は見事に酔っ払い、気が付くと自宅で翌朝を迎えていた。

休み明けになって胡さんから話を聞くと、私は白酒を一リットルも飲んだらしい。俺でもそんなに飲めないぞ、と恰幅の良い体形の胡さんは笑っていた。

それ以来、胡さんたちは私のことを「朋友」「兄弟」と言ってくれるようになり、なんでも相談できる関係になってくれた。彼らのような兄貴分がいなければ、仕事はいつまでもつらいままだったかもしれない。

酒を飲み交わせば友達や兄弟になれる。私は中国人のこういうところが大好きになった。

柳原　拓郎（やなぎはら　たくろう）

一九八四年、京都市生まれ。二〇〇五年、関西外国語大学国際言語学部在学中に天津理工大学へ留学。留学中に現地で就職活動を行い、日系の貿易会社に就職が内定。二〇〇七年九月に帰国し、卒業。その後すぐに天津市へ戻り、内定先に就職。翻訳・通訳業務のほか、生産管理や営業など、幅広く担当。二〇一〇年に退職後、帰国。現在は青森県に本社を置く総合物流企業にて中国事業部にも籍を置き、物流の営業と、日中間での商社的業務を担当。

ねぇ、知ってる？

翻訳家　浅岡　真美

二〇一七年九月、私は公立高校教諭を退職し、上海市にある同済大学の留学生となった。大学の副専攻語として学習してから四年のブランクが空き、ほぼ初心者に近い中国語をなんとか駆使しながら、大学の留学生課で事務手続きをしていると、「私の中国語を聞き取れないようでは、銀行口座も開設できないわよ」と受付の女性に叱られた。こうして新しい土地での生活は、私にとって大変ワクワクすると同時に、言葉の壁への不安を感じる幕開けとなったのだ。当時は何クソと思ったが、三年経った今に振り返ると、彼女なりの激励だったのではないかと感じる。

留学から一カ月が経過し、現地の人たちが話す中国語にも慣れてきた頃、公務員という立場ではないからこそ、やってみたいことに挑戦してみようと思った。二〇一七年十月、日本から持参した浴衣を身に纏い、段ボールを抱えて上海市にある豫園へとやってきた。段ボールには、「日中友好　フリーハグしましょう！」と中国語で書かれている。YouTubeに投稿されているフリーハグ企画を見ると、やらせではないのだろうかと感じるくらい、挑戦者の周りに人が集まっているのが印象的だ。日本ではないこの土地で、ましてや昔の事件を思うと、「日本人は中国人からどう思われているのだろう？」という興味が湧いた。

開始時刻は昼の二時。このような挑戦は初めてで、さらに異国の衣装を身に纏っているのだから、緊張感でいっぱいだった。当然、段ボールを抱えて十分間ただ立っているだけでは、誰からもフリーハグなんてしてもらえるはずもない。しかし、十分も非日常なことに挑戦していると不思議なもので、その緊張にも慣れてくるようだ。そこで、笑顔でアイコンタクトをとってみることにした。

2017年10月、上海市の豫園にてフリーハグの参加者と。
現在はTwitterでも「夢を応援する翻訳家」として活動中。

すると、優しそうな夫妻が私に話しかけてくれた。「一緒に写真を撮りましょう」私はその夫妻と何枚か写真を撮り、そして初めてのフリーハグをしたのだ。「どうしてフリーハグをしてくれたの？」と満面の笑みで私が理由を尋ねると、「素敵な笑顔だったからよ」と返答された。この夫妻とフリーハグが終わった後、周りを見ると中国人たちの人だかりができていたのは、私の記憶にまだ新しい。笑顔は世界共通のようである。

順調にフリーハグをしていると、保安室から一人の男性が私のところにやってきた——やばい、捕まる。「こんなところで何をしてるんだ！」保安員が強い口調で質問してきた。焦って怯えながら「ごめんなさい！　フリーハグをしてみたかったんです。でももう帰ります」と私が答えると、保安員は「一緒にフリーハグさせて」とにっこり笑った。私がフリーハグに挑戦した経緯を伝えると、私のように豫園でフリーハグをした人はこれまでにいない、と保安員は教えてくれた。そして、中国人の中にも危険な人がいるから、気をつけるように心配もしてくれた。

午後四時。約二時間の豫園でのフリーハグで出会った人は合計百二十人。中国人だけではなく、中国国外からやってきた人たちも含まれる。どの人たちも笑顔が素敵で、中国語、英語、日本語が飛び交う異空間を経験することができた。YouTubeで見たあの光景は、やらせではなく、本当の出来事だったのだ。

ここまでの話だけを聞くと、順調そうに思うかもしれない。しかし、私がたくさんの人とフリーハグをしている姿を見て、不特定多数の人と接触している私を汚いと直接言う人たちがいたのも事実である。一方で、日本人だからフリーハグをしたくない、と差別する中国人は一人もいなかった。

中国へ行ったことがない人たちは、どうして日本にいる中国人だけを見て、知った気でいるのだろう。日本人同士を見比べても、良い人がいれば悪い人もいる。たまたま出会った在日中国人たちのごく一部が悪い人だっただけではないだろうか？　もしくは、文化の違いで誤解をしているだけなのではないだろうか？　例えば、中国人の話し声が大きく聞こえるのだって、文化の違いである。理由は現地を知っている人なら明確なはずだ。自分の出会ったこと、知ったことだけが真実とは限らない。挑戦してみよう。ステレオタイプから抜け出せないなんてもったいない。

「日本人って中国人からどんな風に思われているのだろう？」そんなことを留学時代に考えていたのを最近になって思い出した。

ねぇ、私の魅力って何？　ねぇ、日本人って海外ではどう思われているの？　あなたは知ってる？

私は今年開催されたミスコンのファイナリストになった。ミスコンに挑戦するなんて、二十九年間の人生の中で考えもしなかったが、中国での駐在三年間を経て、やりたいと思うようになり、挑戦してみたくなったのだ。

ミスコンや起業などのように、私はこれからもまだ疑問に思うことに挑戦していきたい。

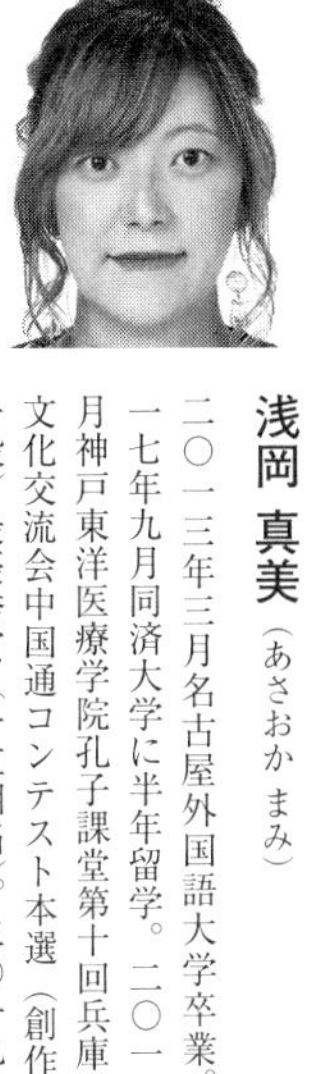

浅岡 真美（あさおか まみ）

二〇一三年三月名古屋外国語大学卒業。二〇一七年九月同済大学に半年留学。二〇一八年十月神戸東洋医療学院孔子課堂第十回兵庫県中国文化交流会中国通コンテスト本選（創作部門・一般）最優秀賞（一位相当）。二〇一九年十二月山口県立大学マルチリンガルスピーチコンテスト（大学生・一般の部）英語・中国語にて発表、優秀賞（二位相当）。二〇二〇年東京マンダリンアワードミスチャイナドレスモデルコンテストファイナリスト。Wonder of Japan 代表、翻訳家。

深圳と私

～喜びと驚きにあふれた六年間～

中学生　上村　里央

「何事も恐れてはいけない」「偏見をしてはいけない」というのを、深圳市は教えてくれました。中国に良い印象を持っていない人が多いのではないでしょうか。私もはじめ「中国の深圳市に行く」と聞いた時、正直あまり喜べなくて、そもそも深圳市がどこにあるのかも分かりませんでした。当時私はまだ幼稚園を卒園したばかりで、友達と離れてしまう、という思いも強かったです。中国で過ごした小学校の六年間で、中国に対するイメージが百八十度変わりました。そして失敗したり、うまくいかないことが怖い、という考えをぶち壊してくれたのも中国でした。この貴重な六年間を通して、考えた事、学んだことがありました。

深圳市に住んでいて学んだことは、家族に対する想いや人との交流についてです。中国では春節の時に、大勢の家族と集まってみんなで食事をします。都会に働きに出た人たちが田舎の実家に帰り、春節を祝います。このことから自分の親や家族をすごく大切にしているのだな、と感じました。私も家族を大切にできるようになりたいです。また、家族だけでなく人と人との交流も見習いたい、と思っています。マンションの掃除をしてくれている掃除のおばさんや、同じマンションに住んでいてたまたま同じエレベーターに乗り合わせた人などがいつも気軽に挨拶してくれたり、一緒に遊びたい時は遠慮なく「一緒に遊んでいい？」と笑顔で聞いてくれたり。挨拶してくれた時はいつも嬉しい気分になります。その気持ちを他の人にもわかってもらえるように、私自身ももっと挨拶を心がけていきたい、と思いました。

私が通っていた深圳日本人学校では、深圳にいるからこそ体験できる行事やプロジェクトがたくさんあります。例えば、現地の小中学校や大学と日本の文化と中国の文

中国での春節の様子

化を教え合い、交流することができる現地校交流です。また、深圳博物館へ遠足に行って深圳の歴史を知ることもあります。これらの行事を通して自分たちが住んでいる地域についてより興味を持つことができます。そして修学旅行では、小学六年生は西安、中学二年生は北京に行くことができます。そこでは、中国の長い歴史などを学ぶことができ、より中国の魅力を知ることができます。私は、中国の深い歴史を知って、より中国を凄いと感じるようになりました。

そして、私が深圳ですごいと思ったのが技術の進歩です。深圳市は、経済特区の一つなので、最先端の技術を間近で見ることができます。深圳市ではほとんどのことをスマートフォンのＱＲコードで行うことができます。例えば無人コンビニやレンタル自転車、フードサービス、デリバリーサービス、キャッシュレスの実現など、すべてスマートフォン一台でできます。今となっては当たり前かもしれませんが、かつて日本では珍しかったものを深圳では当たり前のように使っていたのです。また、ドローン会社「ＤＪＩ」の本社、ＳＮＳアプリケーションの「微信」の本社も深圳市にあります。私のような若い世代が最先端技術を体験することで、私たちの視野が広がり、今の社会に必要な技術や仕事などが見えてきたりして、世界に役立つと思います。中国のシリコンバレーとも言われる深圳市がなぜこんなに発達したのか。それは、海に近い、経済特区、というような理由もありますが、考えたことを素早く実現することができる技術を持っているからではないか、そして、面白い考えを持っている人、いいアイデアを持っている人が活躍できる環境を作っているからすごく発達したのだと思います。

私は日本に帰国して改めて、深圳市、いや中国は本当に素晴らしい場所だと思いました。深圳市は街を歩いているだけでも、その市の素晴らしさが伝わってきます。例えば、どこを歩いても明るくフレンドリーな人々。深圳市だからこそ体験できることを体験させてくださる深圳日本人学校の先生方。そこら中にある最先端の技術。この六年間を通して、「こんなに深圳は素晴らしいのになぜ日本の人々の多くは中国にマイナスなイメージを持っているのだろう」と思うようになりました。もちろん、まだあまり発達していなかったり、治安が悪い場所はあります。しかし、すべての市町村がそうだと言う事ではないということを理解してほしいです。そしていつか深圳市と中国の良さを多くの人に教えたいです。繰り返しになりますが、私は中国に滞在した六年間で、中国語などのことのほかにも色々なことを体験すること、できることをしてみること、人との何気ない会話でも楽しむことなどを学びました。

日本では、遠慮してしまったり、人目を気にしてしまったりすると感じますが、そればかりではなく、積極的に人と関わったり、物事に挑戦することも大切にしていきたいです。

上村 里央（うえむら りお）

二〇一三年春から二〇一九年夏まで、父の転勤に帯同し、家族（最初は三人）で中国・広東省・深圳市に住む。六年間の滞在の間、四年間はインターナショナルスクール、二年間は日本人学校に通う。途中で八歳年下の弟が生まれる。趣味は読書。

二百七十四枚のマスク
――今、自分にできることを問う

教師　五十嵐　一孝

中国の国立または公立大学で教鞭を執っている日本人はおそらく数百人はいるでしょう。皆それぞれ強い使命と情熱を持って中国各地の大学に赴任し日々学生たちと触れ合っています。中国政府の日本語教育に対する熱意と期待に日々感謝しながら、そしてその期待に応えるべく充実した教師生活を送っていました。但しそれも二〇二〇年の一月十六日までは。

二〇二〇年一月十六日に、三週間の冬休みを東南アジアで過ごすべく、鄭州空港へバスで向かいました。目指すはインドネシアで大学の日本語教育状況を研究しにいくためです。最初にタイのバンコクへ行き、そこからインドネシアのスラバヤへ行く旅程にしました。担当する三年生の学期末試験の採点を終え、気分はすっかり旅行者です。しかしバンコクに着いた翌日、大学からメールが届いて驚愕しました。内容は新型コロナウイルス蔓延の予防のため、大学内に残るものは、マスクを着用すること。そして、休暇中で国外にいるものは、帰国を勧めるというものでした。フィリピンに滞在していた頃ホテルの支配人をしておりＷＨＯの指導のもと、ＳＡＲＳ対策で陣頭指揮を取っていた経験もあり、消毒と接触回避という基本的な予防に関しての知識は持っていたので今回もきちんと予防をすれば大丈夫だろうと考えていました。ところが、毎日学生とＳＮＳで連絡を取り合っていると、学生たちから悲痛の声が届き始めたのです。「先生、マスクがありません、家に閉じ籠っています。」、「今日から道路が封鎖されました。」、「バスもタクシーもありません。」　どうやら状況が思っていた以上に深刻なようです。そこで、大学の同僚や日本の家族に連絡を取りながら情報収集を開始しました。これは大変なことになる、何とかしなくてはとすぐに覚悟を決めました。

二月四日に大学に戻る予定をしていたのでマスクや消毒液を出来るだけ多く旅先で買って戻ろう、少しは役に立つかもしれない。しかし、その考えがとても甘かったのを数日後に思い知らされることになりました。インドネシアに入国した時は、荷物になるから多くはバンコクで買うことにしていました。ただ学校が着用を推薦していたN95マスク一セットとサージカルマスクを二箱だけ買いました。そして、予定通り月末にバンコクに戻ったところ、街の様子が激変していることにすぐ気が付きました。なんと、行き交う人たちは皆マスクをしているのです。悪い予感がしました。荷物をホテルに置いて、すぐドラッグストアに走りました。もう何十店まわったことか。どこも売り切れなのです。想像を超える速さでこのウイルスは蔓延していたのです。実質的な蔓延という

鄭州空港からソウルへはこの便をもって運休となった。ほとんど無人の国際線搭乗ゲートまで歩く。この日天気は雪。

より、恐怖からくる蔓延でした。それからのバンコクでの毎日はマスクを探すことだけに時間を費やすことになり、それでも何とか百枚強のマスクを入手することができました。インドネシアで買うべきだったというのは後の祭り。後悔先に立たずとはこのことでした。合計二百七十四枚のマスクを取りあえず、大学に持って帰るつもりでバンコクを出国する日を待ちました。しかし、ここにきて大学から、国外にいる教師は本国に直ちに帰国せよとの勧告メールが届いたのです。その頃既に中国発着の便は多くがキャンセルとなり、また私の勤務する大学の市は封鎖されたことを知ったのです。大学に戻って、何か手伝うことはできないのか、そう大学と交渉しましたが大学としても私の安全確保が第一であり、これ以上迷惑をかけるわけにはならないと思い、後ろ髪を引かれる思いで帰国を承諾したのです。

残ったのは、二百七十四枚のマスクと消毒液、食料品。バンコクから送っても、空の便はないし道路が封鎖されているようだし、どうすればよいのだ。こんな少ない枚数でも大学に送りたい。ちょうどその頃、教え子の一人が武漢に取り残されているのを知り、いてもたってもいられませんでした。そこで、決心したのは、バンコクからこのまま帰国せず、一旦鄭州空港へ入り、空港からマスクを宅配便で送り、その足で帰国することにしたのです。幸いにも、バンコクから鄭州へ入る最後の便が取れました。鄭州から日本への便はすでに全便キャンセルだったのですが、ソウル線がまだあり、これも最後の鄭州―ソウル線を確保できました。二月五日に無事鄭州空港に着きましたが、空港にはまるで人影がなく、ガランとしていました。ターンテーブルからマスクや食料品の入ったスーツケースを取り出し、向かったのは、空港内にある郵便局。しかし郵便局はすでに閉まっており宅配業者の入っているエリアも全てクローズです。この時のショックは言葉にできないものでした。自分は何のために鄭州まで来たのか。マスクを届けるためにバンコクから帰国しないで鄭州まで来たのではないのか。もう誰を責めればいいのか分からず、空港内をとぼとぼ歩いていると、警察官がマスクをして空港内をパトロールしているのが目に付きました。そうだ、これらのマスクは警察に寄付しようと警察事務所に向かって歩き出しました。その警察の前に、ビジネスセンターがあり、そこにコートを預けていたのを思い出しました。そこでスタッフにマスクの話をしたところ彼女は「この箱は私が責任持ってお預かりし、明日郵便局から大学に送ります。先生のお気持ちは中国人としてとても嬉しいです」と言ってくれたのです。その時ばかりは本当に涙が出ました。その頃の日本を始め欧米各国の報道は、中国責任論や非難一辺倒で中国の現状を知る者としてとても悔しい思いをしていました。今やらなくてはならないのは責任追及ではなく、一枚でも多くのマスクを必要としている人に届けることではないのか、一本でも多くの消毒液を届けることではないのか。報道では知ることのできない日中の小さな交流に感動しながら、ソウル行きのカウンターへ向かいました。出国審査の際、私のパスポートを見た係官は二月五日に入国、同じ日に出国することに気付いて理由を聞いてきました。私は記念に撮ったビジネスセンターのスタッフの写真を見せました。彼は静かに出国のスタ

鄭州国際空港のビジネスセンターでマスクの送付を快く引き受けていただいた担当の王斯斯さんと。

ンプを押し私に敬礼して見送ってくれました。そしてセキュリティのスタッフもハイタッチで私を送ってくれたのです。もう私は泣きっ放しで、大袈裟かもしれませんがまるで「マスク送付」の特命を受けた映画の主人公になったつもりで搭乗ゲートに向かいました。

　ソウルから日本に戻り、授業開始の知らせを大学から待っていたところ、二月十七日からの授業は、全てオンラインによる自習になることが決定されました。中国では授業を遅らせないで進める下準備がすでに出来ていたのです。これは日本の学校も大いに見習う必要があるでしょう。さすがＡＩ先進国と言われる所以です。しかし学校からの指示は、学生が受ける一コマ九十分の授業十三コマのうち、教師による授業は四コマのみで他の科目は通信教育のビデオ学習で代替するというものでした。私の担当する三年生は今年の七月にＮ１試験を受ける予定です。この内容と時間では到底追いついていきません。彼らの勉強がコロナウイルスに負けてはならないのです。そこで、学校とも相談して最終的に十八コマをオンラインで直接授業をすることにしました。教師である自分が今できること、それは教えること。学生たちと毎日オンラインで会って励ますこと。コロナウイルスとの闘いは何もマスクを用意したり物資を援助するだけではありません。そしてそれは中国に今いなくてもできるはずです。個人個人が苦しく辛い思いを中国の人たちと共有できるのなら、なんでもできるのです。私だけではなく多くの日本人教師が一日も早く中国へ戻りたい気持ちで一杯でしょう。そして追加補習など既に何か実践されているに違いありません。中国に戻れるまで、他に何かできることはないのか、そう自問自答しながら毎日学生たちと向き合っていきます。

五十嵐 一孝（いがらし かずたか）

東洋大学法学部卒。インド、ドバイでの商社、また東南アジアでホテルの総支配人を長く務め当時より日常業務の傍ら現地の従業員に日本の『おもてなし』を紹介し、日本語、日本のビジネス習慣等を指導。現地で日本語スタッフを採用するにあたり、面接で彼らの日本語能力に興味を持つようになりホテル業界を早期引退。帰国後、千駄ヶ谷日本語教育研究所にて日本語教師養成講座を修了。現在河南省南陽市の南陽理工学院外国語学院日本語学科講師。

洞庭の波、駿河湾に連なる

――湖南省岳陽市への旅

教師　菅田　陽平

今回は、八年間の中国生活の中で初めて、湖南省岳陽市を訪れた時のことを書いてみたいと思います。私自身にとって、岳陽市は、中国の他の地方都市とは、少々異なった存在だと言えます。それは、私が十代のほとんどを過ごした静岡県沼津市の姉妹都市だからです。

訪問記を書く上で出会った資料の中に『人民日報海外版（二〇〇二年八月十五日第一版）』があり、両都市の友好関係に尽くした人々の紹介があります。その行動に敬意を表する意味も込めて、記事のタイトルである「洞庭波連駿河湾（洞庭の波、駿河湾に連なる）」を引用したいと思いました。

駿河湾は、最深部が水深二千五百メートルにもなり、日本で最も深い湾として知られています。そこに面した沼津市は、静岡県東部地域に位置しており、伊豆半島の付け根の部分にあたります。市内各所から見える富士山は、沼津市民の暮らしに溶け込んだ存在だと言えるでしょう。

二〇一八年五月二十六日夕刻、湖北省武漢市での所用を終えた私は、五十分ほどの高速鉄道による移動を終え、岳陽東駅へと降り立ちました。北京への帰途に就く前に、休日を利用し、岳陽市を訪れようと思ったのです。この日は、梅雨入りを前にした華中地区には珍しくなく、小雨が降りしきっていました。

湖南省の最北端に位置する岳陽市は、中国大陸のちょうど真ん中あたりにあります。市の北側には長江が流れ、水運による流通の要所として栄えてきました。市の西側には中国で二番目に大きな淡水湖、洞庭湖を望みます。温暖で、四季がはっきりとした総人口五百六十万人あまりの地方都市です。

沼津市は一九八五年四月に、岳陽市との友好都市提携を結びました。同年一月・五月発行の『広報ぬまづ』には、そのきっかけとして、一九七九年に「中日友好の船」湖南省班が沼津市を訪問したこと、翌一九八〇年に沼津市出身で岳陽市在住の女性が三十数年振りに一時帰国をしたことが挙げられています。二〇二〇年には友好都市提携三十五周年を迎えるとともに、今回の新型コロナウイルスの感染拡大にあたり、同二月には、沼津市から岳陽市にマスク一万枚、つなぎ百着、ゴーグル二十個が入ったダンボール八箱が郵送されました。また、同五月には、岳陽市から沼津市にマスク二万枚の寄付が行われました。

そもそも「岳陽」とは、「山の南」を指す言葉です。ここでいう「陽」が「南」を意味するのは、世界のあらゆる事物を「陰」と「陽」の二つに分ける「陰陽思想」に基づいています。西日本で中国山地を基準に、その北側を「山陰地方」、南側を「山陽地方」と呼ぶのもこの理屈に基づいています。岳陽市の「岳」は、天岳や巴陵等、市域に位置する山を指しているそうです。

そして、沼津市内やその周辺を歩くと、「岳陽」や「岳南」という名のついた企業や学校等が目につきます。この場合、「岳」が指すのは、もちろん富士山のことです。上記の友好都市提携の歴史に加え、富士南麓を指す美称が「岳陽」だということも、静岡県東部地域の人々に親しみを感じさせる点であるように感じます。

2018年に山西省の大学で日本文化の紹介を行った

岳陽滞在中には、岳陽楼を訪れました。思い返せば、初めて岳陽市の存在を認識したのは、中学二、三年生の頃だったと記憶しています。よく通っていた沼津市立図書館には「国際交流コーナー」という場所がありました。そこには岳陽市寄贈の記念品が展示されており、当時、友好都市の紹介の際には岳陽楼の写真がよく使われていました。三国志演義の漫画やゲームに夢中になっていた当時の私は、日本のそれとは明らかに異なった優雅な佇まいに強く惹きつけられました。

その後、高校で漢文を学ぶ中で、岳陽楼が幾多の漢詩の舞台になったこと、楼閣の原形が、魏の曹操の南進を防ぐことを目的とした、呉の魯粛による水軍訓練の閲兵台の設置にあったという説を知りました。現在でも、魯粛の墓、そして、魯粛を呉に引き入れた周瑜の墓が市内にあることから、三国志演義と縁の深い土地だと言えるのです。

このような経緯もあり、岳陽楼の一番上まで登り、小雨に煙る洞庭湖を眺めると、かつて魯粛が軍令を発し、杜甫や范仲淹が小舟で漂ったに違いない水面に、より一層想いを馳せられたように思います。また、黄色い瑠璃瓦で葺かれ、一本の釘も使わず、ほぞを用いて作り上げた蜂の巣型の升形で支えられた屋根は、「江南三名楼」の名に恥じない存在感を放っていました。

なお、敷地内には、周瑜の妻である小喬の墓もあります。きれいに整備はされているものの、半球状にこんもりと土が盛られ、高さ一米ほどの墓碑を備えた簡素な円形墓です。美貌と聡明さを兼ね備え、双扇や鉄扇を手に戦場を闊歩する様子とは対照的です。ゲームや映画の華やかな印象が強すぎるのか、私には物悲しささえ感じられるほどでした。

墓の傍らに佇んでいるうちに、雨が本降りになってきました。史実では、小喬についての記述はほとんど残されていません。物悲しいなどと勝手に思った私に対して、「フィクションの見過ぎだ！」と小喬が怒ったのかもしれません。

菅田 陽平（すがた ようへい）

一九八七年生まれ。静岡県出身。大阪大学文学部卒業、同大学院文学研究科修士課程修了、北京大学外国語学院博士課程修了。二〇一二年に中国生活を開始し、河北農業大学、華東師範大学における勤務を経て、現在は、北京第二外国語学院日本語学院専任講師。専門は応用言語学（日本語教育学）。

二等賞

はじめての中国遠征

高校生　濱野　穂乃香

中国の町は危なくて、中国の人は怖くて、優しくない――これが私が最初に抱いていた中国に対するイメージです。私は中国や中国の人に対して、勝手に偏見や先入観をもっていました。

そんな私が初めて中国を訪れたのは、二年前の夏。中国で開催されるサッカーの大会に参加するために、年代別の代表として中国に足を踏み入れました。今までのサッカー人生のなかで、初めて年代別の代表として、海外遠征を経験しました。初めての中国遠征は楽しみな気持ちの一方、代表選手としての遠征であるため、責任が大きくとても緊張していました。中国に到着し、私たちは中国の五つ星ホテルに泊まらせてもらうことができました。ホテル内はとても清潔感が溢れていて、食事も私たちのために用意してくださいました。本場の中華料理を食べることができて、とても幸せな気分を味わうことができました。

大会前の初めの二日間はトレーニングを行い、初戦の相手はアメリカ代表でした。緊張感あふれる中、私はスターティングメンバーに入ることができ、九十分間最後まで戦い抜くことができました。結果は一対二と惜しくも敗れてしまいました。私の初めての中国遠征はそううまくはいかず、初戦でつまずいてしまいました。でも、そんな落ち込んでいる私を励ましてくれたのは中国の方々でした。ホテルに帰るとあたたかい拍手と笑顔で迎えてくださり、疲れ切った私にパワーを与えてくれました。おいしい食事も用意してくださり、本当に感謝の気持ちでいっぱいになりました。二回戦はチェコ代表と対戦しました。初戦で敗れてしまった私たちはこの試合で勝つしかありませんでした。ホテルからグランドに移動するときに、ホテルの方々は私たちのバスが見えなくな

2018年、Weifang Olympic Sports Center Stadium（1列目の左から2番め）

るまで見守り、温かく送り出してくれました。そのおかげもあり、私たちはチェコ代表に勝利することができました。そして三回戦目。いよいよホームの中国代表と対戦しました。地元ということもあり、中国代表に対する応援がとてもすごくて、圧倒されそうになりました。私はサイドバックとしてスターティングメンバーに名を連ねることができ、三対〇で勝利することができました。大歓声の中、国と国との戦いを肌で実感することができました。試合後は表彰式が行われました。アメリカの選手とチェコの選手と日本の選手と中国の選手が集まり、みんなで写真を撮ったり、会話したりしました。私はある一人の中国の選手と話しました。言語はうまく通じなかったけれど、お互いの心を通じ合わせることができました。今でも私たちは友達です。

私は今回の中国遠征を通じて学んだことがたくさんあります。

一つ目は、「スポーツは、国境を越えて人と人とを繋いでくれるものである」ということです。サッカーというスポーツがなければ中国に行くこともなかったし、中国の方々の優しさに触れることもありませんでした。私が初めに抱いていた中国に対するあまり良くないイメージを抱いたまま、これからずっと過ごしていたかもしれません。でも、サッカーというスポーツがあったからこそ、中国の素晴らしさを知ることができたのです。

二つ目は、「相手のことを知るためにはまずは自分から心を開くべきである」ということです。私たちが中国に行った際に、中国の方が通訳をしてくださいました。最初はお互いが無意識に壁を作っていて、仲良くなることができませんでした。でも、話しかけてみると優しくて素敵な方でした。通じないことがあっても、私たちがジェスチャーを使いながら説明すると、分かるまで理解しようとお互いに助け合うことができました。相手のことを知るためには、まずは自分のことを知ってもらうこと、それが仲良くなるための一番の近道であることを改めて実感することができました。

三つ目は、「思いやりの心は国籍や国境は関係ない」ということです。私たちが練習していたグランドに忘れ物をしてしまったことがありました。そのとき一人の中国の男性が、案内してくださったのです。「困っている人を見かけたら助けてあげること、それは言語も国境も関係ない」ということをその方は私に教えてくれました。

中国という国は私にとって特別な国です。初めての海外遠征でこれほど素晴らしい経験をすることができたのは、中国の方々の優しさがあったからだと思います。今、この世の中は新型コロナウイルスという未知の生物により、脅かされています。こんなときこそ、お互いに批判し合うのではなく、思いやりの心をもって助け合うべきなのではないでしょうか。私たちなら必ず乗り越えられるはずです。私自身もまたいつか、今度はオリンピックという大きな舞台で中国代表と戦えるその日まで、思いやりの心を忘れずに夢に向かって真っ直ぐ進み続けます。

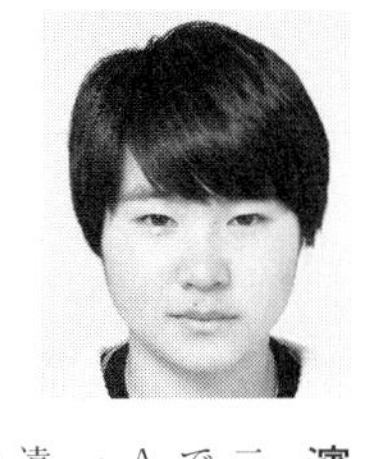

濱野 穂乃香（はまの ほのか）

二〇〇四年東京都生まれ。二〇〇七年母の影響で三歳からサッカーを始める。二〇一七年ＪＦＡアカデミー福島に入る（サッカー受験）。二〇一八年u－14中国遠征。二〇一九年u－15韓国遠征で得点王。現在ＪＦＡアカデミー福島所属（寮生活）、ふたば未来学園高等学校一年生。

忘れられない針治療

元会社員　角　文雄

　はじめての海外赴任が中国であった私は、日々驚きの連続で心身ともに相当疲れていたのかもしれない。一九九六年から約六年間、中国上海の工場に赴任した私は、まさにドッグイヤーと呼ばれるように猛烈なスピードで発展する中国のど真ん中にいた。

　そんなある日、急に口が開かなくなった。食事をしようとすると両耳の下から顎にかけて激痛が走り食べられない。話をするとやはり顎が痛みろくに話も出来ない。最初は歯が悪いのかと思って、当時開業したばかりの外国人用歯科院に行ったが原因はわからなかった。とにかく口を開くと痛くて生活もままならないので、今度は外国人用の診察室がある中山医院へ行ってみたが、やはり原因はわからず痛み止めをもらって帰ってきた。しばらくその痛み止めを飲でなんとか過ごしていたが、そのうちどうしようもなく痛くなって我慢できなくなってきた。

「もうだめだ。日本に戻って病院に行こう」そう思って日本に一時帰国する話をすると、中国人の同僚が針治療をしたらどうかと言ってきた。良い病院を知っているので連れて行ってくれるとのこと。針治療なんてやったこともないしやりたいとも思わなかった。体に針を刺すなんて想像するだけでも痛い。痛む口を開いて丁重に断るが、彼は針を打てば痛みはすぐに消えるから騙されたと思って行ってみようと執拗に勧める。

「そうか。騙されたと思えばいいか。ダメだったら日本に戻って病院に行けばいいんだ」と開き直った私は彼に連れられて病院に行った。その病院には東洋医療の診療室がありそこに針治療の施術室があった。彼が受け付けで私の症状を説明している間、私は施術室の様子を覗いてみた。暗くよどんだ感じの部屋に、緑色の固そうな診療ベッドが一つ置いてあるだけだ。「こんなところで治

休日に上海市内の市場で買い物

療するのかな？」私は不安になって来たことを後悔し始めた。その時、彼がニコニコしながら戻ってきた。

「よかったですよ。今日は評判の良い先生がいて診てもらえるそうです」「そう、評判の良い先生ね。じゃやってもらおうかな」私は平静を装って答えた。痛む顎を触りながら「とにかくこの痛みを和らげてもらえるならなんでもいいか」と思い直した。

受付の人に案内されて、先ほど覗いた施術室に入り、ベッドに腰かけてその評判の医者を待つ。しばらくするとドアが開いて誰かが入ってきた。「ええっ」と思わず声を出しそうになった。白衣こそ着ているが、山奥から出てきたような小柄な爺さんで、顔にあまり精気がなくよたよたと歩いてくる。「こりゃ大丈夫かな」と思いながら挨拶をすると、医者はさっそく私の痛む両顎と口を触り、次に首や肩などを押したりして診察を始めた。

私は痛む部分はここで、こうすると痛くてたまらないと拙い中国語と身振り手振りで説明した。その医者はいったん施術室の奥の扉から出ていくと、針の道具をもって現れた。「ついに針を刺すんだ」私は身構えてそれを見つめた。医者は恐れる私に構うことなく、いきなり足首に指をあてると長い針を突き刺した。痛いと叫ぼうとしたが、ほとんど痛みはなかった。「あれっ」と思ううちに両足首、ひざ、そして手の指の付け根と針を刺していく。「痛いところはそこじゃなくて顎なんだけれど、うまく伝わっていないのかな」私は心配になって話そうとしたその時、耳の下の顎関節あたりに針が刺さった。チクリとしたがそんなに痛くはない。しばらく刺した針を調整するような動作をした後で、針を足首から順に抜き始めた。そして最後に顎の針を抜くと、顎を入念にマッサージした。顎はしびれたような鈍い感覚であったが、なんとなく痛みが引いたような感じがした。医者は針を刺した箇所を確かめるように押したりさすったりして治療を終えた。

「えっと」これで終わり？　でも顎の痛みは確かにひいたような気がする。医者が治療が終わったと言ったのでお礼を言って施術室を出た。外で待っていた同僚は「どうです。よくなったでしょ」と聞いてくる。「うん。なんか軽くなったよ」と私。「そうでしょ。よかったでしょ」と私の反応に満足げに笑う。

私もつられて笑うと、顎が痛くない。「あれ、痛くない。あんなに痛くて食事も会話もできなかったのに痛くないぞ」さっきまであんなに痛くて堪らなかったあの痛みがうそみたいに消えた。これが針治療なのか！

恐るべし中国の針治療、いや東洋医学。

さすが古代の秦始皇帝が不老不死の薬を探させた国だ。おそらく歴代皇帝だけが施術される門外不出の薬や医術も多々あるに違いない。私は変な感動を覚えて顎をさすった。そして治ったお礼にと同僚を誘ってさっそく上海料理屋に向かった。よし今日は久しぶりに思う存分飲んで食べるぞ！

角　文雄（かど　ふみお）

一九八二年ソニー㈱入社。本社経理部、テレビ・オーディオ・ビデオカメラ関連事業部の経理を経て一九九六年から二〇〇二年までソニー㈱と上海広電有限公司の合弁会社である上海索広電子有限公司に勤務。帰任後も中国の販売会社や工場の財務経理面での仕事に携わる。

二等賞

中国人大学生への作文指導

元教員　沖島　正俊

高校教員を退職する前年の二〇一六年、日本語教師としての中国の大学への派遣を長崎県教委から打診された。退職前にも中国の二つの大学に計四年間、日本語教師として県教委から派遣されていたが、依然として課題として残っていた「学生が自分自身を深く見つめる作文が書けるようになるには、どのように指導すべきか」に取り組むべく、東北師範大学（吉林省長春市）に赴任した。

作文指導はテーマ選びに始まり、段落作成、文章表現上の注意点等の解説、添削を経て、最後の評価に至るまで、数多くの指導を経なければならない。その間の教師の時間的・精神的な負担の大きさは、実際に経験してみなければわからないものがある。しかし、数ある授業科目の中で最も充実感を味わえるのも、実は作文指導なのである。同じテーマで書かせても、それぞれの物の見方や考え方、夢、希望等々の個性が行間にも反映されるので、内容・表現が実に多彩であり、読んでいて飽きることがない。授業では学生にテーマの絞り方、段落構成、副詞の呼応等の文法等の基本的事項以外にも、改善すべき点を指摘した上で、優れた表現について解説を加えた。もともと彼らは学習能力が高い上に、日本語や日本の社会・文化・歴史の吸収に熱心なので、回を重ねる毎に、徐々に、時には一気に、物事を多角的に、深く見つめることができるようになっていく、すなわち高みに登っていくのが実感されることが多いが、これこそ作文教育の醍醐味の一つなのである。

学生が自分自身の考えを見つめ、表現できるようになるには、まず基礎力を養わなければならない。八百字の作文の場合、全員分を「は」と「が」の使い分けや読点の使い方から副詞の呼応等の文法的事項を中心に、日本語的な表現、さらには流暢な表現になるまで細かく添削し、

2018年、日本語学科による日本文化祭の記念写真。後列向かって右から６人目が筆者

気付きや説明を加えるので、一人平均四十～五十分はかかった。文法的事項がかなり定着し、語彙力・表現力がしっかりした学生でも、無意識の内に中国語的表現に流れてしまいがちなので、最低三十分ぐらいはかかった。九十分授業の一斉指導の中では、添削上の気付きを十分には説明しきれないし、なぜこのように添削されているのかを本人に納得させるのが難しい。そこで、個別に解説することにした。私の研究室で、月～金の空き時間に、それでも足りないときには土・日も使って、一人平均四十五分の個別指導を行った。解説する項目は盛り沢山で、私も学生も大変であったが、学生の間ではやっている社会現象や文化、日常生活の一コマ、郷里の歴史・文化・風土等を聞くこともできたので、私の方がいろいろと勉強させてもらうことが多かった。確かにこのやり方は時間と労力がかかるので、賛否両論あるだろう。しかし、消せないボールペンで書かれたものを、消せるボールペンで添削することで、時間的・精神的負担が多少は軽減された。苦労も多かったが、それ以上に学生と直に話ができることが楽しく、笑わせてもらうことも多かったので、充実した時間となった。対象学生全員の個別指導という、私にとって一番やりやすい方法がとれたのも、

大学が長崎県から派遣されている日本人教師に個室を与えてくださっているからである。このような恵まれた環境を提供してくださっている東北師範大学に心から感謝している。

在任中は各種スピーチコンテストにも参加させていただいたが、ある審査委員長が「具体的な体験をする中で生じた葛藤から学び取ったものを伝えてほしい」と語ったのが印象的であった。これこそ、自分自身を見つめる作文指導の原点であり、作文を含む表現活動全般にも当てはまる基本的考え方だと確信した。作文を書くとは、自分自身を見つめることであり、それは取りも直さず周囲の他者や社会との葛藤を見つめ、それを言葉として紡いでいくことに外ならない。そう確信してから、「己の葛藤と、それから学び取ったものを的確に表現する力」を育成するにはどのように指導すべきか、が私の課題となった。学生は無意識の内に葛藤を感じているのかもしれないが、それを明確に意識した上で、的確に表現することにあまり慣れていない。作文の前提となる「葛藤と学び」を日常生活の中でいかにして意識させていくべきか、試行錯誤をしている最中に、不覚にも体調を崩してしまい、任半ばにして帰国のやむなきに至った。

今回も課題が課題のまま残ってしまったのが無念であった。しかし、持病を抱えていた私が二年以上仕事を続けられたのも、いつも細かな配慮をしてくださった大学の先生方や、がんばりと温かい協力とを見せてくれた学生たち、片言の日本語で気さくに話しかけてくれたスクールバスの運転手さん、何かと細かい気遣いをしていただいた宿舎の係の方々等々、幾多の人々の支えがあったからである。十年前には、まさか中国の大学で教鞭を執るなどとは、夢にも思っていなかった。つくづく「縁」の不思議さとありがたさを思う次第である。

沖島 正俊（おきしま まさとし）

一九五六年生まれ。長崎県下の高校国語科教員を務め、二〇一七年に定年退職した。退職前に首都師範大学（北京）、厦門大学（福建省）にそれぞれ二年間、退職後に東北師範大学（吉林省）に二年半、それぞれ日本語教師として勤務した。東北師範大学では二年の勤務終了後、帰国予定であったが、二年延長されることになった。三年目に入った年の途中で体調を崩したために勤務を終了し、帰国した。現在は、長崎で悠々自適の生活を送っている。

二等賞

恩返し

動画クリエイター　久保田 嶺

「初めまして。久保田嶺と申します。本日から宜しくお願い致します！　……我高兴（ウォガオシン）（私は嬉しいです）‼」

二〇一六年春、僕は中国上海の中心地から少し外れたビルの二十六階で、入社の挨拶をしていました。「いくら皆日本語ができるからって、日本語だけの挨拶では絶対つまらない……ひとフレーズだけでも中国語を入れなければ……」。初出勤の前日、明日は必ず挨拶の時間があるということを見越した僕は、日本から持参した中国語の教科書から使えるフレーズを必死で探し、嬉しいという意味を持つ「ガオシン」を覚えて、挨拶に臨みました。

「……哈哈哈（笑）こちらこそ久保田君これから宜しくお願いします！　すごい！　中国語勉強しているんですね！　皆さん、久保田君は中国に来たばかりで、そして初中国ですし、右も左も分からないと思いますのでサポートしてあげてね！　久保田君これからよろしくお願いします！」

自分の想像よりも声も出ず、インパクトは全く残せなかったですが、とにかくこうして僕の中国での初生活、初仕事、そして今の自分の幸せにつながる「中国との出会い」が始まりました。当時は中国語が全く話せず、そして実は最終的にこの会社も一年後倒産してしまいます。それでも僕は中国が大好きになり、今ではなんと中国向けの動画配信活動で十七万人の中国のファンの方々がついてくれています。今の僕の頭の中は「どうすれば中国の方々を笑わせられるだろう」ということで毎日いっぱいです。中国との出会いがなければ、こんなに充実した毎日を送ることはできていなかったです。

中国に渡ったきっかけは、当時お付き合いしていた方が中国に行くことになり「これは自分にとってもチャンスだ」と中国での仕事を探し始めたことです。結果的に、

中国西安のタクシーにて

彼女が中国に居るのです、というストーリーが刺さり、すぐに中国上海での仕事が見つかり、意気揚々と中国に渡りました。

しかし結果的に会社は一年後に倒産。僕は中国にも、中国の方々にも、そして会社にも全く貢献出来ずに、帰国することになりました。

しかし何もできなかった僕にも、当時の会社の先輩や近所の方々が本当に良くしてくれました。自分が中国語を聞き取れないことなど全く気にせず話しかけて下さる隣の部屋のおじいちゃん。何度元気を頂いたか分かりません。あなたと話したくて毎日部屋で中国語を勉強して、覚えたての中国語をすぐにぶつけにいきました。単語が通じた時の喜び、窓に向かって煙草を吸っている後ろ姿、今でも鮮明に覚えています。

日本語がペラペラの中国の先輩も「自分も日本に居た時は楽しさも苦労も経験しました。だから今の久保田さんと同じです。何でも相談して下さい」といつも気にかけてくれました。ランチの時間に色々な中国ローカル料理屋さんに連れて行って頂き、中国の事を沢山教えてくれました。僕の大好きな時間でした。

そして帰国後。その時の恩を少しでも返そうと、僕は中国向けに動画を配信する活動を始めました。そしていつの間にか三年が経過しました。今では中国語で日常会話もできるようになり、ありがたいことに見て下さる中国の方々も増えました。

そしてそんなある日、上海で働いていた当時の先輩から「久保田さんの動画、実は見ていますよ。中国語本当に上手くなりましたね。元気をもらっています」と連絡がありました。胸が熱くなりました。

僕と中国の初めての出会いは、中国の方々に何もできず、何も貢献できず、毎日助けて頂いてばかりで、最終的に倒産という結果で本当に何もできずに終わってしまいましたが、それが今なら、少しだけでも貢献できているのかもしれない。もっと頑張ろうと思いました。

コロナウイルスが中国、特に武漢で猛威を振るっていた時にも、「久保田さんの動画で笑えました！」や「考えすぎずいつも通り動画を撮ってくださいね！」と武漢の方々からコメントやメッセージを頂き、言葉にできない気持ちになりました。

中国の方々は僕に全てを与えてくれています。上手くいかない事も、信じられないほど嬉しいことも、すべて経験させてくれています。今の僕はその恩を返すことで頭がいっぱいで、とにかく「中国の方々を笑わせる、楽しませる」ということしか考えていません。

とても大好きで大切なものができた、というのが中国で僕が叶えた幸せなのかもしれません。これからも中国語をもっと勉強し、中国文化を深く理解できるよう努め、中国の方を笑わせられるように作品を作り続けて参ります。最後に、中国の皆様、これからも宜しくお願い致します。あなた方に出会えて僕は本当に我高兴です。

久保田 嶺（くぼた れい）

一九九一年埼玉県入間市生まれ。二〇一六年中国上海に渡り、現地の中国人の人材紹介業に携わる。一年後会社の倒産に伴い帰国。二〇一七年ホテルで勤務する傍ら、個人で中国向けに動画配信を開始。主にビリビリ動画やWeibo で活動をし、ファン数は十七万になる。中国でもう一度生活することが夢。

私は中国を知らなかった

主婦　大河原　はるか

二〇一九年十二月、なんとなくのノリで次の旅は四川省・成都市に決めた。初めての中国。娘が五歳になり、「好きな動物はパンダ」と答えた。この前まで猫だって言ってたのに、子ども心と秋の空。とにかくそんな軽さで私たちは中国へパンダを見に行くことにした。

初めて乗った四川航空の機内食は美味しくて美味しくて、恥ずかしながらお替りした。配膳される際に食べるラー油のようなおばさんマークの調味料をごはんにかけてくれる。あっても美味しいし、無くても美味しい。ほかほかのごはんに沢山かけてもらった。中国茶も美味しい。中国に着陸する前から美味しい。私たち一家は、成都に着いたら目に写る美味しそうなものは全て食べると決めた。

十二月の寒空の中、パンダを見るまでと見た後に目に写った美味しそうなもの――それは本当に尽きなかった。歩いては食べ、また食べて、腰を曲げお腹がはちきれそうになるくらい食べた。コンビニのホット豆乳、駅前の開放的な麺屋さん、路上に煙をもくもくと立たせている色とりどりの蒸しパン、串に刺さる辛いもの甘いもの冷たいもの揚げたもの、見たこともないようなストリートフード達……。名前はわからなかったけど、それは朝から晩まで終わることがなかった。好物に殿堂入りした焼仙草は一気に二本飲んだ。

美味しいだけではなくそこには必ず出会いもあった。

ひっきりなしに地元の人が出入りをしていた担々麺屋さんに吸い込まれた時。お目当てを指差して注文すると、辛いことを身振り手振りお店のおばちゃんがしきりに心配してくれた。言語は解らなくても伝わってくる体温のある言葉。お節介なのに嫌じゃない。子どもには辛い味付けを洗うよう白湯を出してくれた。素朴でとても美味

ダイナミックな色遣いとデザインの正月飾りに浮かれる

しい担々麺と水餃子。

麻婆豆腐を食べに行った食堂では、注文をとりに来てくれたおばちゃんが我が子の着る安物のチャイナドレスを見るやいなやマシンガントークを開始。勿論お互いの言語はわからないがそんなことお構いなしに圧倒されるほどの表情豊かなイントネーションと笑顔。口を挟むスキも無い機関銃の洗礼にあたふたしたが、どうやら喜んでくれているらしい。ピリリと花椒のパンチが効いた麻婆豆腐の美味しさにも感動したが、このおばちゃんのマシンガントークに一番心を動かされてしまった。中国語がわからないのに、聞いているうちに段々何を言っているのか解るようになってきたからだ。「よく見たらこれ中国の服じゃないの〜！　ちょっと見せなさい、あら可愛いわねぇ」。いや、多分気のせいだ。でも、アタマの中で吹替版が再生されるのだ。

人もまばらな時間帯、ふらり引き寄せられた駅前の小さな食堂でもお姉さんは外国人相手だってことも気にせず中国語でガンガン喋ってくる。私たちの口に合いそうなメニューのオススメもしてくれるし、これは辛いからこうしたらとアドバイスもくれる。中国語は全くわからない。でも、お姉さんの言ってくれたことはなんとなくわかる。この感覚は色んな国を周った経験の中で感じたどれでもない、初めてのことだった。もちろんこのお店で頼んだ緬もおかずも全て美味しかった。

まだ日も昇らない、タイムスリップしたかのような朝の食堂で話しかけてくれた男性。初めてこの旅で英語を使って会話をした。朝の忙しい時間帯に見ず知らずのよくわからない日本人に優しくしてくれたお陰で私たちは美味しい豆乳と肉まんにありつけた。

夜の成都はハイブランドのネオンが輝いて近未来的で、その下で食べる素朴な辛味の蓮根も最高だった。賑やかな春照路で鼻をくすぐるスパイスたっぷりの肉串。娘はいちご飴をパリパリと音を立てて夢中で食べた。パンダはもちろん可愛かった。地下鉄の乗り換えも帰るころには覚え始めてちょっと得意気になっていた。また必ず行きたい！と思ったからだ。軽い気持ちで訪れた街が、思い出がいっぱいの街になっていった。

日本に帰った矢先、連日報道されるニュースが日常を一変させた。未知のウイルスは想像以上に重く長く立ちはだかった。あのおばちゃんたちは元気にしているだろうか。次にあの笑顔と味に出会えるのはいつになるだろうか。

近所の中国系スーパーであのおばちゃんマークの食べるラー油を買った。これはラージャオだと覚えた。自分の作ったご飯にかけても、あの日の美味しさにはイマイチ近づけない。中華料理は西川口に行くほど好きで、中国人の友人も学生時代からいた。娘にも在日中国人の友人がいる。でもあの日成都で触れたもの、人、味、街、どれも未知の世界のワンダーが詰まっていた。私はまだ中国を知らない。だから、これからもっと中国を知りたい。漠然とした恐怖ではなく、今までのこれからの、血の通った人と人同士のことを。何かに出会う度に楽しかったあの街を、まだ見知らぬ街もこの足で歩いてみたい。

娘が中華料理の歌を歌うと、あの日旅先を成都にして本当によかったと思わずにはいられなかった。また出会いたい。

大河原 はるか（おおかわら はるか）
学生時代、アジアのアイドル好きが興じて多数メディアに出演。大学卒業後は単身バンコクに渡り現地コーディネイターとして活動、全国紙等にインタビューを受ける。現在は日本で子育てとボランティア活動をしながらたまに韓国語の翻訳をしたりアイドルの記事を書いたりする、旅する食いしん坊主婦です。

無愛想の愛

教員　小牧　陽二郎

湖南省全体が内陸部のため夏は蒸し暑く、四月を過ぎれば気温は三十度を超え、盛夏ともなれば早朝から三十度、日中が三十五度、夜になってようやく三十度を下回る。今思い出しても快適さとはほど遠い気候だった。清明節のあたりが唯一過ごしやすかった時期といえるだろうか。今となっては、すべてが懐かしい思い出だが。

話がなかなか進まなくて申し訳ないのだが、暑いときこそ辛い物を食べ、汗をかくのが健康にいいと湖南人は口をそろえて言う。

最近でこそ湖南料理も浸透してきたが、十年前であれば「辛い中華料理」とはすなわち「四川料理」である、と日本では認識されていた、と思う。実際私はそうだった。だが、そんなことを言おうものなら湖南人の不興を買うことになる。友人の侯さんなら得意顔でこう話すだろう。

いきなりだが私の好きな中国語は「没関係（メイクワンシ）」。直訳すれば「（私には）関係ない」、だ。

なにか頼みごとをしたときに「私には関係ない」と返されたら、どうだろう。字面だけで判断すると日本人にとって冷たく響くこの言葉は、実は正反対の使われ方もする。つまり「（私には関係ない、だから）気にするな」。

私が中国にいたのは二〇〇六年から二〇〇八年までの間、と書いてみて、ああ、もう十年以上も昔の話になってしまったのだと気づく。住んでいたのは湖南省の省都、長沙から列車で三時間ほどの衡陽という都市で、長江の支流である湘江が街を二つに分けて流れている。十年もたてば街も人も変わるのが当たり前だ。陰りが見えたとはいえ経済発展の目覚ましい中国であれば、なおさらだろう。変わらないものがあるとすれば、あの蒸し暑さではないか。

離任日に撮った生徒たちとの記念写真

「四川人は不怕辣、湖南人は怕不辣と言いますよ」

「怕」とは恐れるという意味の言葉なので、これはつまり、「四川人は辛いのを恐れない。湖南人は辛くないのを恐れる」ということになる。とにかく唐辛子の入っていない料理というものがほとんどない。なにはなくとも、唐辛子を炒めるところから料理が始まるのだ。

人はおもしろいもので、世界各国お酒が飲める人は、酒に強ければ強いほどえらいと思っているように、辛いもの好きの種族は、自分たちこそが一番辛いものを食べていると思いたがるようだ。お国自慢の一つとして、湖南人にとって激辛料理を外すわけにはいかない。

昼どきになればあちらこちらで唐辛子を炒める音が聞こえてくるのだが、音だけでなく炒めた煙までがただよってくる。いや、もうもうと襲いかかってくる。目はちかちかするし、うっかり吸い込もうものなら手ひどくむせることになる。こうして書いていても、あの鼻腔を刺すようなツンとした匂いが思い出されてくるようだ。

当時私は、日本語教師として中国の高校生たちに会話を教えていた。

同僚の中国人教師たちは生徒に厳しかった。大学受験に向けて鍛え上げるという感じだった。職務として当然のことだろうが、私はやさしく生徒に接することを心掛けていた。街でただ一人の日本人教師なのだから、同じように厳しくしていては私がいる意味がないと考えていた。生徒たちも、内陸部の田舎町に来てくれた奇特な先生として私を特別視してくれたと思う。授業が終わった後も、生徒たちは入れかわり立ちかわり宿舎に遊びに来ては、おしゃべりをしたり料理を作ってくれたりした。カラオケやビリヤードなどの遊びに連れ出してくれたり、臭豆腐や糯米鶏などの小吃をごちそうしてくれたりした。感謝の言葉を伝えると、生徒たちは言うのだ。私が教えた日本語で「どういたしまして」。

でも、なかには日本語が苦手な生徒もいる。優等生ばかりではない。そんな時きまって彼らは言うのだ。ちょっと横を向いて、ぶっきらぼうに、つまらなそうに。

「没関係！」

教師と生徒との間に上下関係をつける中国的な教育方法と違う私のやり方は、実のところ現地の中国人教師にはよく思われていなかったのかもしれない。特段そのことについて話し合うこともないまま任期は終わり、離任の日を迎えた。

部屋の荷物をまとめ、学校の先生方に最後のあいさつをし、校門のところで校舎を振り返った。教室の窓から数人の生徒たちが顔を出した。授業をしている先生も顔を出した。

生徒が何かを言っている。先生がうなずいた。すると、わっと声がして、日本語クラスの生徒たちがいっせいに教室から飛び出てこちらに向かってくるではないか。

あっという間にあたりは生徒だらけ、あとは肩を抱き合い涙、涙のお別れ会となり、最後に全員で記念写真の撮影。撮影中横にいた担任の先生に、授業を中断させて申し訳ないとあやまると、先生はぶっきらぼうに一言、

「没関係！」

小牧 陽二郎（こまき ようじろう）
一九六九年生まれ。二〇〇六年七月から二〇〇八年四月まで中国湖南省衡陽市第七中学で日本語教師。帰国後は北海道の高校で国語教師として勤務。

二等賞

ニーハオ、中国

会社員　平野寿和

「嘘でしょ」と思わず言葉を発してしまう衝撃的な光景がそこには広がっていた。

私が中国に初めて訪れたのは、二〇一八年八月頃のことでちょうど友人が中国に住んでいて旅行する機会ができたのだ。初めての、海外旅行。日本語が伝わらない海外に行くのにはかなり不安があり、当時の僕は中国語も英語も全くできなかった。中国に出発する前日、準備を念入りに準備して飛行機に乗り込むまで緊張してソワソワしていたことを今でも覚えている。

僕が当時旅行で訪れたのは、中国深圳市。香港空港からフェリーに乗り、深圳の蛇口についてイミグレーションを通過すると、友人が迎えにきてくれた。「心配したよ、大丈夫だった?」と言葉をかけられた僕は、一気にすっと楽になった。中国についた到着日はゆっくりし、次の日から観光地をまわった。旅行の日程は六日間で、観光地はすべてまわることができ、中国のテクノロジーにも触れることができた。キャッシュレス体験や無人コンビニなど、日本ではできない体験ができてとてもびっくりした。

旅行中、移動の時はよくタクシーを利用していた。理由は、日本よりもかなりやすく初乗りが約百五十円ほどだったからで、利用したタクシーで二、三回に一度は現金を使おうとする僕に、タクシー運転手はとても嫌そうな表情を覗かせてきた。友人に「現金を使おうとすると、嫌がられるよね。なんで?」と聞くと、「現金は使う人がめったにいないから、おつりがないこともあるんだよね。だからだよ。」ということを聞きびっくりした。その時のタクシーの支払いは現金で済ませたが、実際に友人は現金を使っておらず、基本的には携帯のWeChat PayやAlipayで支払いを行なっていた。飲食店での注

タクシーのお釣りとしてもらった果物？

文も、WeChatのミニプログラム（アプリ）で注文する。メニューを置いてない店舗さえあることにびっくりし、「携帯がなかったらなにもできない。」と感じたので、僕は友人に質問してみた。「仮に、出かけてて携帯の充電が切れたらどうするの？」と素朴な疑問をぶつけてみたら、友人は笑ってこう言った。「そうなんだよね。だから街中にレンタルできるモバイルバッテリーがあるんだ。」確かに、地下鉄、カフェ、本屋さん、雑貨屋さん、コンビニ、といたるところにモバイルバッテリーの貸出機が設置されていた。僕は「なるほど。でも携帯無くしたら終わりだよね。」と言うと、友人は「そうそう、だから一応現金も持っているよ。」と言っていた。中国の発展に感心し、美味しい料理も食べられて満足できる旅行だった。

充実した旅行が終わり、僕は帰国した。帰国後、仕事をしてても初めて行った中国のことが忘れられず、僕は仕事を辞めて中国に移住することを決意した。もともと海外に出たいといった漠然とした想いがあり、居ても立ってても居られなくなったのだ。

中国語も英語もできない。日本語しかできないけど、行けばなんとかなる。といった気もちで辞表を出し準備することと二カ月。旅行を終えて二〇一八年十月から移住した。僕がこんな大胆な行動に踏み切れたのは、友人が中国に住んでいたということや、中国の面白さに魅せられたからだと思う。

中国に移住して、仕事を探したり深圳大学に語学留学で通ったりといろんなことがあったけど、移住してすでに二年が経とうとしている。中国に住んでみると、旅行では見られなかったいろいろな面を見ることができた。

「嘘でしょ」と思わず言葉を発してしまう衝撃的な光景をたくさん目の当たりにしてきたけど、ここで伝えきるのは正直難しい。箇条書きにしてしまうと、「男子トイレで仕切りがないニーハオトイレとの出会い。」「食事の前にお茶碗を洗う文化。」「日常のぬるいビール。」「風を切るバイクタクシー。」「エレベーターにセグウェイで乗ってくる女の子。」「商業施設内を自転車で駆け回る男の子。」「携帯の動画を見ながら接客をするお姉さん」「お客さんがいるのに堂々とカウンターでお昼ご飯を食べる店員さん。」「コンビニでタバコを吸いながら接客をするおじさんと、タバコを吸いながら商品を購入するお兄さん。」と、エピソードをあげ始めたらきりがない。日本では普段生活をしていて見ることのできない光景が、中国には広がっている。もし、あなたが「中国に行ってみたい。」と思っていて言語の壁で旅行を迷っているのであれば、そんな悩みは捨て去って思いっきり旅行をして欲しいと思う。それは、人生を大きく変える素敵な旅になるかもしれないからだ。

僕は思いきって中国旅行をし、中国に魅せられ移住して心からよかったと思っている。今はコロナウイルスの影響もあり一時帰国しているが、すぐに中国に戻りたいと言う気持ちでいっぱいである。

また戻れる日まで、待っててね中国。

平野 寿和（ひらの としかず）

二〇一三年三月長崎県美容専門学校卒業。二〇一八年八月株式会社 Arinos を一身上の都合により退社。同年十月中国深圳市に移住し、Webサイトの運用やYouTube活動を開始。二〇一九年九月深圳大学で語学留学を開始。二〇二〇年中国の貿易会社に入社。現在はコロナウイルスの影響で一時帰国中。

中国の「心地良さ」

大学生　与小田　茜

二〇一九年九月、私は北京で一年間の留学生活をスタートさせた。だが、早々に大きな壁にぶつかった。中国で生活を始めるにあたっての様々な手続きに追われ、その何もかもが上手くいかなかったのである。毎日寮のベッドで塞ぎ込んで泣いたあの日々は、間違いなく私の人生において最も孤独を感じた時間であった。周りに知り合いがほぼおらず、誰も頼れる人がいないという環境のせいではなかった。実は、私をこんなにも孤独にさせた原因は中国での従業員のサービスにあった。ビザの代理店、銀行の窓口、大学の教務課、駅の職員、食堂のおばちゃんまで、行き当たる先々で出会う中国人は非常に冷たい態度で、私の話す拙い中国語にうんざりしているかのように見えた。二十年間、日本で暮らしてきた自分にとって、経験したことのないような人の冷たさに、これまで感じたことのない類の孤独と不安が押し寄せた。

そんな暗闇のような日々から脱することができたきっかけは、キャンパスで出会ったある大学院生のお兄さんだった。あの日、クラス分けテストの会場がどうしても見つからずに焦っていた私は、思い切って自転車で通りかかった彼に道を尋ねた。すると彼は、言葉で説明してもわかりにくいから、と親切にも徒歩の私に合わせ、わざわざ自転車を押しながら離れた教室まで案内してくれた。無事にテストに間に合い、私は感動して何度もお礼を言った。それに対して彼が、大したことじゃないよ、と笑ったのが印象に残っている。中国に来て初めて感じた人の温かさに安心すると同時に、自分から助けを求めれば意外となんとかなるのかもしれないと思い始め、こちらから歩み寄る姿勢の大切さを知った。

それからは、クラスメイトに自分から話しかけたり、国際交流イベントに参加したりと、できるだけ積極的に

留学初日のキャンパス探訪

人と関わるようになった。おかげで中国人の友達も沢山できた。中国人の友達ができてから初めてわかったことがある。それは、中国人は決して冷たくなんかなく、むしろとても親切な人が多いということだ。そもそも日本と中国では人付き合いの仕方が違う。日本人は他人にもある程度親切だが、親しくなった人であっても一定の距離を取ろうとする。中国人は他人には基本的に冷めているが、一度知り合うと距離の縮め方が速く、情に厚い。

例えば、ある友達と知り合った当日に「今度一緒にご飯に行こうね」と言われると、日本人の感覚では社交辞令としてしか受け取らない。しかし、中国人の友人は高確率で「ご飯いつ行く？」と突然連絡をくれるのである。私にとっては毎回、嬉しい驚きだった。そして皆、知り合って間もないとは思えないほど私のことを気にかけてくれ、積極的にいろんなことを手伝ってくれる。これには温かさを感じて嬉しく思う反面、それ以上に申し訳ないと思う気持ちを隠せなかった。ところが、ある友人は私にこう教えてくれた。「何でそんなに遠慮するの？迷惑を掛け合うのが友達でしょう？」目から鱗が落ちたかのような気分だった。食べ物を奢り奢られ、物を贈り贈られ、困ったときには助け合い、そして互いに迷惑を掛け合う。この「貸し借りの関係」こそが人間関係の基本なのだと、その時初めて理解した。そんな中国式の交友関係が私にとっては本当に心地良く、魅力的だった。

また、これに限らず、今まで自覚してこなかったものの、想像以上に自分が日本人的な物の考え方をしていることに気づかされた。話は留学に来て最初に感じた、あの「孤独感」に戻る。あの頃の私は無意識に日本を基準として物事を考えていた。中国人従業員に対して冷たさを感じたのは、中国人自体が冷たいからではなく、サービスに対する価値観の違いによるものだとわかった。日本では従業員は常に愛想良く、客に尽くす姿勢をとるべきだとされている。中国では与えられた仕事を淡々とこなすことが大事とされ、従業員と客が人として対等に近い立場にある。人々が求めているサービスも、その程度も全く違うのだ。それに気づいてからは、その違いが気にならないどころか、むしろ中国の方が気が楽とさえ思い始めた。中国では変に自分を飾る必要がなく、いい意味で素直にありのままの自分で居られるような気がした。

一年間を予定していた留学は、残念ながらコロナウイルスの影響で実際にはたった半年間の滞在となってしまった。それでも、この半年間で私は想像もしていなかったような中国の魅力に出会えた。かけがえのない思い出と、大好きな友達、そしてまだまだやり残したことも多く詰まったあの地に、いつかまた戻れたらと思う。そのときには、また遠慮なく突然友達を誘ってご飯を食べに行きたい。次は誰が奢る番だったかなんて覚えていなくたっていいだろう。

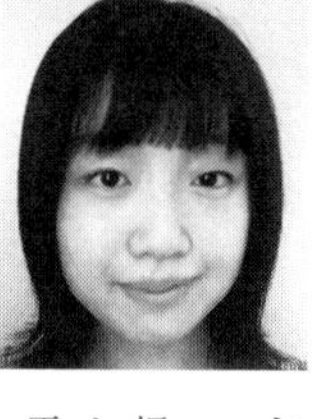

与小田 茜（よこた あかね）

一九九九年八月二十六日生まれ、福岡市出身。福岡県立城南高等学校卒業後、同志社大学グローバル地域文化学部に入学。同学部アジア・太平洋コースにて主に中国の歴史や文化を学ぶほか、第二言語として中国語を専攻。二〇一九年秋より一年間、北京・清華大学人文学院歴史学部で交換留学を経験。

三等賞

中国の高校生と交流して学んだこと

高校生　鈴木あいり

私は高校に入ってから中国語を習い始めました。理由は、元々海外に興味があり、英語以外の言語も学んでみたかったことと、現在世界で一番話されている中国語を話せるようになりたいと思ったからです。初め私は中国語に対して難しいイメージを持っていました。しかし、どんどん中国語に対して理解が深まっていくと、先生の言っていることが少しずつ聞き取れるようになってきて、中国語を学ぶのがとても楽しくなっていきました。そんな時、日本の民間企業が主催するティーンエイジアンバサダーの日中小大使活動に参加できることになりました。日中小大使活動では、初めに中国の高校生が一週間ほど訪日した後に日本の高校生が中国を訪問し、ホームステイや学校での体験授業などを通して、お互いの国について交流を深めました。実際に両国の大使館や外務省、中国外交部への表敬訪問など、普段では絶対に経験できないような貴重な体験を沢山させていただきました。私がこの活動に参加しようと思ったきっかけは、これまで学んできた自分の中国語がどれだけ通用するのか実践できる良い機会だと考えたからです。また、今の私の年齢で国を超えた友達を作り、視野を広げて考えを深めることは、これからの将来にとても重要な意味を持つと思いました。

初めてバディの子と会った時のことは今でもはっきりと覚えています。お互いに緊張していて、あまり話すことが出来ませんでした。しかし一緒に学校に行ったり、ホームステイをする中でお互いのことをたくさん知り、昔からの友達のように仲良くなることが出来ました。私達は、好きな食べ物、趣味、お互いの学校のことや高校生の間で流行っていることなど、本当に沢山のことを話しました。私の中国語は全然上手ではなかったと思いま

初めての火鍋を食べている写真

すが、バディの子は私の言いたいことを一生懸命に聞いて理解してくれようとしていました。私はそのことが何よりも嬉しかったです。日本で過ごしたこの一週間という期間は私達にとってはとても短く、別れを惜しみながらもまた十月に再会することを誓いました。

　そして十月、私達は北京で念願の再会を果たしました。これが私にとって初めての中国訪問でした。バディの子に中国のことを沢山教えてもらいました。万里の長城に登ったり、漢服を着て写真を撮ったり、前門で買い物をしたり、初めて火鍋にも挑戦しました。また、バスやタクシー、地下鉄に乗ることが出来たことがとても嬉しかったです。日本でもこれらの公共交通機関は当たり前に利用しますが、だからこそ、周りが現地の方々ばかりで聞こえてくるアナウンスや会話も中国語という環境が、私にとってはとても新鮮で、中国で実際に生活しているのだという実感と高揚感を抱いたのをすごく覚えています。同じ公共交通機関でも中国のバスはとても安く、利用のしやすさにびっくりしました。更に驚いたのは、中国ではキャッシュレス化が日本よりもずっと進んでいて、高校生でさえ現金を持ち歩かず、全てスマホ一台で支払いをしていたことです。実際に自分の目で見てみると、新たな発見や自分の習慣との違いに気付くことができるのだと実感しました。私の知っていた中国は、テレビのニュースや学校で教えてもらうことが全てで、なかなか遠い存在で抽象的なイメージしかありませんでした。しかし、今回実際に中国を訪問してみて私の中の中国のイメージはガラリと変わりました。特に私が印象に残っているのは、中国人はすごくフレンドリーで優しく思いやりのある人ばかりだという事です。中国の学校を訪問した時、日本のアニメや文化が好きで、日本語で話しかけてくれる子が本当にたくさんいました。中国にも日本の素晴らしい文化が広まっていることを肌で実感し、すごく嬉しかったです。この機会を通して、同じ趣味を持っていたり、日本に興味を持ってくれている中国人の友達を沢山作ることが出来ました。彼らとはこの活動が終わった今でも頻繁にチャットでやりとりをしていて、とても良い関係を築くことが出来ています。私が中国で実際に生活をしたのはたったの一週間でしたが、とても充実した一週間で、きっと生涯忘れることはないと思います。

今回この日中小大使活動に参加して、沢山のことを考えさせられました。お互いの国をより良くしていくためにはどうしたら良いか、同年代の高校生達が真剣に考えている姿にはとても刺激を受けました。言葉や生活習慣は違えど、お互いに歩み寄れば必ず通じ合うことは出来るのだということを学びました。また、日本から一歩外に出て、中国から日本を見てみると、良い意味でも悪い意味でも普段は気付かないようなことに気付くことが出来ました。客観的に見ることもすごく重要なことだと思いました。今回の交流で学んだことを、これからの大学生活や社会人生活でも生かしていけたらと思います。

鈴木 あいり（すずき あいり）

東洋大学附属牛久高等学校三年。二〇一八年三月茨城県牛久市立下根中学校卒業。二〇一八年四月茨城県東洋大学附属牛久高等学校入学。高校一年生から中国語の勉強を開始。高校二年生の時、日本中国ティーンエイジアンバサダー事業に参加。第一六回中国語スピーチコンテスト茨城県大会朗読部門で優秀賞、関東支部主催第二五回高校生中国語発表大会弁論の部で最優秀賞を受賞。

オンライン授業を通じて深まる中国との絆

大学教員　金戸　幸子

私は今、中国の大学で教鞭をとり、日本語関連科目を教えている。一月中旬、冬休み休暇に入り日本に一時帰国した。ところが、新型肺炎の感染が拡大し、春節明けの新学期開始時までに終息しそうにないことから、二月中旬、中国人の担当の先生から、「当面の間、オンラインで授業をすることになったので、そのまま日本にいてください」と連絡が入った。この連絡を受け、「日本にいながら、中国向けに果たしてきちんとオンライン授業ができるのか?」という不安が頭をよぎった。なぜなら、回線の安定性の問題以外にも、日本と中国とでは、一般的に広く使用されているアプリが異なるからである。日本では、「ズーム（Zoom）」や「スカイプ（Skype）」などが主に使われているのに対し、中国は「釘釘（Ding Talk）」や「騰訊会議（Tencent Meeting）」がメインである。また、学校側が用意してくれたオンライン教育のサイトは、試してみたところ、中国国外からの接続がどうやら不安定である。

このような状況に直面して不安な気持ちでいたところ、ついに三月に入り、見切り発車でオンライン授業が始まった。ところが、アプリの操作方法にもまだ慣れないこともあって、最初はけっこうたいへんであった。授業の内容そのものよりも、アプリや通信状態を常に気にしながらやっているような感じであった。また、「オンライン」というものの性質上、クラス全体としての雰囲気がつかみにくい。したがって、講義形式の授業や、語学学習でも反復練習型の授業には問題ないが、スピーチやディスカッションなどは、どうしても間を置いてしまうような沈黙ができてしまうため、考えさせたり発言させたりするような授業にはあまり向いていないと感じた。中国の学校教育は、一般的に詰込み型、受け身型の教育であるといわれる。そのため、日本の大学でかつて教鞭をとったことがある経験と照らし合わせてみても、中国の大学生は、普段の教室での授業でも、日本の大学生以上に自ら進んで発言することは少ない。

そこで私は、どのようにしたら学生たちから活発な発言が出てくるようになるのか考え始めるようになった。中国人、とくに今の大学生はSNSの利用に慣れ親しんでいる世代である。そこで私は、「微信（WeChat）」で友達とチャットをしたり、微信の中にあるフェイスブックに似た機能を持つ「モーメンツ（Moments）」に書き込むような感覚で、学生たちにどんどん意見をチャット上に書き込んでもらおうと思った。そこで、とくに「スピーチと弁論」という科目の授業では、「釘釘（Ding Talk）」や「騰訊会議（Tencent Meeting）」の「聊天」の欄に、学生たちに気軽にコメントや質問を書いてもらうようにした。すると、どんどん意見が出てくるようになった。なかなか口では語られなかったような自分の心境を打ち明けるような意見も出てきて、対面授業に近い効果も徐々に得られるようになってきた。とくに、恥ずかしがり屋で奥手な学生ほど、「これなら意見を書ける」という反応が得られ、アプリのチャット欄にコメントを書かせるという方法は有効だったようである。こうして、むしろ対面授業よりも意見が言いやすい雰囲気が作り出されつつあることが実感できるようになってきたのである。

中国にいる学生たちは、オンライン越しにいつも私を気遣ってくれる。国境を越え、今いる国は違っていても、「今日の天気はどうですか？」「今どのように過ごしていますか？」といった温かい一言が私をほっとさせてくれる。文字だけでなく、写真も添えて励ましのメッセージをくれたり、送り合ったりしている。同僚の教師のなかには、自分のライフヒストリーを短歌や俳句、小説などを通じて発信したり、それを通じて日本文化や日本人の精神性について理解を深めてもらう機会を作ろうと熱心に取り組んでいる人もいる。最近になって、私はオンライン授業や「微信（WeChat）」を通じて、「同じ空間にいなくても心は繋がっている」ということを日々学生たちと確認し合えるようになり、その意味での絆は、むしろ対面授業の時よりも強まっているように感じられる時さえあるようになってきたのである。

オンライン授業が始まったばかりの頃は、常に学生たちと「オンライン授業は五月の連休明けくらいまででは

同僚の教師・学生たちと（2019年11月、旅順にて、左から3番目が筆者）

ないかな」「早く学校で会いたいね」という言葉を交わしていたが、それからすでに三カ月が過ぎた。感染拡大が長引き、日中間でのビザの効力も停止され、渡航制限も解除されないまま、もう六月になり、結局、今学期はずっとオンライン授業ということになった。そこで私は、もしインターネットやSNSが発達していない時代にこの新型肺炎に遭遇していたら、私たち日本人教師はどうなっていただろうかと考えることがある。こういう非常事態の時は物流も滞るため、郵便で添削指導をするわけにはいかない。授業再開のめどが立たないとなれば、せっかく中国で培った生活基盤やキャリアを中断せざるを得ない事態にも陥ったであろう。私は、この新型肺炎が起こったのがネットやSNSが発達した今の時代だったのは、不幸中の幸いだったと思っている。

私は一月の一時帰国の際は冬服しか日本にも持ち帰ってこなかったため、夏服はすべて大学の宿舎に置いてある。そのため、今年の日本での夏は着る服に困っている。そして、生活基盤は中国にあるので、早く中国に戻って学生たちと通常通りの授業をしたい。そんな気持ちを学生たちの前で吐露すると、学生たちは「先生、もし何かあったらいつでも私たちに言ってください。必要だった

大学で定期的に開催される「日本語コーナー」。学生たちとキャンパスで再会できるのはいつだろうか？（2019年冬、前列左から2番目が筆者）

ら、私たちが先生の夏服を送ってあげます」といってくれる。このようなやり取りをしていると、学生と教師、友人知人、同僚と上司などがお互いに助け合う精神は、むしろ日本人より中国人の方が強いのではないかということがオンライン越しでも感じられるのである。

この長い一時帰国の期間を日本で過ごし、中国人学生を相手に日々オンライン授業を行っていて感じることは、日本はたしかに自分の母国であるため、そのような意味では安心できる。しかしながら、日本での滞在が長くなるにつれて、なぜか不安感が大きくなり、知らず知らずのうちに思考がマイナス思考になってくるのである。これは、人と人との助け合いの精神が中国に比べて少ないことが関係しているのではないかと思われる。中国はたしかに、今回の新型肺炎で受けた経済や生活に対する打撃は非常に大きいが、発想をできるだけプラス思考に転換させて乗り切ろうとする姿勢が日本よりもあるように感じられる。

新型肺炎によって国境を越えた人の移動が制限され、これによってその制約を受けるのは、観光客や短期的なビジネス客だけではない。私のように、海外で仕事をし、生活している人々に与える影響のほうがより甚大である。

新型肺炎は第二波、第三波も懸念され、長期化することが予想されている。果たしていつ終息するのか、生活基盤がある中国にいつ戻れるのか、なかなか先が見えない状況である。しかし、オンラインのメリットを最大限に駆使し、中国の先生方や学生たちとやり取りをしていると、国と国は違っていても、心の中ではしっかり繋がっており、しかも回数を重ねるごとにそれは強まっていくように感じられるのである。キャンパスに戻って対面授業ができるようになってからも、このオンライン授業の利点やオンライン越しの交流によって培われた絆を活かしていきたいと考えている。

金戸 幸子（かねと さちこ）

大連外国語大学日本語学院外籍教師、早稲田大学地域・地域間研究機構東アジア国際関係研究所招聘研究員。慶應義塾大学法学部政治学科卒、東京大学大学院総合文化研究科国際社会科学専攻修了。専門は国際社会学、中華圏地域研究。日本国際協力センター調査研究員、京都大学大学院文学研究科グローバルＣＯＥ研究員、日本の私立大学教員などを経て、二〇一八年より現職。第二回「忘れられない中国滞在エピソード」三等賞受賞者。

三等賞

白族(ペー)の少女

医師　関本　康人

今から十年ほど前、私はまだ二十歳になったばかりの医学生だった。医学部というものは「大学」と名はついているものの、医師になるための専門学校としての役割が大きい。特に私が通っていた医科大学はその傾向が強く、およそ大学生らしい授業というのは六年間の大学生活の中で一年生の間に受講できる教養くらいのものであった。

その中で、三年生の春にあったグループゼミという授業は数少ない「大学」らしいイベントだった。いわゆる理系の大学生のように、三カ月という短い期間ではあったものの、自分の学んでみたい講座で研究の真似事をするというものだった。真面目な友人が生化学や生理学、解剖学といった講座を選択する中、私は仲の良い友人と衛生学を選択した。衛生学というのは感染症の予防であるとか、社会との関りの深い分野だ。その時の私達に衛生学に対する燃えるような思いがあったかと問われれば、答えは「ノー」である。ではなぜ衛生学を選択したのか?

衛生学はその学問としての性質上、実地でのフィールドワークが実習となっていた。私達の目的はそのフィールドワークにあった。それは中国雲南省での一週間に及ぶアンケート調査だった。しかも衛生学講座の計らいで、中国までの往復の飛行機代しか費用は掛からない。つまり、私達は衛生学講座のグループゼミの名を借りて、ちゃっかり初の中国旅行を楽しもうと目論んだのであった。私はまあ、今振り返れば「医師になるんだ」という自覚の足りない、ぼんやりした学生だったのだと思う。

私達の課題はエイズという病気だった。エイズとはHIVというウイルスの感染によって引き起こされる、免疫不全状態に陥る疾患である。性病としての側面がありコンドーム使用による予防などが取られにくい地域の方が、一般に流行しやすいと言われている。当時の日本はアジアの各国と比較して、エイズの患者さんが少なかった。一方、中国の国境に近い雲南省は流行地のひとつとされていた。我々は雲南省におけるエイズの流行状況と予防などへの知識、意識を調査することになっていた。衛生学の教授、通訳も行う中国人留学生、日本のエイズ疫学研究者、それに私達三人の学生という陣容で我々は一路、中国へ渡った。

　雲南省は中国の南のはずれにあり、少数民族が多く暮らしているという特徴があった。我々のアンケートにもエイズを含む病気の知識を問う項目の他、収入や学歴などの回答者の背景を反映させる項目として「民族」が含まれていた。昆明の大学病院の人と二人三脚でたくさんの人にアンケートをとった。昆明の市街地、有名な観光地である麗江、その途中の道すがらの人々など。様々な場所に様々な人がいた。そんな風にアンケートをとる一方で、目論見通りと言っていいのだろうか、私は雲南省

市場でのアンケート調査後、昆明の名所龍門にて。右の女性は中国の観光客の方。皆、順番待ちをしてここで記念撮影をしていた

の多様な文化に魅了されていた。トンパ文字、麗江古城、中でも強く印象に残っているのは大理での出来事だ。

高級石材として有名な大理石の産地、大理。藍染も有名なこの土地に住む少数民族の一つが「白族」だった。「白」と書いて「ペー」と読む。大理の歴史博物館に行った時のことだった。館内には民族衣装に身を包んだまだあどけなさの残る少女達がいた。「案内係なのだろうか？」ととりあえず「ニーハオ！」とあいさつをした。すると、驚くべき返事が返ってきた。彼女達は「Hello. Do you speak English?」と滑らかな発音の英語を返してきたのだ。目が点になってしまう我々。「オー、イエス。ア、リトル……」たじたじになりながら返事をする自分。額には汗がにじんだ。聞けば彼女達は十七、十八歳の白族の少女だった。友達のうちの一人がたまたまアメリカへの滞在歴が長く英語が得意だったのに救われた。アンケートに答えてくれた後も「どこから来たのか？日本とはどんなところか？」など気さくに話しかけてくれる少女達。自分の言葉でうまく返事ができず友人の力を借りる自分が恥ずかしかった。なぜ少数民族の少女がこんなに上手に英語をしゃべるのだろう？　よくよく話を聞くとそこには切実な事情があった。彼女達は、ガイドなどの仕事に就くことを十代の前半には決めていたらしい。その中で、それぞれが自分の武器になる外国語を選び、学んだのだという。年下のはずなのに、彼女達にはどこか凛とした雰囲気があった。自分の人生の進路を自分で決め、しっかり歩んでいた。つまり、「大人」だった。旅行を兼ねてゼミの講座を選んだ自分が少し恥ずかしかった。

あれから十年以上の時間が流れた。私は今では中堅と言われる歳の医師になった。今でも人生で迷いごとがあると、ふと彼女達を思い出す。「大人」への自覚。あれは一つの目覚めがあった瞬間だった。「私はちゃんと大人になれたのだろうか？」記憶の中の彼女達に問いかけても、凛とした笑みが返ってくるばかりだ。

関本 康人（せきもと やすひと）
神奈川県出身。聖光学院高等学校卒。順天堂大学医学部卒。東京都在住。
第三回赤羽萬次郎賞（北國新聞主催）優秀賞受賞、第四一回「事実に基づく小論文、エッセー：私の道草」（北野生涯教育振興会主催）佳作受賞。

三等賞

シルクロードと中国の味

パートタイマー　井上　尚子

モンゴルか、中国か。選択肢はそれだった。

今を去ること二十三年前。子供は一人生まれていたが、新婚旅行は海外バイクツーリングに行くと決めていた。バイクで知り合った夫婦だ。それまでも、長い休みはバイクツーリングに費やしていた。広い景色の中で走りたかった。

中国か、モンゴルか。

ツアーの光景を想像した。シルクロードを走る。草原を走る。岩と砂の大地を走る。そうして、おそらく風景がより変化に富んでいるだろうと思い、中国シルクロードツアーに決めた。結果的には大正解だった。

思った通り、町も物も民族も、風景も、食べ物も、変化の連続だった。旅行会社とガイドは申し分なかった。何より食事がどこへ行っても美味しかった。中国人の男性スタッフがパオで作ってくれた抓飯ひとつでさえも。

上海に上陸し、ウルムチへ飛んだ。そこからバイクに乗り、シルクロードを走る。途中は宿泊施設に泊まり、パオでの宿泊と乗馬のオプションもあった。

一行は日本人の五人と、中国に詳しい通訳兼ガイドの日本人が一人。中国の旅行社のスタッフが五人ほど。伴走のサポートカーが一台と、バイクで一緒に走ってくれる中国人スタッフがいる。

女性は私一人だった。夫婦でシルクロードツーリングを体験できるなんていいなぁ、と羨ましがられた。

まぁ日本でならツーリングに付き合う女性は多かろうが、そこは中国だ。ツーリングで移動途中はトイレが満足にあるわけでもない。その辺で用を足すか、酔ってなければ平気で入れないような衛生状態のトイレぐらいしかない。普通の女性は来られないだろうなぁ、という行程だ。それでも、行ってよかった。中国と中国の人が、

シルクロードを走ったバイクと

とても好きになった。

パオに泊まった夜、抓飯をボウルいっぱい作ってくれたスタッフ。抓飯というだけに、手で食べるのが普通らしい。そして日本人のために、地元の肉屋に言って、焼いた餃子を用意してくれた。普通は水餃子か湯餃子だ。作り方を教えて、作ってもらったのだという。中の挽肉は羊だ。暑いけれども乾燥した気候で、トマトもスイカも、とてつもなく美味かった。

パオの内側は羊の毛皮が敷き詰めてある。多分道程で慣れてしまっているのだろうが、家に帰ったら衣類の全てが羊臭かった。臭いけれども懐かしい、消えてしまうには惜しい匂いだった。

夜にはコーリャンで作った白酒という酒を酌み交わした。これが実に厄介なシロモノなのだ。甘い香りで癖のある味。度数は高く、しかもそこは割合標高が高いのだ。酔いが回る。

中国人も歌が好きだ。日本の歌謡曲も結構知られていて、「昴」など歌うと受ける。そして歌合戦になってくる。歌詞に詰まると飲まされる。「宇宙戦艦ヤマト」を歌ったとき、「ちゃっちゃらら－♪」と効果を付けたら「胡麻化した」と飲まされた。納得いかない。見事に悪酔いした。翌日はバイクに乗らない日だったので助かった。二日酔いでも馬には乗っていいらしい。

食べ物は、西へ行くほど辛くなっていった。上海に始まり、シルクロードを西へ。羊の塊肉を「これがお前らのだ」とどっさり切り分けられ、真っ赤に唐辛子を振りかけられて、焼いて食べた。辛いが沁みる美味さだった。片言やジェスチャーでちょこちょこ会話を交わすのも楽しかった。

「日本では誰でも麻婆豆腐を作れる」「信じられない！」「麻婆豆腐の素がある。辛くないのもある」「辛くないなんて麻婆豆腐じゃないだろ！」

西にいる間は全てが辛くて、みんなお腹を壊した。東へ戻り、上海に着いたときにはホッとした。上海料理は日本人の味覚に近いのだろう。ありがたかった。

帰国してからも中国の料理を、ああいう味を食べてみたいと思ったけれども、日本国内では難しい。日本の中華料理と中国の料理は別物だ。

中国の奥地で食べた「トマトと卵の炒め物」は、あそこでしか出せない味なのかもしれない。そう思っていたら、最近になって夫が作ってくれた「トマトと卵の炒め物」が、なんだかあの味に似ていて嬉しくなった。きっと彼もあの味をずっと覚えていたのだ。また食べたい、作ってみたいと思っていたのだろう。

同じように初めて中国に行き、同じ物を食べてきた。彼はその後、出張で何度も中国に行くようになった。中国語を覚え、何か月も滞在して、様々な場所を見てきている。中国での記憶も思いも、彼は更に積み重ねてきているけれども、きっと最初の記憶が一番強いのだろうと思う。彼は何度も「また行こうよ」と言ってくる。なかなか次に行く機会が見出せずにいたけれども、行くとしたら今度はどこに行こうか、ずっと考えている。

どこに行こうか、何を見ようか、何を食べようか。

あれから二十三年が経つ。変わりゆく中国と、変わらない中国とを、感じに行きたい。

井上 尚子（いのうえ ひさこ）
埼玉県生まれ。バイク歴は二十九年、物心ついたときから野球好き。趣味は旅と野球。近年は単独で野球観戦に行き、地方への遠征で日本各地を飛び回っている。猫好き。

三等賞

中国の経験で見つめなおした自分自身

教師　平野　綾

私はこれまで数回中国へ行く機会に恵まれ、たくさんの人のおかげで価値観が変わるほどの体験をしてきた。どきどきしながらザリガニや白鳥を食べたこと、ヒマワリの種の殻を剥けるようになったこと、どんなものでも「ピッ」で完了する上海でのキャッシュレス化、曲阜で見た日本とは違うお参りの仕方……言い尽くせないほど、そして今も鮮やかに光景や匂い、音が蘇ってくるほど中国での思い出は数多い。その中でも私の考え方に影響を与えたといっても過言ではない光景がある。

私は大学生の頃、中国出身の教授にお世話になって天津、北京、曲阜を訪れた。大学では書道について学んでいたため、書道に関連する数多くの経験をさせていただいた。中国の書道の歴史は深く、現代でも書道文化が強く継承されている。中国では日常生活から書道と深い関係があるのだ。例えば街中の会社や飲食店の看板の文字の美しさ。行書体や篆書体、同じような書体でも、よく見比べると筆遣いで雰囲気を変えている。例えば、銀行の看板だけでも、ある銀行は柔らかく流麗な線が印象的であるが、他の銀行の看板はどっしりとした太い線で重厚さを表現している。街中の看板を見るだけでも私の心は弾み、車のスピードに目を慣らせて、左右どちらの景色も眺めていた。おかげで知らず知らずのうちに、私のデジカメの中には何十枚もの街中の文字の写真が納められており、文字の入った紙ナプキンや箸袋まで日本に持ち帰ってきた。このような街中の文字の表情の豊かさが、いかに中国における「書」への関心が高いかということを明らかにしている。

もちろん、専門的に書道を志す人や書家の人口は日本と比べものにならないほど多い。私は中国で目にした技術の高さに衝撃を受けた。訪中した際、書道に力を入れ

路上で作品を制作し、販売する様子。技術の高さがうかがえる。

ている天津市の瑞景小学校の授業を見学させていただいた。私はそこの子どもたちが書く字を見て、心の底から「本当に小学校四年生なのか。」と驚いて声も出なかった。日本では大人の書家が書いたといっても、十分に通じるような作品であった。子どもたちの観察力や想像力も高く、字の特徴をすぐに掴んで字を真似するだけにとどまらず、自分で辞書を引いて字の雰囲気を取り入れた創作までこなしてしまうのだ。

書道用品を取り扱う店が立ち並ぶ街を歩いていると、道端に絵や書の作品が並べられている。これらを書いた人が作品を販売しており、中にはお客さんのリクエストに応じてその場で書き始める人までいた。一見普通の優しそうなおじさんが、筆を持ってさらさらと美しい文字を織りなす姿には、感動を通り越して、見ている私の気持ちも晴れ晴れとさせてくれた。

その建物の中には書道道具を売る店があり、その店を出て歩いていくとたくさんのギャラリーが入っていた。多くの人が自分のアトリエとして、そこで作品を制作する他、自分の作品を売る場所になっていた。冒頭で述べた、私の考え方に影響を与えたといっても過言ではない光景は、その一角の中にいたおばさんの姿である。

そのおばさんは、一人で静かに作品を書いていていたのだが、とても嬉しそうに、ニコニコしながら作品を制作していたのである。私はその姿を見て、おばさんの書道へのあふれんばかりの思いが伝わってきた。この人は本当に心の底から書道が大好きで愛しているのだなと感じ、ふと自分のことと重ね合わせて涙が出そうになった。私は幼少期から書道を続けており、書道は得意で大好きなものであった。展覧会で素晴らしい作品を見たり、上手な人が書く姿を見る機会が増えたりしたことで、圧倒され、そのような作品を書きたいと向上心が膨らんだ。しかし、持っている技術が違うため、勿論同じようにはならない。次第に自分が思っているように書けないことが多くなってきて、私は人と比べて自分を否定するようになってしまった。どうして上手に書けないのか……自分の力の無さを嘆き、自分の書の力が露わになることを嫌った。あんなに好きだった書道なのに、一時期は嫌々書いていたこともあった。

わたしはおばさんの書く姿を見て、自分もあんな表情で書いていたことを思い出した。小学校四年生のとき、習字教室で「の」が上手く書けず、ひたすら「の」ばかり書き続け、やっと力加減と角度のコツを掴んだこと。その時は本当に嬉しくて、何度も何度も笑顔で「の」を書いたのだ。

訪中した頃の私は書道だけでなく、様々なことを人と比較して落ち込んでいた頃でもあった。私はこのおばさんの光景から、人と比較するのではなく、好きなことを自分が満足してできることが素晴らしいものなのだと分かった。広い世界、実力には上には上がいる。比較することは悪いことではないが、それによって落ち込む意味も無いと分かり、なんだか心がすっとした。日々の生活ではどうしても人と比較してしまうことがあるが、そんなとき、私はこのおばさんの笑顔を思い出している。私は現在教員として働いており、ありがたいことに自分が好きな書道を教える機会がある。あのおばさんのように、私も大好きな書道を自分のペースで続けていきたい。

平野 綾（ひらの あや）
一九九五年生まれ。現在三重県中学校教諭。大学時代に書道の研修で、天津・北京に二回、曲阜に一回訪れ、中国の書道について学ぶ。趣味は卓球、書道、海外旅行。

上海日帰り旅のおかげで仲直りできた

高校生　山野井　咲耶

中国人のクラスメートを僕の何気ない政治的な発言で傷つけてしまったことがある。

僕は高校一年の冬頃に日中の外交関係に興味を持ち始め、高校二年の夏頃ひょんなことがきっかけで中国人のクラスメートと日中の政治問題を話すことになった。中国で生まれ育った彼女にとって、日本で生まれ育った僕が異なる政治思想を持っていたことがショックだったのか、泣き出してしまった。僕にはどうして泣き出してしまったのかが理解できなかった。

僕の将来の夢は中国を始め様々な国と日本を橋渡しする存在となったり、世界の諸問題を解決することなのだが、そのためには多角的な視野を持っていることが大前提となる。当時の僕は保守からリベラルまで日本のあらゆる新聞を読み漁っていたため、てっきり「多角的な視点」を得た気でいた。しかし、この一件を通して、一見多様に見えるそれらの論調は国際社会では十把一絡げに扱われ得るのだ、と気づくことができた。

そこで僕は「もっと中国の視点で物事を見てみたい」と思い始め、高校二年の冬休みに上海日帰り旅を計画した。僕にとって初めての中国旅行だったので、本当は何泊か滞在したかったのだが、十八歳未満が上海のホテルに宿泊するためには大人の同伴が必要であったため、仕方なく日帰り旅にした。しかしそのお陰で、宿泊費が発生せず航空券など諸々の費用を含めて国内旅行と同じくらいの費用で上海に行くことができた。

上海に到着して一番驚いたことは、上海人の優しさである。中国では日本で使用されている地図アプリが利用できないため、中国の「百度地図」を使用する必要があった。しかし中国語が全くできなかった僕には難しすぎて使い方がさっぱりわからなかった。どうしようもなく、

味を忘れることができない思い出のラーメン

困っていたところ、一人の男性が僕に話かけてきた。彼は目の前にあるラーメン屋の店主で、道に迷っている高校生を見て、居ても立っても居られなかったのだという。僕が日本人だと分かると、すぐに彼のスマートフォンの翻訳アプリを開いて「どうしたの?」と聞いてくれた。まるで彼の老朋友であるかのように親切に接してくれたのがとても嬉しかった。

日本で過ごしていると、一日に何度か「日本人の冷徹さ」を感じる場面がある。一方で中国人はとても人情味豊かな人々が多いように感じた。上海旅を通して彼女の気持ちがわかった気がした。中国人のクラスメートも恐らく感情が豊かだからこそ泣き出してしまったのかもしれない。「日本人だから」とか「中国人だから」などのように、一纏めに論じるのはあまり好きではないが、日本人が中国は「一番近くて、一番遠い国」と思ってしまうのは、このことが原因の一つではないだろうか。

上海から帰国後初めての登校日。夏に中国人のクラスメートと互いの政治意見が衝突して以来およそ半年間、口も利いておらず、とても気まずかった。僕が勇気を振り絞って、上海に行ったこと、そして相手の立場に立ってものを考えられていなかったことを謝りたい、そう伝えたところ彼女はなんと僕を許してくれた。しかも彼女も逆に感情的になってしまったことを謝ってくれた。その後、たくさん日帰り上海旅行での経験を話した。本当に素晴らしい（しかも異なるバックグラウンド持っている）友人を持つことができて、世界一の幸せ者だと思う。

それに加えて、彼女に僕の中国語の先生になってほしいと頼んだところ彼女は快く引き受けてくれたのだ。上海日帰り旅を通して人情味溢れる中国人と中国語で会話してみたいと思ったからだ。

中国語は拼音などがあり、日本人にとって発音が難しい言語の一つとされている。僕は英語以外の外国語を学んだことがないため、口の形から彼女から学んだ。始めは全く発音できなかったものの、老師のお陰で最近ではスマートフォンの音声入力ソフトでも認識してもらえるようになった。まだ初めて数カ月であるため初歩の初歩レベルだが、何か新しいことを身近な友達から学ぶこと、そして僕の発音をソフトが認識してくれることが楽しくて仕方ない。最近では「祝你生日快楽（誕生日おめでとう）」の発音練習しているのだが、なかなかこれが曲者で彼此一カ月ほど練習しているが、なかなか認識してくれない。新型コロナウイルスが落ち着いて、登校が再開された頃に彼女から直接教わりたいと思っている。

僕はこの上海への一人旅を通して、他国の立場に立って考えることの大切さや素晴らしさを学んだ。昨今新型コロナウイルスに関する報道において、保守・リベラル問わず国内のメディアでは中国批判の論調が目立ってきている。こんな時だからこそ一方の主義・主張だけでなく、互いの主張を聞いてみることも必要なのではないか。同一個世界なのだから。

山野井 咲耶（やまのい さくや）

二〇〇二年栃木県小山市生まれ。約一五の国と地域に一人旅をし、各国の政策と社会問題に関心を抱く。二〇一九年インドのマザーテレサ設立「死を待つ人の家」にてボランティア活動に従事。同年米国の歴史や外交関係のクイズ大会で入賞し、外務省のワシントンD.C.派遣プログラムへの参加権を授与。二〇二〇年ビジネスコンテストで日本代表に選出。同年世界大会で三位受賞。現在は文科省設立「#せかい部」の運営を務め、高校生の留学を促進する活動を行う。

私の叶えた夢
―北京外国人歯科医師免許取得―

歯科医師　石岡　麻美子

私は二〇〇〇年長崎大学歯学部を卒業し、日本の歯科医師国家試験を受け歯科医師になった。研修後、愛媛県内の一般歯科医院にて治療に専念していた。当時、雑誌には中国の驚異的な経済成長の記事が多く、勤務していた歯科医院にも、中国に駐在するので歯の悪い部分を全て治療してほしいという患者さんが急に増えた。私は胸に秘めていた夢が沸き上がった。中国の歯科治療レベルはどのようなものなのだろうか。見学してみたい。

初めての中国は大学六年生の一九九九年の夏休みだった。行先は北京と内モンゴル。北京に降り立った瞬間、足元から湧き上がるなんともいえない強烈な力を感じた。今でも忘れられない感覚である。この感覚をまた感じたい、将来北京で働きたいと思った。

愛媛県内では、中国歯科事情に詳しい人はいなかった。中国歯科医師免許を持っている日本人歯科医師は必ずいるという思いで、インターネットで検索し、一人歯科医師を見つけた。その先生はすでに北京で活躍しており、顧問である北京のクリニックを紹介してくれた。見学のみでなく、仕事をしてみないかという嬉しいオファーをいただき、二〇〇六年四月から北京駐在することになった。

北京以外の都市は、日本歯科医師免許があれば手続きすることで診療が可能だが、北京だけは北京外国人歯科医師免許がないと診療ができない。公の場で診療を行うには、北京外国人歯科医師国家試験を受け、合格して、免許を取得する必要があった。日本の国家試験は筆記試験のみだが、北京は筆記試験と実技試験がある。実技試験は三症例があり、それぞれの症例にあった患者さんを自分で見つけ、一緒に試験会場に行ってもらい、試験官の教授達の前で説明しながら治療を行う。国家試験は年

北京Sinoデンタルショーにて。歯科看護婦と

一回しか受けられない。現在の北京は、免許試験制度が以前と全く異なっているが、当時は簡単に取れるものでは決してなかった。少し恥ずかしい話だが、私は国家試験を二回落ち、三回目でようやく受かった。

一回目の国家試験。簡単に合格できると少しなめてかかっていたのが、後に痛い目にあう。筆記試験会場である部屋に行くと誰もいない。なんと部屋が変わったらしいが、表示がない。一緒に行ったスタッフが探してくれ、なんとか試験開始に間に合った。冷や汗が出た。実技試験では、一つ目の実技試験開始直後に、モデル症例不適合となり青ざめたが、試験会場の大学病院で、一緒に来てくれたスタッフや別の先生方のスタッフまでが総動員で必死に試験症例に合う患者さんを探してくれた。その日は土曜日であったが、待合室には大勢の患者さんがいた。急なお願いに快く応じてくれた中国人女性がいて、なんとかその症例試験を終えた。ところが、別の症例試験の口頭試問時、「この歯の神経は正常か」という女性試験官の問いかけで、私は〝正常〟という中国語の発音を知らなかったのだ。すなわち、質問の意味を理解できなかった。「中国語が全くできない。失格」。自分が情けなくて涙が出て止まらなかった。

二回目の国家試験。前回の試験日に筆記試験部屋が変更になっていたこともあり、試験開始の三時間前に試験会場に着いた。もちろん教室は閉まっており、周囲には座れる椅子もない。一緒に行った歯科看護婦が近くで座っていた守衛を見つけて、「十四時から試験なので、椅子を貸してほしい。あなたは立ってくれ」と言った。なんと、守衛さんは嫌な顔一つせず喜んで椅子を貸してくれたのだ。なんとも言えない暖かさを感じた。しかし試験は不合格だった。実技試験で、前回の試験で「正常か」と質問した女性試験官の質問攻めで、十分に答えられなかった。その女性試験官から「また来年ね」と言われ、呆然とした。

三回目の国家試験。日本女子の面子をかけ、数カ月前から勉強をし、背水の陣で臨んだ。試験モデルの患者もなるべく難しい症例になるように半年かけて探し、実技試験中に質問されても全て中国語で答えられるようにしていった。さすがに三回目ともなると、どの試験官にも顔が覚えられてしまったようで、いろいろ言葉をかけられた。厳しい女性試験官からは、「貴女は三回目なので試験の流れ、やり方を知っているから、厳しくチェックします」と言われたが、落ち着いて基本に忠実に行うことができた。そして、最後の実技試験中に思ってもみないことが起きた。あんなに厳しかった女性試験官が様子を見に来てくれたのである。試験終了後に「長い間、よく頑張ったね」と声をかけられたときには、胸が熱くなった。不思議なもので、大の苦手だと思っていた人が一瞬で大好きに変わることがある。ということで、北京では、私は日本人女性歯科医師第一号だと思う。

現在も、日本と北京で歯科診療をしている。たくさんの中国人の協力と心遣いがあるからこそ、私は北京外国人歯科医師免許を持て、日本と北京で歯科診療ができるという夢を叶えることができていると思っている。

石岡 麻美子（いしおか まみこ）

二〇〇〇年長崎大学歯学部卒業。愛媛大学医学部附属病院歯科口腔外科にて研修。二〇〇二年（医）かとう歯科医院（愛媛県松山市）勤務。二〇〇六年北京龍頭クリニック勤務。中国北京歯科医師免許取得。二〇一〇年日本帰国。以後、日本と北京にて診療を行う。二〇二〇年現在（医）市来歯科医院（東京都日暮里）にて非常勤。早稲田医学院歯科衛生士専門学校非常勤講師。年数回北京に行き、歯科診療を行っている。

大きな中にも細やかさ

自営業　髙田　忍

学生時代に中国語を学んだ私が初めて中国を訪れたのは昨年九月のことである。武陵源と漓江下りの五泊六日のツアーに参加し、山水画や水墨画のような世界を楽しんだ。

空港のバス停で　関西空港から香港経由で九時間半、夜遅く長沙空港に着いた。初めて撮った写真は空港のバス乗り場にあった案内板である。そこには、行先毎に十六のＱＲコードが表示されていた。スマホで読み取れば、バスに乗車できる仕組みのようだ。

その日の早朝、関西空港行きリムジンバスの停留所で、係員から現金で往復切符を買った。雲泥の差である。キャッシュレス社会が、ここまで進んでいるとは思いもよらなかった。

ホテルで　海外旅行の必需品はスマホを充電するためにコンセントに差し込むプラグ一式である。一泊目の国によってプラグの形が異なるからである。ところが、長沙の高層ホテルの部屋には延長コード付きの汎用コンセントが置かれていた。張家界と桂林のホテルにも類似の備品が置かれていた。一九八六年の訪米以来、これまで出張や観光で四十数カ国を訪ねているが、汎用コンセントを備えたホテルは中国以外にはない。

携帯用の体重計も常に携行する。旅先では珍しい食べ物に食欲が出る。体重が気になるからである。しかし、その必要はなかった。日本でもホテルによって置かれているが、欧米では見たことがない。

いずれのホテルも高層ビルで、威容を誇るかのようであったが、備品の一つ一つに細やかさが感じられ、新しい中国を発見する楽しい旅であった。

胸に大きな薔薇をつけた兵士（高速列車内で）

道路や鉄道で　翌日、長沙から高速道路で張家界へ向かい変わりゆく風景を楽しんだ。道路脇の注意標識にも関心を抱いた。「あおり運転危険」「車間距離を保て」を意味する中国語の下に英語も書かれているので、外国人には分かりやすい。

もっとも「保持車距」とあるのに、車間距離を保たない車が多い印象であった。車線変更の時、ウィンカーで合図しない車もある。バスを追い越すとき、ほとんどの車はクラクションを鳴らした。追い越すとの注意かも知れないが、いささか煩く感じた。

武陵源の観光を終えると、長沙から桂林行きの高速鉄道に乗った。改札では飛行機の搭乗券のように氏名が書かれた乗車券とパスポートを提示した。鉄道はともかく、ロープウェイまでもパスポートの提示を求められた。

途中駅で真っ赤で大きな薔薇を胸に付けた若い兵士が下車するために立ち上がった。すると周りの乗客が一斉に拍手した。国を守る若者への感謝の気持を表しているようであった。

バスと鉄道に乗って気付いたことがある。自動車は右側通行であるのに対し、高速鉄道は日本と同じ左側通行である。道路と鉄道で走る方向が異なるのは、フランス、イタリアなどラテン系の国に多い。なぜ中国がフランス方式を採用したのか興味深い点である。

町の中で　言葉や文字に興味があった。中国は建国以後、日本の当用漢字のように簡略化された簡体文字を使用している。例えば「國」が「国」に変わったように両国は同じ文字を使う場合がある。最終日に訪れた桂林の宝物の博物館の入り口に二枚の看板が掛かっていた。前には「藝術」、後は「藝术」となっていた。日本とは反対の簡略化で興味深く眺めた。

同じ漢字でも新聞や汽車のように日本語とは意味が異なる場合がある。注意を意味する「小心」は日本語の細心から類推できた。英語が併記されているので分かりやすい。トイレは洗手間、公共ヱ生間と表示されていた。関空から乗ったリムジンバスは厠所と表示しているが、中国国内で見たことはない。昔の古い表現ではないかと思う。少しではあるが中国語を覚える機会にもなった。

町の中には至る所に、建国七十周年に因んで社会主義核心価値観である十二の言葉が掲げられていた。その中には、自由、民主など西洋思想の翻訳語がある。明治時代に日本で学んだ留学生が定着させた言葉である。その漢字は言うまでもなく、古代に海を渡った留学僧が日本に持ち帰ったものである。同じ漢字文化の世界にいると心が落ち着くように思った。長い交流を通じて築かれた歴史の重みがある。最初は緊張したが、次第に心が落ち着き国内旅行をしているようであった。

垣間見た中国　長沙の町は、一九八六年、初めて訪れたニューヨークのように高層ビルが立ち並び、その発展ぶりを垣間見ることが出来た。もっともニューヨークと違って、落書で汚れた建物はない。町の中や道路上にはごみが散乱するようなことはなく、思った以上に清潔であった。大きな中に、町の通りやホテルの備品の一つ一つに至るまで細やかさを感じる初めての中国の旅であった。

髙田　忍（たかだ しのぶ）

一九四一年九月滋賀県生まれ。一九六五年三月東京大学文学部社会学科卒業。一九六五年四月住友電気工業株式会社入社。一九九二年一月米国ミシガン州に駐在。一九九九年一月ドイツ・フランクフルト市に駐在。二〇〇一年九月定年退職。二〇〇八年三月関西学院大学法科大学院司法研究科修了。二〇一五年一〇月NPO法人黄斑変性友の会理事長に就任。

三等賞

日本もマネしてみては？

元会社員　長崎　彰

二〇〇八年から暮らしてきた大連市から日本へ戻ってきて、あと二カ月で四年になろうとしている今日この頃です。今回、日本僑報社の「中国滞在エピソード」に応募してみようと思ったのは、中国に滞在していてこれは日本でも応用したほうが良いのではないかと感じられることが何点かあったのでそれを皆さんに紹介してみたかったからです。

テレビなどマスコミの影響でしょうか、一般的に中国人と言うと自己中心的で法律を守らないことが多いという風に言われています。例えば、電車やバスなどの交通機関への乗り降りについても整列をしないで扉が開いた瞬間に我先に乗り込もうとしたり、横断歩道があるにもかかわらず赤信号でも平気で道路を横断してしまうことなどがあります。しかし、そういう面だけで国民性を批判してしまってよいのでしょうか！　実際に現地で暮らしてみて私が個人的に感じた日本には無くて中国にはあり、学んだら良いと思ったことを紹介してみたいと思います。

私と中国との関係は四十年前の香港（新界）での工場建設から始まり、以降の中国台湾と本土の深圳・大連と三十年近くになります。その中でも大連での出張（駐在を含む）生活が一番長期に渡りました。約八年に渡る大連における生活の中で、今の日本に欠けていると思われると感じたことがあります。一点目は合理性に関する内容ですが、ある時会社の車に乗っていて気が付いたことがあったのです。それは信号が赤なのに平気で右折しているのです。右折をする時に左から来る車に気を付けていれば問題は無く、道路交通法違反にならないのです（中国の道路交通法では車は日本と逆の右側通行です）。その時にこの方式を日本でも採用すれば、車の往来が少

2012年に大連の地元情報誌に掲載されました

なく左折が可能な状況なのに赤信号でイライラしながら待っているということが減るのではないかと気がついたのです。結果として、車の渋滞も少しは改善できるのではないでしょうか？日本でも法律や規則は使用しながらでも色々と改善していくと言うフレキシビリティ（柔軟性）が必要だと感じた次第です。

もう一点は敬老精神に関する内容です。当時宿泊先から会社までの通勤手段は当初からタクシーを使用するか社員の車に同乗させてもらっていましたが、特に退社する時は社員のだれかが私に付き合って残らねばならず、それが気になっていました。そこである時から、退社時は公共機関のバスを利用することにしてみました。うまい具合に会社から歩いて五分もかからない場所にバス停が二カ所あったのです。その結果、時間を気にすることなく自分のペースで仕事を行うことができるようになりました。会社があったのは工業団地の中でしたので付近を通るバスの路線は二系統ありました。停留場の時刻表には始発と最終の時間しか記載されておりませんでしたし、時間帯によっては近くの工場で働く工員たちと一緒になり結構混むこともありました。そのような状態のバス通勤でしたが、時々若い人や子どもたちが席を譲ってくれることがありました。日本ではほとんどそんなことがなかったので、結構感動したものでした。ところが冬になりますと今度はなかなか席を譲ってくれることが無くなってしまったのです。どうしたのかなと思っていましたが、次の年の春になりましたらまた席を譲られるようになったのです。そこで漸く気が付いたのですが、席を譲ってくれた子どもたちは私の顔と頭の毛を見て判断していたみたいでした。冬の寒い時期は帽子をかぶっていたので、実際の年齢よりも若く見られていたのだと納得した次第でした。その頃の私は見事な銀髪だったので、冬期以外は年相応に見えたのだと思います。とは言え、日本における交通機関内での老人や障害者に対する若者たちの行動を見ていると、日中の差を残念に感じたものでした。

以上二点のみを紹介いたしましたが、まだまだ中国から学びたいと思うところはたくさんありました。国家同士の付き合いという点では確かに中国という国は難しいところがありますが、個人としてじっくりと付き合ってみると日本が学べるところもまだまだあると思われます。昔を振り返ってみれば日本は中国からたくさんのことを学んでいたのでした。これからのアジアの将来を考えていきますと、日本も中国もお互いに相手の悪いところばかりを見つけるのではなく、お互いに学べる点については積極的に学んでいく方が得策ではないかと思います。

現在日本に住んでいる中国の方とも小さなお付き合いがありますが、彼等は真摯に私たちのことを色々と心配してくれています。そして日本の若者たちがもっと中国に親しみを感じるような関係になってくれればと思う今日この頃です。

長崎 彰（ながさき あきら）

中国建国と同じ一九四九年に山梨県に生まれる。一九七三年より地元の精密機器メーカーに勤務。一九九〇年代に香港・新界地区での新工場設立・立ち上げで初めて中国関連業務に携わる。その後、二〇〇〇年代からは台湾及び中国本土で会社・工場を立ち上げる。二〇〇八年からは大連にて会社運営を行い八年後の二〇一六年に六十七歳で日本へ戻り、現在に至る。趣味は大連時代から始めたバドミントンで、現在も週に数回行っています。

親愛なる李白先生

会社員　柳　文恵

親愛なる李白先生

千三百年も前の人に手紙を書くのは、不思議な感じです。長安は、どんな街ですか。国際色豊かの文化都市で、異国からの留学生でにぎわっていた、と歴史書で読んだことがありますが、実際のところはどうですか。

自己紹介が遅れました。私は、唐の遥か東側にある日本という島国に住んでいます。遣唐使のひとりである晁衡が生まれ育った国です。この手紙は、李白先生の時代から約千三百年後に書いたものになります。

李白先生が晁衡の死を悼んで書いた詩「哭晁卿衡」を初めて読んだ時は、深く感銘を受けました。

日本晁卿辞帝都　征帆一片遶蓬壺
明月不帰沈碧海　白雲愁色満蒼梧

晁衡を月に例えた「明月不帰沈碧海　白雲愁色満蒼梧」という表現から、彼が李白先生にとってどれだけ大切な友人であったかがよくわかります。友人を思う気持ちは、国境を越え、海を越え、異なる言語を持つ人々の心にもしっかりと伝わります。李白先生と晁衡の友情は、千三百年後の今でも両国の友好に寄与しています。もし晁衡が海で遭難することなく日本に帰ってこれていたら、きっと多くの知的財産を日本にもたらすことができたであろう。そういう意味では、彼が日本に戻ってこれなかったことは、日本人として残念でなりません。しかし、彼が故郷から遠く離れた異国で、李白先生のような友人に出会えたことは、とても幸運だったと思います。これに関しては、同じ日本人として誇らしく思うと同時に、少しばかり羨望せずにはいられません。

唐が日本文学の発展に与えた影響はとてつもなく大きく、多くの遣唐使たちが唐から持ち帰った書物によって、日本はその後、独自の文字を持つことができました。私が今こうして書いている文字は、漢字が進化した結果なのです。日本が文学的に李白先生の国から受けた恩恵は計り知れません。

万里の長城

晁衡が遣唐使として日本を出発してから千三百年が経ち、日本では今も多くの若者が海を渡り、異国との文化交流を続けています。彼らが持ち込んだ新しい風によって、日本は今でも文化的に進化を続けています。

初春令月　気淑風和
梅披鏡前之粉　蘭薫珮後之香

この和歌は、現存する日本最古の和歌集である「万葉集」の一節で、李白先生が生きた時代に詠まれたものと言われています。漢字表記と和歌の形式を見れば一目瞭然だと思いますが、唐詩がこの時代の日本文学に与えた影響は、この和歌にもよく表れていると思います。

実は、この和歌にちなんで、昨年から日本は「令和」という新しい時代に入りました。初春の空気清らかで風和やかの良き月、梅は白い花を咲かせ、蘭は甘い香りを放っている。この穏やかで春爛漫の情景に負けないくらい、令和には平和で素晴らしい時代になってほしいと願っています。

もちろん、李白先生が残した唐詩も多くの日本人に愛されています。私もその愛好者のひとりです。

長安の月は、美しいですか。聞くまでもないですね。

李白先生が残した月に関する数々の唐詩を読めばわかります。私も月を眺めるのが好きです。満月の夜は、部屋の明かりをすべて消して、月を見上げます。月を見上げるたびに、遠くに住む両親のことを思い出します。月が放つ光は幻想的で柔らかく、それに包まれると感傷的な気持ちになります。こういう時はいつも、李白先生の「静夜思」を思い出します。

床前明月光　疑是地上霜
挙頭望明月　低頭思故郷

時代に関係なく、故郷を思う気持ちはみな同じです。この詩は、私の時代では様々な言語に訳され、世界各国で多くの人に読まれ、愛されています。私が眺めている月は、千三百年前に李白先生が眺めていた月と同じものですよね。そう思うと、時空を超えたような不思議な感覚に襲われます。月が思いを受け止め、繋ぎ、そして時を超えて、大切な何かを伝えようとしている気がします。

私が生きている時代では、男女は差別なく唐詩や文学を学ぶことができます。海を渡って異国で文化を交流することも誰にでも許されています。李白先生の生きた時代と比べれば、とても恵まれていると思います。私と唐詩との出会いは、両親の影響がきっかけでした。両親は、私が小さい時、外国語の教育よりも唐詩の勉強の方に力を入れていました。唐詩を何回も紙に書き写して暗記したのを今でも覚えています。子供にとって、構造が複雑な漢字を書くのは難しいことですが、それ以上に唐詩を暗唱することの方がずっと大変でした。小さい時は唐詩の勉強を嫌がったこともありますが、今では唐詩に出会わせてくれた両親に感謝しています。

もし李白先生と同じ時代に生まれていたら、長安の街をぜひ訪れてみたいと思います。そしてもし可能であれば、李白先生には令和時代の日本をぜひ見てほしいです。親愛なる李白先生、この手紙が無事に先生の手元に届くかどうかはわかりませんが、後世の日本でも唐詩が愛され、そして李白先生が尊敬されていることを忘れないでください。

柳 文恵（やなぎ ふみえ）
東京都出身。早稲田大学教育学部理学科卒業。幼少時代を中国で過ごし、現在フランスに在住。四か国語を話すマルチリンガル。

三等賞

中国で叶えた夢

教師　浜咲　みちる

「あなたも海外日本語教師になりませんか」

そう書かれているポスターを、大学の掲示板で見かけたのは、一九七六年の十月でした。その頃、私は教育学部の中学校教員養成過程に在籍していて英語を専攻していました。でも英語に興味が見い出せず、将来、英語教師になることに気が進まないでいました。勉強をほとんどしなかったので、単位が取れずに留年を余儀なくされていて、悶々（もんもん）とした日々を過ごしていました。

そんな折に出会った海外日本語教師という、ロマンチックな響きがする職業に私は思わず心を惹かれました。現実からの逃避だったかもしれませんが、夢のある職業に思えたからです。しかし日本語教師という職業は、その頃はあまり知られていなかったし、日本語教師の養成講座や日本語学校も、ほとんどない時代だったので、海外日本語教師のことを周囲に話しても「雲をつかむような職業だね」と言われました。

それでも私は性格的にロマンチストだし、将来は英語ではなくて日本語を教えたいと思ったので、そのポスターに書かれている学校に受講の申し込みをしました。通信教育で半年間学び、卒業証書を手にしたので、夢が膨らみ始めました。しかしやはり周囲の意見に従って現実的な考え方をしなければと自分に言い聞かせて、海外日本語教師という職業は棚上げにしました。

大学を五年かかって卒業して、その間に社会科の教員免許も取り、将来は高校で日本史の教師をするつもりでした。しかし目標を変えてもうまくいかず、大学を卒業してから五年たっても、六年たっても何の職業にも就けずに悶々（もんもん）とした日々を余儀なくされていました。

そういう状況にあったので、いったんは棚上げにした海外日本語教師という職業を再び視野に入れ始めました。

しかしその頃は今のようにインターネットで求人情報を検索できる時代ではなかったので、どのようにしたら日本語教師になれるのか、皆目見当もつきませんでした。

誕生日に宿舎へ祝いに来てくれた学生（2016年9月、湖南工学院にて）

進むべき道が見い出せずに思い悩んでいた二十九歳の時に、母が脳卒中で倒れて介護が必要な状態となりました。そのために海外に就職の活路を見出すという、いちるの望みも絶たれました。ますます深い暗闇に落とされた私は、しばらく放心状態から立ち直れないで、ぼんやりしていました。暗闇の中で夢や望みは心の奥深くにしまって、新しい夢を模索し始めました。

（そうだ、私が果たせなかった夢を小説の中で実現させよう）

そう思った私は小説の執筆に取り掛かりました。小説のストーリーは『主人公がガールフレンドの協力を得て中国へ行き、中学校で日本語を教える傍ら残留孤児の肉親捜しの手伝いをして帰ってくる』にしました。私がしたくてできなかったことを主人公に託して一生懸命書きました。執筆をきっかけに中国への関心が芽生えたので、この頃から独学で中国語の勉強を始めました。

私が五十二歳の時に母が永眠しました。それまで私は一度も就職できなかったので、周囲からは辛辣（しんらつ）なことばかり言われたり、冷たい視線を浴びせられてばかりいて、とても辛い日々を過ごしてきました。

母の永眠は悲しい出来事でしたが、母のことを、これからはもう気遣わなくてよくなった私は、小説を書いた三十代前半の頃からの夢であった中国での日本語教師を実現させるために動き始めました。主人公と同じように私自身も夢を実現させることができたら、もっと大きな喜びや幸せを感じることができると思ったからです。

そしてこれまで五年間、中国で日本語教師をしてきました。日本では母以外の誰からも必要とされなかった私を、中国の人たちは温かく迎えてくれました。

「あなたは、私がこれまで出会った先生の中で、いちばん真面目で、いちばん責任感が強くて、いちばん優しい人」「あなたのような先生の学生になれて私はとても幸せです」「あなたはとても可愛い人」「いつもわかりやすく教えてくれてありがとう。先生のおかげで、みんなの日本語が上手になりました」「あなたのおかげでスピーチコンテストで入賞できました」「あなたは私にとって一生忘れられない、いとおしい先生」「あなたはいつまでたっても私たちの永遠の先生」……。

学生たちからもらった手紙を読み返したり、学生たちの写真を見るたびに、中国での日々を懐かしく思い、目頭が熱くなります。

もし私が中国に行けなかったら、社会から必要とされている喜びや、認められている幸福感を感じることなく一生を無為に終わっていたと思います。大学で教鞭を執るという、私にとっては夢のような仕事も経験できなかったはずです。

中国は風前の灯（ともしび）となっていた私の夢に明るい光をともしてくれました。孤独で深い海の底に沈んでいた私に、まばゆいほどの光を与えて、温かくて幸せな気持ちにしてくれました。心の奥で望み続ければ、運命の女神が必ず優しく微笑んで、夢を実現させてくれます。そのことを今、切に感じています。

浜咲 みちる（はまさき みちる）

これまで中国の大学や高校や中学で五年間、日本語教師として教鞭を執ってきました。毎年、違った学校で教えてきたので、各地に忘れられない思い出がたくさんあります。これまでに単独で一冊、共著で六冊、童話や少女小説の本を出しています。単独で出している『若草色のニイハオ』という本は、原稿用紙に換算して三百三十枚の長編で、全国学校図書館協議会の選定図書に合格しています。共著で出している本は公募の入選作品集です。

私のパワースポット

団体職員　尾崎　健一郎

「中国のどこが好き?」

そう聞かれたら、私は迷うことなく「上海の外灘」と答える。

二〇〇一年七月、私は初めて出張で上海を訪れた。当時、私は大阪にある繊維商社に入社して間もない二十五歳。中国の自社合弁工場で生産した糸やソックスを日本に輸入する貿易業務を担当していた。

「一度、上海の現場を見せてやる」

業務を始めて一年、部長の思いがけないその一言で、私は部長のかばん持ちとして、上海の合弁工場を訪れることになった。

上海には旅行で訪れたことはあったが、仕事での訪問は今回が初めて、私は行きの飛行機からガチガチに緊張していた。そんな私を見かねた部長が「景気づけに」と客室乗務員に赤ワインを頼んでくれて、ワイン片手に中国でのビジネスの秘訣を熱っぽく語ってくれた。部長のありがたいお話の内容はほとんど覚えていないが、「出張の機内で赤ワインはあり」という社内?ルールは心のルールブックにしっかりと刻み込んだ。

出張の四日間、連日の猛暑の中でも私たちは精力的に関連工場を回った。糸を作る紡績工場、糸を染める染色工場、そして糸からソックスを作る靴下工場。おりしも中国は世界の工場としてその存在感を高めている時期で、特に繊維産業については、その品質が日増しに向上し、生産量が急激に増加していた。

私はそんな中国の勢いを肌で感じながら、工場で懸命に働く中国人のスタッフたちと顔を突き合わせての交流を重ねた。いつもオーダーに合わせて正確な色で糸を染めてくれる染色試験室の鞠小姐、無理な出荷の依頼を何度もかなえてくれた輸出通関担当の張小姐、工場のすべ

上海・外灘にて高層ビル群をバックに

てをテキパキと取り仕切る虞工場長、普段は電話やメールでしかやり取りをしていなかった人たちの人柄に触れ、その仕事への熱意、責任感を直接感じられたことで、自分が取り扱う製品が、そして自分の会社がたくさんの中国の人に支えられていることを実感した。

工場訪問が終わると、工場の仲間たちが毎晩のように私のために宴席を用意してくれた。「自分の箸で客人の皿に料理を取り分ける」「乾杯の時は自分のグラスを客人のグラスより低い位置で合わせる」「鳥料理の鳥のアタマは主賓の席に向ける」など、宴会を通して中国のおもてなしの習慣に触れられたことはとても良い経験になった。

また、チームワークでのお酒のススメ方も勉強になった。まずは工場長からの乾杯に始まり、そのあと女性陣の優しい笑顔をふりまきながらの激しい乾杯攻撃、そして最後は昼間工場では見なかった「あなた誰？」という面識のないおじさんに酒をとことん飲まされる。とくに「あなた誰？」おじさんは、客人にお酒を飲ませるために同席している「お酒がものすごく強い人」なのでペースに巻き込まれないよう注意が必要だということも学んだ。

そして、出張最後の夜、私は案の定、「あなた誰？」おじさんの乾杯攻撃にやられて酔いつぶれ、タクシーに押し込まれて、ホテルへの帰路についた。タクシーは上海の街を東西に貫く主要道路、延安高架路をまっすぐ東に進んだ、そしてその突き当たりまで来るとゆっくりとスピードを落として、大きく左へとカーブした。

「わ―――!!」

その瞬間、私は無意識のうちに大きな声をあげてしまった。右手には東方明珠や金茂大廈など近代的なビル群が美しくライトアップされ、左手には石造りの重厚な建物が、黄色いライトのノスタルジックな雰囲気の中に浮かんでいた。その近代的な上海と、ノスタルジックな上海の両方が一度に視界に飛び込んできて、私は一瞬にして酔いが冷め、からだ中の毛穴がパッと開くのを感じた。

「この街で働いてみたい」

上海のエネルギッシュな街並み、夢に向かってはつらつと働く人々、世界の工場としての果てしない可能性、この出張の四日間、私の中に生まれていた上海に対する憧れや感動が、その景色によって刺激を受け、心の底から一気に湧き上がってきた。そして、その出張から数カ月後、しつこいぐらいのアピールが実り、私は夢だった上海赴任の切符を手に入れた。

あれから二十年がたち、私は職を変え、現在、二回目の上海赴任の真っ最中。上海の街はビルも道路も新しくなり、二十年前から大きく様変わりしている。そして、私の思い出の延安高架路も改修されて、大好きだったあの左カーブからの夜景を今はもう見ることはできない。それでも、私は仕事や家庭で自信をなくした時、たびたび一人で外灘を訪れる。そして、二十年前の出張ではじめてこの景色を見た時に心の底から湧き上がってきたあの熱い気持ちを思い出し、明日への力をもらっている。私のパワースポット「外灘」、どんなに時代が変わっても、ここから見える景色が何年も何十年先も変わらないことを心から願っている。

尾崎 健一郎（おざき けんいちろう）
大阪外国語大学の中国語専攻卒。二〇〇一年一一月～二〇〇三年四月　繊維商社の駐在員として上海赴任。二〇一七年一月～現在　国際観光を振興する団体の職員として上海赴任中。

三等賞

崋山への無謀な挑戦

大学生　兼宗　遥

かつてシルクロードの出発点であった異国情緒あふれる街、八月の太陽がまぶしい西安が私の初めての中国体験の舞台である。大学一年生の夏休み、私は陝西師範大学で一カ月間中国語の授業を受けた。

大学から大雁塔を右手にまっすぐ行くと城壁で囲まれた西安市内の中心街がある。中心街と言っても半袖短パンにサングラス、リュックサック一つを背負った外国人観光客が歩いていているような賑やかな通りがある一方、それらのすぐ隣には工事中の裏道があり、古そうなアパートが立ち並び、街路樹にひっそりと隠れた小学校があった。道端で野菜を売る人、積み上げられた布靴、籠の中の生きた鶏、まさに地元の人々の生活があった。

ある時友達と話していて崋山の話題になった。話を聞くと西安駅からバスが出ていて、日帰りも可能らしい。それならと崋山に登ることを決心し、友人二人と「崋山挑戦チーム（仮）」を結成した。まず私たちは早朝の道の混み具合やタクシーがどのくらい走っているかなどを確認した。また西安駅まで歩き、徒歩一時間半ほどだという事を確かめた。果たして大輪の牡丹花の如き完璧な計画書が完成した。

そして迎えた当日。早朝の西安市内は透明な青い靄につつまれて、静かだった。余裕を持って出発したものの街の景色が昼間と違い、いくら歩いても西安駅にたどり着かなかった。車通りの少ない早朝はタクシーさえ稀にしか通らない。

ようやく捕まえたタクシーの中で一つ目の出会いがあった。そのタクシー運転手は名古屋で働いたことがあり、日本人の私たちに会えたことをとても喜んでくれた。これから崋山に行くと言うと西安駅のバス乗り場まで連れて行ってくれたばかりかタクシー代の十元はいらないと

華山の絶壁を登る友達とそれを見ている私。階段のように石が彫られていますが本当に急な角度でした

言う。後にも先にもあのような料金を取らないタクシーなど聞いたことがない。

私たちは無事西安駅に着き前日に買っておいたパンを食べて一息ついた。一息ついたのも束の間バス乗り場の場所が違うことに気づき、バス停を探す。出発時間ギリギリにバスに滑りこんだ。到着してまず地図一枚と軍手、景区の入場券、ロープウェイのチケットを買った。乏しい中国語力でも往復だとちょっと安くなることが何とか聞き取れたので往復で買った。チケットを買った時点では午前九時くらいだったろうか。ロープウェイ乗り場まで行くバスに乗るために三十分ほど並び、ロープウェイ乗り場に続く坂道で三時間くらい並び、午後一時になってしまった。その日のうちに帰るために絶対に六時半のバスに乗らなくてはならなかったので、焦る焦る。

この冒険で私たちは中国の人ごみの凄まじさを体感した。三人がはぐれないようにするのがやっとだった。並んでいる途中でチベットから来たという六十歳くらいの夫婦と親しくなった。その老夫婦は自分の足で登るらしかったが途中まで私たちと一緒にロープウェイの列に並び、私が人ごみに押しつぶされないようにはぐれないように助けてくれた。

何時間も待って乗ったロープウェイは一瞬で北峰の山頂についた。窓から見下ろす白っぽい岩肌のむき出しになった急斜面は人が自分の足で登れるような場所には思えなかった。山頂は霧が白く、吹く風は地上のそれとは全く違うようだった。いきなり別天地に放り出された私たちは言葉もなく、夢中で写真を撮り、崖っぷちで足をすくませた。とりあえず北峰から長空桟道がある南峰へ向かった。鎖を掴んで岩に刻まれた階段を必死に登る。しばらくはそんな険しい道も大変混んでいたので驚いた。道幅が広く少し緩やかになった場所でなぜかジョギングをしている人がいて、ちょうど私の前でサングラスを落としたのでさあ大変。私は反射的にサングラスを拾って、走り去るその人を追いかけ呼び止め無事に渡すことができた。あんな場所でジョギングするなんてすごい人がいるものだ。

南峰の長空桟道は強風のため閉鎖されて残念だったが、かなり疲れていたので少し安心した。後でこの日の写真を見るとなるほどどれも疲れた顔をしている。一緒に行った友人は男だったのでそれほど疲れていないようだったがこまめに休憩を取ってくれた。

北峰から各峰を歩き、最後は西峰のロープウェイで下山することにしたが、ここで嫌な予感が的中してしまった。往復割引きで買ったロープウェイのチケットは当然北峰ロープウェイの往復チケットだったのだ。もちろんチケットを買いなおした。ああ財布が泣いている。西峰のロープウェイは北峰よりかなり長く、岩を刳り貫いたトンネルも通った。現代の高度な技術に感動しつつ下山した。西安駅行のバス乗り場は徒歩で行くには遠かったためタクシーを拾った。バスに乗った私たちは朝から何も食べず、全身疲労していたが、心地良い余韻を味わっていた。「たくさんの出会いがあり、助け合い助けられ、時間も体力もお金もギリギリだったけど何とかなった、中国語全然分からなかったけど何とかなった！」

兼宗 遥（かねむね はるか）

一九九九年長野市で生まれる。都留文科大学文学部国文学科に所属。大学に入学してから中国語の勉強を始める。一年生の夏休みに陝西省西安市の陝西師範大学で一カ月中国語の授業を受ける。これが私の初めての中国体験で、今回の作文はこの時の体験を書いている。大学二年生の時、湖南省長沙市にある湖南師範大学に一年間留学する。ＨＳＫ五級を持っている。現在大学三年生。

三等賞

自分を大事に想ってくれる友人がいる国

団体職員　篠田　結希

先日、大学時代の中国人の女友達・盼(パン)から、結婚式の招待状を受け取った。

十年ほど前、大連を旅行しているときに知り合い語学を教え合って以来の旧い友人だ。私達は別れ際、お互い有事の際には必ず駆け付けるという約束をしていたのだった。

そんな若い日の約束を覚え連絡してくれたことが懐かしく、彼女の故郷まで遥々やって来てしまった。

長沙黄花国際空港から新幹線や在来線、車を乗り継ぎ、一日掛かりで漸く辿り着くことができた。

盼の故郷である湖南省懐化市溆浦県龍潭鎮は見渡す限りの田園風景で、未舗装の道に砂塵が舞っていた。田畑には鴨が走り回り、害虫を食べてくれるらしい。普通車のタクシーはなく、二人乗りのバイクタクシーが走り回っていた。初めて見る景色だったけれど、原風景の様に郷愁が湧いてきた。

Weiboでウェブマップ上の居場所を伝えると、すぐに盼が車で迎えに来てくれた。再会した私達は、互いに語学が不自由になっていた。けれどそんなことはまるで問題ではないように旧交を温めることが出来た。

彼女のお腹は既に大きくなっていて、六カ月になる宝宝（赤ちゃん）がいるとのことだった。嬉しさを隠そうとしない盼の様子を見て、来てよかったと思った。

そうして盼の実家に赴き、家族と新郎、友人たちを紹介された。彼らの写真は、かつて大連で見せて貰ったことがあった。十年越しに彼らと会うことができて、何だか感慨深い気持ちになった。そして、そこから彼らとの生活が始まった。

この地の伝統的な結婚式では、親しい友人や親戚が新婦の家に来訪し、三日三晩ともに時間を過ごす。飯を食

花嫁の実家。ここで花嫁の一族と寝食を共にする。婚礼用のデコレーションが家中にされていて見た目にも賑やか

べ、遊び、語り合い、それが一連の儀式として一族の絆を確認することになる。

近所の人たちが一日三〜四食、豚や鴨、魚を捌いて、大量の食事を作ってくれる。卓に着く人数が余りに多いのでポリバケツの中にご飯が入っていて、そこから皆で飯をよそい合う。見たこともないほど多様な中国の家庭料理を、数十人の一族と一斉に食べる様子は壮観だ。

中国語から離れていた時間が余りに長く、彼らとはジェスチャーで意思疎通するしかなかった。けれどそんな私を、彼らは終始温かく迎えてくれた。時折、貰いタバコや貰い檳榔をしていると、あっという間に日が暮れた。

とはいえ大人達は忙しかったので、私はよく子供達に遊んで貰った。「お兄ちゃんはどこから来たの？」「東京だよ」「何いってるか全然わかんない！」「日本だよ、東京だって」「全然わかんないよ〜！」。そんなことで笑い転げて哥哥（お兄ちゃん）と慕ってくれる彼らを見ていると、どこの国も子供の無邪気さは変わらないな、と思う。こんな山奥だから、きっと彼らの人生で最初に出会った外国人は私なのではないだろうか。彼らにとって良い思い出になってくれたらいいな。と思うものの、もう会うことはないんだろうな。と思うと、何だか切ない気持ちになって来るのだった。

そして最終日の朝、私は他の友人達とともに盼の部屋に呼ばれた。我々友人一同は、これから新婦の部屋に籠城し、攫いにやって来る新郎から新婦を守らなくてはいけないらしい。そういう儀式なのだ。

間もなく、盼の部屋を男たちが取り囲んだ。新郎の男友達だ。「開けろ！」と喚き、鍵の掛かったドアを蹴破ろうとしてくるのを、我々は必死で抑えた。結構、迫真で演技をするのだと思った。そんなやりとりを幾度も繰り返し昼頃になると、渋々という体裁で新婦である盼が部屋から這い出して来て、大団円となった。

そして新郎とともに両親に別れの挨拶をし、家財道具をまとめた籠を車に詰め込み、一列の大名行列となって新郎の家（新居）に運び込む。

新郎の家に着くと、その一族が爆竹を鳴らして歓迎してくれた。これで新婦側の友人一同としての儀式は終了となり、盼は新郎一族としての生活を始めるのだ。

皆、早朝から押し合いへし合いしていたのでさすがに疲れ、新郎新婦を含めた我々若連中は、新居でお笑い番組を見ながらダラダラ過ごした。

婚礼用の赤い民族衣装を着た盼がソファに寝っ転がり、煎餅をバリバリ食べながら色々なことを話し掛けてきた。

「中国で働け」「中国で結婚しろ」「中国で子を作れ」。小うるさいオバちゃんみたいなお節介を捲し立て、新郎の男友達らにも「ガッハッハ」などと笑いながら何やら指図をしていた。昔こんな豪快に笑う人だったっけ。その余りも堂に入った貫禄ある女房っぷりに思わず笑ってしまった。これは愛されるはずだ、幸せにだってなるはずだ。年月の流れる速さを思った。

そうこうしていると、村を出る迎えの車がやってきた。見送る彼らに別れを告げ、家を出た。さっきまで笑っていたのに今度は大泣きしている盼を見て、大連で別れた日と変わらないな、と思った。

友人の晴れ姿に立ち会うことができた。そしてこの国に、自分を大事に想っていてくれている人が居るということを思い出し、満たされた気持ちで帰路についた。

篠田 結希（しのだ ゆうき）
一九八九年生まれ。二〇一一年大学在学時、中国大連市内の民間学校に語学留学。二〇一三年四年制大学卒業。法科大学院を経て、二〇一四年から政府系金融機関に勤務。趣味は旅行。

三等賞

魅力的な国・中国を発見！

小学生　一番ヶ瀬 椿

私はまだ九歳ですが中国に四回行ったことがあります。

二〇一二年四月（一歳）はじめての中国旅行は北京

私が最初に行ったのは、一歳で行った初海外の北京。もう覚えていないので、今回は母と一緒に写真を見ながら思い出を教えてもらいました。

北京の写真を見ると、優しそうなお姉さん、お兄さんがたくさんいました。そして、美味しそうなご飯の写真もありました。美味しそうな野菜や大きい肉団子や麻婆豆腐もありました。マンゴークレープなどのスイーツもありました。私は今でも、マンゴーと麻婆豆腐が大好きです！

お寺やカワイイお花の写真もありました！　カワイイ絵本やラクダのカバンを背負っている写真があって、それは飛行機のCAさんからもらったそうです。

二〇一七年三月（七歳）二回目の中国旅行は上海

次は二回目の中国。七歳で上海です。この時は上海ディズニーランドホテルに一泊しました。上海ディズニーランドには行かなかったのですが、夜にミッキーがホテルに会いに来てくれました。パジャマミッキーと写真も撮りました！

ホテルにアリエルのプールもありました！（結構深いので大人が注意してあげてください。でないと子供は溺れます！　わたしは浮き輪が外れてしまい、プールの監視員の人が服のままで助けてくれました。ありがとうございました）

空港に小籠包がありました。ここで小籠包にハマりました。私がハマったので母が「一番人気のあるところに連れて行ってあげる」と言って南翔饅頭店（なんしょうまんとうてん）に連れて行ってくれました。上海から帰った後も、私は「また上海行きたいな～」とずっと言っていました。

弟は小さすぎて上海ディズニーランドホテルのことを覚えていないので、今度また連れて行ってあげたいです。

二〇一八年八月（八歳）三回目の中国旅行は青島（チンタオ）

次に青島です。ここではヒトデを食べました。最初は「これは食べられるのか？」と思いましたが、ヒトデはかにみそみたいな味がしてとても気に入りました。豆腐にのせて食べたら倍くらい美味しかったです。

ほかのお料理も美味しかったです。麻婆豆腐の唐辛子抜きを頼むとき、言葉で言えなかったので身振りでやろうとなり、そして、何と身振りで頼めました！　美味しかった～！　百度という地図アプリで父が探して見つけた北京ダックも美味しかったです！

あと、青島名物の水餃子を食べました。海老餃子は緑色で最初は驚きましたが美味しかったです！

宿のお隣のお店のお肉の串も美味しかったです。スーパーでは綿菓子がカップに入っているのも買いました。これも甘くて美味しかったです！

中国のコーラもありました！　スパイスが効いていて、日本のコーラより甘かったです。コーラ好きの弟がハマっていました！

そして重要ポイント！　青島のビールは樽からビニール袋に入れます。この時は驚きました！　持ってみると少し重かったです。父のお手伝いでビールジョッキに入れるのはドキドキしました。青島のビール工場では、遊ぶところがありました。大きなスマホの像の裏に入り、写真を撮ったりしました。

青島の公園にて

あと、ビールを買うお店が親切で、他のお店で買ったものをお店で食べさせてくれました！　お店のおじさんが「私にもこんな孫がいる」と身振りで言っているように思えたと母が言っていました。だから他のお店の食べものを食べさせてくれたのかな？と思いました。

青島は日本とは違うニオイでした！　そして色んな所にゴミ箱がありました。ゴミ箱が多いから清潔！　ゴミ箱便利～！　色んなところにゴミ箱があるおかげでどこでもゴミが捨てられて便利でした！　それから、街角にジム公園？みたいなところがありました。

宿はキッチンのあるおうちを借りました。魔女の宅急便の黒猫のジジのカーペットがありました。ほかにも猫の置物とか猫グッズだらけでした。

青島から帰って、「なつやすみしんぶん」を制作しました！　制作者は私と弟（当時四歳）です。

二〇二〇年一月（九歳）四回目の中国はまた北京

最後に二〇二〇年一月！　九歳で（私は十二月生まれなので一月は九歳になったばかりでした）、今年のお正月に飛行機の乗り継ぎで北京に寄りました！

飛行機の席にゲームがあって嬉しかったけど深夜で、寝なきゃいけなかったのが悲しかったです。空港のラウンジは工事中で寝る部屋が使えなくて、椅子をくっつけてベッドにして寝ていた人もいました。中国は大胆ですごいなと思いました！

まとめの感想

色んなものが日本とは違った箇所があって、あらためて写真を見て、こんなことがあったんだ・こんなものもあったんだ、ということがわかりました。また中国に行きたいなと思いました。コロナウイルス明けには、友達の家族とかと行きたいです。グループでも行きたいです。

学校も登校再開になったので、クラスの友達に中国のいいところを教えてあげたいです。

一番ヶ瀬 椿（いちばんがせ つばき）

二〇一〇年十二月生まれ。名古屋市立平針小学校四年生。現在九歳。両親、三歳下の弟と四人家族。二〇一二年の北京が初めての海外旅行。中国をはじめとするアジア諸国のほか、ヨーロッパ、モロッコ、ロシアなど家族旅行で十一カ国を訪問。将来の夢は漫画家。好きな科目は図工と国語（字と絵が好き）、苦手な科目は算数。

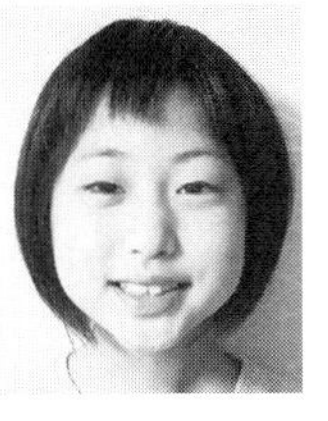

三等賞

私の中の中国

高校生　大橋　拓真

　私は少林寺拳法の事業の一環で中国に昨年の十二月に訪れました。現地に行く前は中国に対してあまり良い印象を持っていませんでした。特に中国の悪いところを探そうと意識せずに暮らしていたのですが、それでも持っていました。なぜ、このようなことが起きてしまったのでしょうか。一つに日中の政府間の不仲が挙げられます。そのニュースなどを見て自然と中国という国全体を考えてしまっていたようです。よく考えてみれば、日本でも政府が日本人を表しているのではないのだと気付きました。この経験から、私は政治と国民は切り離して考えるべきだと思うようになりました。

　ほかにも私が中国に対する印象が悪かった理由と思われることがあります。それは、周りの人の話です。多くの日本人が中国に対して良い印象を持っていないような気がします。おそらくその理由には多くの人がそう言っているからというのがあるのでしょう。中国に対する漠然としたイメージで話を膨らませてしまっているような気がします。その他にも中国の建築物倒壊のニュースなども関係しているでしょう。

　実際に訪れた中国は最高でした。中国は暖かい国でした。中華料理もおいしく、交流した大学生や、レストランの店員さんも親切でした。私が想像していたイメージは偏ったものだったようです。文化交流で話した大学生とは日本のアニメや、漫画の話で盛り上がりました。日本の文化が中国に伝わっていてことや、共通の話題で盛り上がれたのがとても嬉しかったです。また、餃子の作り方を教えてくれたおばあちゃんとは言葉は通じなかったけど、言語を超えたコミュニケーションをすることが出来ました。教えられた通りにうまく作ることが出来たときはハイタッチをしました。食べたときに「ハオチ

2019年冬北京で現地の大学生と

ー」と言ったら笑顔で喜んでくれました。最も印象に残っている出来事です。この経験から物事について様々な情報を得て多角的に考える大切さを学びました。

中日両国の交流を深める中日青少年友好交流大会が十二月二十三日人民大会堂で行われました。日中両国の青少年が合唱を披露をしたり、伝統的な踊りをしたりしていました。少林寺拳法の代表の方も演武をしていました。大会中に私はとても感動しました。なぜなら、無縁と思っていた中国とこんなにすばらしい大会が行われていたことに気付いたからです。私は現在十七歳です。この年でこのような大会に参加できたことは、本当にうれしく思います。

旅の最後にお世話になった中日友好協会の方が、「私たちはもっとお互いに理解しあわなければならない。日本と中国が平和を築けばアジアの平和は作れる。そう信じて私たちは活動しています。この中から将来日本と中国の懸け橋になってくれる人が出たらどんなに嬉しいことか。日本に戻ったらぜひこの体験を多くの人に伝えてほしいです」と話していたのが印象的でした。日中の友好のために努力している方がいることを知って大変勇気づけられました。

どのようにしたら両国の友好を築けるのでしょうか。私は草の根の交流が大切だと思います。いきなり大きく関係を変えることは難しいと思います。それならば、市民レベルでの交流はどうでしょうか。確かに個人がつながり仲良くなることは、国という観点から見たら小さなことです。ですが、そのような積み重ねがやがて大きな力となり、良い方向へ導くのだと思います。

私たちはつい実際に経験してもいないし深く考えたこともないのに決めつけてしまうことがよくあります。そのため、実際に両国に訪れる人を増やすのが得策だと思います。

私が行った北京は中国のほんの一部で、それだけで中国はこういうところだと決めつけるのは早いと思います。しかし、私の今までの中国観は消え去りました。今回の訪中によって中立的に中国について考えることが出来るようになったと思います。今後も歴史や文化、政治など様々な角度から中国を見つめたいです。そして、自分の経験をより多くの人に伝え両国の友好に貢献できる人材になりたいと思います。

帰国後クラスの中国人の友人と日中関係について話しました。中国でもあまり日本に良いイメージを持っていない人がいると話していました。彼は中国の歴史教育も関係していると話していました。今でも、戦時中に日本軍がどんなことをしたのかなどの戦争ドラマが流れていたりするそうです。このように歴史の問題なども関わってくるため一筋縄ではいきませんが、あきらめずにたくさんの人と話し合い中国について理解を深めていきたいです。

大橋 拓真（おおはし たくま）

和光国際高校三年。二〇〇二年埼玉県生まれ。二〇〇八年から現在までボーイスカウトを続けている。二〇一八年少林寺拳法部に入部する。二〇一九年県立高校グローバルリーダー育成プロジェクトに合格し、ハーバード・MITへ短期派遣される。同年冬、少林寺拳法の事業で訪中。以来、ブログで自身の経験を発信している。好きなことは、登山とキャンプ。

三等賞

憧れの中国

会社員　芳賀　勲

我が家の菩提寺が禅宗で、私は子供の頃から、中国の影響を色濃く受けている禅寺に行く機会が非常に多かったです。独特の節回しの漢字のお経を耳にし、本堂の奥に掲げられた禅画には、不思議な山々など中国の自然が描かれておりました。私はお寺の中に、日本の日常とは違うものを見つけ、魅力を感じるようになりました。

お寺の待合室には、横山光輝先生の名作漫画『三国志』が全巻揃っており、庭で遊ぶのに飽きた小学生の私は、決まって手に取ったものでした。魅力ある英雄たちの活劇に、私は胸を躍らせたものでしたが、中でも蜀の「趙雲子龍」と「馬超」のかっこ良さと強さに強く惹かれました。趙雲と馬超は今でも大好きで、彼らの登場する場面は覚えています。

私が高校生くらいになると、お寺の和尚は、宗祖である道元禅師のお話をしてくださいました。道元さんは本物の仏教を学ぶために命をかけて宋に渡り、天童山というお寺で師匠の如浄様から本場の座禅を学んだそうです。私は、その頃には禅というものに興味を持っておりましたが、明確に中国を訪れてみたいと思うようになりました。

高校を卒業すると、私は都内の私立大学の経済学部に入学しました。外国語は中国語（北京語）を履修し、中国経済に詳しい教授の研究室に入りました。社会人になって、旅費を貯めたら、すぐにでも中国に旅立ちたいと考えておりました。

会社勤めが始まって二年目、ゴールデンウイークと合わせて一週間ほどの休みをとれた私は、念願の中国に旅する機会に恵まれました。一九九一年のことですから、もう三十年も昔の話ですが、お寺の和尚に色々と相談にのっていただき、中国での経路を考えました。

令和元年、「中国文化センター」10周年記念の式典にて。太極拳にて歓迎していただきました

出掛けてみたいところは沢山あったのですが、あまりにも中国は大きく、旅行の期間も短いことから、禅画で見た風水の地「桂林」と歴史の残る街「上海」を辿ることにしました。

当初は個人旅行も念頭に置いていたのですが、現地のホテルの予約もままならず、自らの語学（中国語）への自信が大きく揺らいできたこともあり、旅行代理店主催の団体旅行（ただし、自由行動が多い）に申し込むことにしました。

成田から上海への空路。フライト時間はわずか二時間半で、時差も一時間という便利さでした。私が降り立ったのは、虹橋空港で、浦東国際空港はまだ建設中だったと記憶しています。現在のように超近代的な摩天楼が聳え立つ大都会ではなく、ところどころ土が剥き出しで見えており、のんびりした感じが上海にありました。

市内には公園や緑が多く、早朝には老人たちが集まって太極拳をしていました。道路は通勤に向かう人々の自転車が多かったのも印象的でした。食事はホテルや飲食店でとりましたが、もともと中華料理が好きな私は、飽きることもなく、どれも美味しかったです。

宝塔が上海市のランドマークである「静安寺」は、菩提寺の和尚から勧められて訪問しました。空海も訪れた日本人には馴染みの深い寺院ですが、ガイドの方から、創建は二四七年と古く、呉の「孫権」が建立したという説明を聞いた時には、三国志のことがありありと思い出されてきて、胸が熱くなったことを思えております。伽藍の中の仏像も素晴らしかったです。

上海から桂林を訪問。菩提寺の本堂に掛けられていた禅画の風水の世界がそこにありました。観覧船に乗って川を下り、雲や霞に浮かぶカルスト地形の奇岩、山々を見ることが出来ました。絶景でした。不思議な光景が沢山あり、私は中国に来れて、本当に良かったと感激しました。船の中では中国人の旅行者の方々と、私の片言の中国語で挨拶が出来ました。私は中国が好きだというと、彼らは、とても歓待してくれました。ビールをご馳走してくれた方もいました。

あれから三十年、私はサラリーマンを続けながら、菩提寺の和尚の下で仏教の勉強を続けています。ポクポクと木魚を叩きながら読経をし、道元禅師が宋の天台山で修業されたことを想像します。会社勤めを終えたら、僧侶にならないかと和尚からは言われています。

健康のために、太極拳も始めましたが、昨年の秋には、東京の虎ノ門にある「中国文化センター」の十周年記念パーティにも参加することが出来ました。残念ながら、コロナウイルス蔓延のために、太極拳の教室は中止となっておりますが、終息したら参加するつもりでおります。

子供たちが成長したら、今度は妻と中国に旅行に行きたいです。それが私の今の夢です。

芳賀 勲（はが いさお）

東京都出身。慶應義塾大学経済学部を卒業、研究室の指導教官は中国経済に詳しい井村喜代子教授（現在は名誉教授）。外国語は中国語（北京語）を三年間履修。都市開発を支援する機関に勤務し、日本全国の都市開発に対してファイナンス面、税務面からデベロッパー等を支援。証券アナリスト資格等を持ち、専門は不動産金融、証券化実務。現在、東京都港区環境審議会委員。

三等賞

知らないことを知らない怖さ

大学生　有田　穂乃香

中国に対して、日本人はどのようなイメージを持っているだろうか。空気が汚い？　マナーが悪い？　模倣品が多い？　とりあえずなんか嫌い？　様々な声が聞こえてきそうだ。一方、中国人が日本に抱いている印象は決して悪いものではなく、日本の食文化・衛生環境・製品の品質の高さなど多方面において高く評価されている。この両国の好感度のギャップについて、私はメディアの報道にも問題があると感じている。

日本のメディアでは、中国についての報道は一辺倒である。大気汚染や食の安全問題、中国人観光客のマナー、情報統制などが取り上げられるばかりで、あまり良い報道を聞かない。ネット社会が進み、自分から情報を求めに行かない現代人（特に若者）はそれを鵜呑みにするのだ。中国語を学ぶことが好きだった私でさえ報道に踊らされていたが、大学二年の頃「リアルな中国を自分の目で確かめたい」と留学を決意した。また、学歴社会の国で学べる機会なので、北京・清華大学に交換留学に行くことにした。

私の留学の目的は、語学力向上ではなく「文化を浴びる」ということであった。寮に籠もる日を作らず、ガイドブックに載っている観光地を制覇しようと各地に出かけて行った。

中国初上陸の私にとって、全ての体験が新鮮で毎日が感動の連続だった。ＱＲコード決済、地下鉄の手荷物検査、ネットショッピング、外食デリバリーサービス、シェアバイク、冷えてないビール……そのような生活にすっかり慣れ、帰国後日本での生活が不便に感じることも多々ある。

刺激だらけの中国で最も心に残っているのは、「人との繋がり」である。街で出会った中国人は、私が日本人

「僕は日本が大好きだ」と日本語で話しかけてくれた陽気なおじさんと

だと分かると日本語で挨拶をしてくれたり、アニメの名前を口にしたり、「日本に旅行したことあるよ」と気さくに声をかけてくれた。また、日本人の友人と地下鉄に乗っていた時、隣に座っていたおじさんが「君たちは日本人か？」と話しかけてくれた。その後「何歳？　どこの大学？　日本のどこに住んでいるの？」と質問攻めで、さらに隣に座っていた見ず知らずのおじさんもオススメ観光地を教えてくれて話が盛り上がるなど、日本では滅多にない体験をした。学内の友人たちは私の観光地巡りに付き合ってくれ、世界遺産などを解説しながら案内をしてくれたり、頻繁に旅行にも行った。このような人の温かさを感じた私の実体験も偏った経験なのかもしれないが、中国での生活において、「隔たりを感じない、常に誰とでも気さくに話せる関係」はとても魅力的だった。

そして、日本と中国の関係性について深く考えるきっかけとなったのは、盧溝橋の抗日戦争記念館や七三一部隊の遺跡資料館に訪問した時である。そこでは、虐殺・強姦・生体実験・細菌実験・凍傷実験など非人道的な残虐行為の歴史を目にした。恥ずかしながら、このような歴史の詳細はを知ったのはこの時が初めてだった。学校の授業で学ぶ文字としての歴史ではなく、模型・映像・

遺跡を目の当たりにした歴史の残酷さは言葉を失い目を向けられなくなるほどで、普通に生きていることがいかに幸せなことか実感したと同時に、日本人が根拠もなく中国を嫌い批判するのは少し馬鹿らしく思えた。資料館に展示されている歴史を信じるかどうかは別として、日本人は一度訪れるべき地だと感じている。

私は、現代の日本人に歴史の償いを押し付けたり、メディアを信用するなと言っているわけではない。ただ、真実を知ってほしいのだ。何も知らないことがいかに怖いことか。知ろうとしないこと、ただ与えられた情報に踊らされることがいかに無能なことか。

地理的にも歴史的にも近い国、でもなぜか遠い国、中国。これからグローバル競争が激化していく中で、中国という世界の大国は日本にとって切り離せない存在になるだろう。ネット社会が普及し、勝手に世の中を知った気になっている現代人に言いたいことは、中国を好きになってほしいということではない。自ら情報を収集し、頭を使って考え、周りに流されない自分の意見を持ち、もっと視野を拡げてほしいということだ。

日々変わりゆく時代の流れを生き抜くためには「相手を知ること」が一番重要だ。刷り込まれた常識に疑いの目を向けずに、他の人の判断を鵜呑みにすることほど怖いものはない。

私は今、大学四年生で就職という人生の岐路に立っている。どんな職に就くとしても決して曲げない私の人生の目的は、日本と中国の情報を発信し、両国の懸け橋になることである。そして私が発信する情報も容易に信じるのではなく、自ら中国に足を運び、自分の目で確かめる日本人が増えてくれることを願っている。

有田 穂乃香（ありた ほのか）

同志社大学法学部法律学科四年生。大学入学後に中国語を学び始め、一年半の独学でHSK五級を取得。大学のサークルでは、留学生の語学力向上支援など国際交流に尽力している。二〇一八年台湾・中正大学に短期留学、翌年は北京・清華大学に交換留学。二〇二〇年同志社大学外国語honors（外国語科目成績優秀者表彰制度）受賞。

三等賞

忘れられない親子

教師　赤池　秀代

　もう三十年以上前に中国で出会った忘れられない親子がいる。それは、私が長年憧れていた桂林に行く途中で出会ったふたりだ。成田から香港まで飛行機で行き、そこから別の大きな町まで行ってから列車に乗り換えて桂林近くまで行くことになっていた。我々が乗る予定の列車が八時間遅れる、というツアーのガイドさんの連絡に、「八時間遅れとは、中国はスケールが違うなぁ」と妙に感心したことを覚えている。どこの街だったか覚えていないが、そこの列車の駅で待っていたときのことである。八時間潰すのはなかなか大変だった。ツアーで一緒の人たちとのおしゃべりも話題がなくなり、日本ですっかり読んできた桂林についてのガイドブックをまた一、二時間かけて読み直し、もうすることがなく時間をもてあましていた。ふと隣を見ると、五、六歳の少年が座っていた。野球帽を前後逆にかぶり、本を読んでいるとてもかわいい少年だった。私は大学のとき一年間だけ中国語を学んだのだが、その頃にはもうすっかり忘れていた。習っていた頃でもたいして出来なかったし、くやしいけれど、その時覚えていたのは「我愛你」「你好」「謝謝」くらいだった。でもこんなチャンスは二度とない、と思い話しかけたかったのだが、とても会話は続きそうもなかった。なんとかこの少年と是非コミュニケーションをとれないだろうか、と思って、私は筆談をすることに決めた。漢字は日本と中国で随分違うと大学で習ったけれども、お互い推測できるだろう、と。それで持っていたノートに「何処你行嗎?」（もちろん、あなたはどこへ行くのですか、のつもり）と書き、自分ではとても中国語っぽく見えることに満足して、トントン、と隣の少年の肩をたたいた。少年はつぶらな瞳で私を驚いたように見た。当然だ。ノートを渡したら、少年は二、三秒その文

中国への旅（写真右が筆者）1982年2月

を見たあと、隣にいる男性にそのノートを渡した。見るとそれは少年と会話をしたかった私は少し慌てたが、見るとそれは少年の父親らしき、感じの良い男性だった。その男性は私の文を見ると、左胸ポケットからペンを出し（赤ペンだった）、何かを書きこんだ。予想外の展開になったが仕方ない。大人との会話にはさらなる緊張感を感じたが、中国語のコミュニケーションが成立しそうだ、とドキドキして待っていた。やがてノートは男性から少年に、そして少年から私に渡ってきた。見てびっくり。「行」の字に赤く×が書いてあり、その下に「去」と書いてある。あ、そういえば、日本語の「行く」にあたる中国語の漢字は「去」を使う、と習ったような気がする。だけど、添削してくれただけで、答えてもらっていない。どうしよう。答えがほしい。しかし、答えてください、なんて中国語は全くわからない。困って日本語でつぶやいてみたけれど無反応。しばし考えた末、次の行に「答書」と書いた。いや待て、「答」より「解」の方が中国語らしい、と思って書き換えた。「解書」。なんだか命令文のようだが、仕方ない。少年に渡したら、少年は見もせず、男性へ。男性はすぐまた赤ペンで何か書きこんでくれて、少年経由でノートが戻ってきた。「広州」。通じた！　この近くに広州という町があったはずだ。調子に乗って私は「何故広州去嗎?」（もちろん、なぜあなたは広州に行くのですか、のつもり）と書いて少年に渡したら、「家在」と男性の返事が来た。そうか、旅行かなにかして、家に帰るところなのだ。うれしい！　でももう無理。私の中国語筆談は終了。「謝謝（シエーシエー）！」だけ口頭で言った。いとしの少年と彼のお父さんはうなずいてくれた。時間にして三分くらいだろうか。以上が私とその親子の中国語によるコミュニケーションのエピソードである。あー、緊張した。その後列車が出発するまでの長い時間をどう過ごしたのかは、全く記憶にない。その親子ともう数時間一緒にいたはずだ。列車に乗ってついた桂林は息を飲むほど美しかったが、その美観をしのぐ思い出がこの三分間である。中国語筆談の思い出は実に長いこと鮮明に私の中に残った。

　これには続きがある。それから二十年くらいたったころ、この話を日本にいる中国人高校生にしたら、「解書」は「答を書く」という意味ではない、と言われた。「書」は本のこと。「解」は「ばらばらにする」という意味だそうだ。「本をばらばらにする」と書いてきた外国人（私は自分が日本人だと紹介することさえできなかった）に、「広州に家があるのです」と答えてくれたとは。感動でしばし胸が熱くなった。三分間のあの出来事が、より一層美しく深い思い出になった。

　中国の不愉快なニュースを聞くことがあるが、そのたび、この親子を思い出す。あの国にはこの二人がいるんだ、と。もう顔も思い出せない二人だが。

　これが、私の初めての中国体験である。二回目はまだである。

赤池 秀代（あかいけ ひでよ）

新潟県生まれ、埼玉県在住。大学で一年間中国語を学習。中国への旅行は一回のみ。

賚安に出逢う旅

ヘアメイク　山崎　恵子

かつての私にとって中国は、日本で報道される中国に関する報道を鵜呑みにし、「世界で一番行きたくない国」でした。

中国が好きになったきっかけは日本で撮影した中国映画に参加したことで、その時のスタッフも俳優もとにかくいい人たちばかりで、彼らとは今もご縁が続いていています。日中の映画界に貢献したい、その一心で文化庁の海外研修員に応募し採択され、二〇一八年に上海に八十日留学させていただく機会がありました。五十を過ぎての留学生活は何もかもが初めてのおっかい状態でしたが、大変だとか辛かった思い出は一つもありません。

上海にはかつて租界があり、外国人がたくさん住んでいたので古い洋館がたくさんあります。その古い洋館を中国語では「老房子」と言います。私は気がつけば老房子巡りが趣味になり、暇を見つけては有名な老房子はもちろん、観光地でもなんでもないところでも老房子を見つけては歩き、写真を撮りました。租界時代に建てられた建物は築百年前後経つわけですが、その多くが今もなお、人が住んでいたり、銀行だったり、お店だったり、オフィスだったりと現役なのです。

街を歩いては気になった建物について調べ、あるいは気になった偉人について調べ、その人が住んでいた家を探してその付近を歩いてみる、それが私の楽しみになっていました。

ある時はPRADAが小麦王の榮宗敬氏宅を買い上げ、六年かけて修復した建物で開かれた絵画の展覧会を観に行き、その老房子の素晴らしさに感動した反面、どうしてPRADAはこの建物をリノベしたのだろうと疑問に思っていました。

その後、見学に行った繊維博物館に榮宗敬の銅像と彼の業績を讃えたコーナーがあり、そこでその理由に気づき感動しました。

行った場所やそこで知った歴史上の人物が後日別の場所で繋がり、租界時代にタイムスリップしたかのような錯覚に陥ることもありました。

留学生活も終わりが見えてきたある日、「あれっ？　うちも確か優秀歴史建造物という看板が出ていたはず」と気づきました。

筆者が住んでいた赉安設計の老房子

そこは土地勘のない私に代わって受け入れ先のスタッフが会社へのアクセスがよくて、生活に便利なところでお家賃もそんなに高くないところをAirbnbで探していくつかピックアップしてくれた中の一部屋で、直感で決めたその部屋は古い洋館の一室で、同じ建物に何世帯も住んでいました。

表のオートロックの門のところに「優秀歴史建造物」と書いてあり、その建物の簡単な歴史が貼ってありました。街を歩いているとそういう表示に遭遇してはその建物について調べていたのに、自分の住んでいるところについては調べてなかったことに気づき、そこから百度や微博を使って検索。

どうやらそこは一九一三年に赉安洋行という会社によって建てられたらしいとわかり、検索魔の私は面白くなって自分の家について調べることに何時間も没頭しました。デザイナーの名前はAlexandre Léonard。フランス人のライアンが上海に来てすぐ、まだ会社を作る前に設計した建物だそう。

さらに調べると、ライアンがデザインした建物はたくさんあって、ホテルオークラのフランス倶楽部もそうだし、この前通ったあそこも、ここも、という感じで、彼は有名なヒューデックと並ぶフランス租界の建築の立役者だったのです。私が住んでいたところは近くにあったドッグレース場の職員の寮でした。

さらにライアンについて調べると、彼の人生は途中から不思議なほど、記録がないのです。彼の人生の最期もあまりに悲しく謎だらけ。そしてさらに調べるうちに一人の作家に辿りつきました。

その作家はライアン伝という本を自費出版しており、webでは読めるサイトがあるけれど紙の本を持って帰りたいと思い、彼の微博のアカウントを見つけて、拙い中国語で「私は日本人で中国語があまりうまくなくて申し訳ないですが、ライアン伝を買いたいのですがどうすればいいですか？」と連絡しました。そこに、なぜその作家に辿り着いたかも簡単に書きました。すると！　作家から返事が来て最初は「送るから住所を教えて」と書いてありましたが、何通かのメッセージをやりとりするうちに「あなたの家はうちから近いから、次の土曜日の午前中でよければ持っていってあげるよ。もしよかったら二時間くらい、その周辺のライアンの建築物の案内をしてあげてもいいよ」と言ってくださり、二つ返事で待ち合わせを決めました。今から思うと、警戒心がなかったのが不思議です。

そしてその日が来て、その作家がうちまで訪ねて来てくれて、普段は入れないオートロックの中に入った作家は建物の写真を撮りながら、その建物の歴史について説明してくれました。その後、彼が作った老房子巡りの上海の地図も下さり、それを見ながらうちから徒歩で歩ける範囲の老房子を次から次へと案内してくださいました。

ライアンの遺した建築物は素晴らしく、いつか日本からライアンの建築物をその作家の案内で巡る旅を企画したいと思っています。

山崎 恵子（やまさき けいこ）

十代から役者を目指し児童劇団に所属。二十歳を過ぎてトータルで人物をプランニングしたいと思いヘアメイクとスタイリストに転向。映画を中心に活動。中国映画「恋愛中的都市」の小樽での撮影に参加したことをきっかけに中国に関心を持つ。北京で撮影された「麻煩家族」の撮影に単身で参加。中国人俳優や女優が来日した際のヘアメイクの依頼も多い。平成三十年度文化庁新進芸術家海外派遣留学の研修員として八十日間上海に留学。

三等賞

上海で一番の感動！

会社員　岸　直哉

今も忘れられない二〇〇〇年二月、私は初めて上海の地を踏んだ。曇った感じの空の下、高層ビル群や南浦大橋の雄大さに圧倒された出張だったが、まさかこの後この地で八年間を過ごすことになるとは夢にも思わなかった。二十年を生産技術者として、メーカーの地方工場で過ごしていた私は駐在員として、上海の工場でA製品を製造することになった。

慣れない海外生活の中、私は中国人の面接採用、教育、設備の導入、税関への説明、生産計画、製造、出荷、品質問題や労務問題の対応等、朝から晩まで必死で働いた。素人集団の中国人、教育係の日本人出張者の助けもあり、わずか数十万個であったが、五月に初生産することができた。その後、二年ぐらいの間に、社員は千名に増え、A製品も月産数千万個まで成長したものの、一貫して赤字を続けていた。そのため、日中の上司からは絶えず皮肉を言われ、私は口惜しさを抑えつつ、何とか見返してやると悲壮な決意をしていた。

私は休日自宅で中国語や中国人の文化、風習、近代史、考え方を勉強し、全社員の新年会や社員同士の結婚式では、積極的に中国語の挨拶にも挑戦するようにした。平日は終日多忙だった私は、土曜を現場で過ごし、責任者と話すようにしたので、中国人から「直接交流できるので信頼できる」「中国人の文化、風習を理解している」と評価してもらえるようになったと思う。

そうした中、現場の状況を一生懸命話してくれたのが、S係長だった。S係長は、仕事熱心、勉強熱心で、猪突猛進、一言で言うと「熱い人」だった。S係長と私は、仕事や社員のこと、問題点や悩み事といろいろなことを話し合った。

赤字続きのA製品事業だったが、二〇〇二年に五人、二〇〇三年には十一名の日本人が一気に上海に出向してきて分業体制となり、生産数量が増えたこともあり一気に黒字化した。

2002年当時の工場（日経ビジネスに掲載）

その頃、S係長は七百人の部下がいたが、その強さを慕う人が多い反面、強引さや乱暴な言葉遣いを嫌う人も多くなっていた。S係長が問題を起こすたびに、私が話し込むことが多くなった。ある時、S係長が副課長に昇格するチャンスがあったが、冷静さの不足を理由に私が反対し、その噂を聞いたS係長は一週間口を聞いてくれないこともあった。

いつの間にか、私が上海に駐在して丸五年が経過していた。私は日本に帰国するべきか、まだ上海に残るべきかを迷っていた。

その頃、別の部署に出向していた日本人のGさんが「今度、上海でB製品の事業を立ち上げる。手を貸してくれないか」と声をかけてきた。私には、A製品を一から立ち上げた自負があったが、三年後、日本人十一人が出向してくるまで赤字を続け、黒字化は自分の力でなかったのも事実であった。五年間で、中国での事業、中国人との仕事の進め方、製造のやり方等を学んだ私には、再チャレンジしたい気持ちもあった。一日悩んだ末、私はGさんに「やってみます」と答えた。

新しいB製品を立ち上げるため、私がS係長の力を借りたいと思っていた時、A製品の日本人責任者が私に

「行くのなら、S係長を連れていけ。S係長はお前の言うことしか聞かないし……」と言ってきた。

私は、どのように説明するべきか、微妙な中国語表現をどうすればいいか、断られた時はどう説得するか、頭の中でいろいろとシミュレーションしてS係長との話し合いに臨んだ。

「今度、私はA製品の部署を去り、新しいB製品の立上げの仕事をすることになった」と話を切り出した私を、S係長はいきなり遮って叫んだ。「私も一緒に行きます」。私の上海生活の中で一番感動した瞬間であった。

今までのキャリアがリセットされるため、副課長への昇格が遅れるということについても、「かまわない」と快諾してくれた。「やるからには、この工場で一番の部署にしよう」と二人で誓い合った。

二〇〇六年一月私は、面接採用した一三人の中国人スタッフと共に、日本の工場研修に旅立った。中国人にとって一番大切な春節には、私を含む日本人が自宅で彼らをもてなした。

一足先に上海に戻った私は、製造、技術、品質保証に、採用した中国人の誰を配属するかをシミュレーションした。研修を終えたS係長や中国人は、私と毎日議論しながら、B製品の立上げに励み、初生産後わずか四カ月で黒字化することに成功した。

B製品事業成功で一番の功労者であるS係長は、副課長、正課長と昇格し、今では部長として大活躍している。また私自身は、中国各地に旅行したり、社員とカラオケに行く余裕ができ、中国生活を楽しむこともできるようになった。

二〇〇八年三月、私は上海最後の朝礼で「私は八年ぶりに日本へ帰ります。こんなに多くの中国人の仲間と仕事をすることができたのは、私にとっての誇りです」と中国語で挨拶した。

帰国後は、また全然違う仕事に携わったが、上海での濃密な八年間に私が大きく成長できたのは間違いないと確信している。

岸 直哉（きし なおや）
大阪出身。東京理科大学卒業後、一九八〇年に京セラ株式会社に入社。鹿児島で生産技術二十年、上海で製造を八年間、滋賀で生産技術を六年間、工場長を二年間、富山で工場長を四年間担当。

日本語教師一人一人に感謝

教師　前川　友太

一月末、海外から広州に戻ると、そこは厳重体制が敷かれていた。大勢の人が健康チェックのために並び、順番を待っていた。検査官を含め、みな緊張し、何かの不安を抱えていた。目に見えないウイルスがどこにいるのか、誰がウイルスを所持しているのか分からない。そんな不安が薄く空気にまとわりついて嫌なものが粘りついているような気がした。いつもより時間をかけ、やっと天津に帰ると、次は学校の門の前でいきなりの二週間隔離通知。学校もまた、コロナウイルスの感染拡大において、急な変更を連日行っており、私はまさしく、その中に入っていった。二週間の隔離の中で生活をしながらも、新学期はどうなるのだろうかと思っていた。学生が返ってくるとしたら、先生方の苦労は更に増えるだろう。毎日悩んでいたが、私個人では有効な解決策はないため、今までより積極的に先生方と連絡し、学生たちと交流するようにして、急な変更や決定にも対応できるよう、準備していた。私たちよりもその不安を感じていたのは、学生だと思う。学校に戻るとしたらいつになるのか、チケットはあるのか、授業はあるのか、そんなメッセージがグループ内で飛び交っていた。

数日してから、今学期はとりあえず「オンライン」で授業をスタートするとの通知があった。ほっと胸をなでおろしたのは先生だけでなく、学生たちも同じだった。他の心配をすることなく家でしっかり勉強できるというメッセージが送られてきて、私はそれをサポートしていきたいと思った。すぐに全国各地の先生方と連絡を取り合い、学校の様子、授業方法、アイデアなど情報交換を行い、少しでも良い授業ができるよう準備を行った。

実は二年前から、「前川工作室」という自分なりの交流会を作成し、メンバーと一緒にオンラインで会話をし

先学期のオンライン授業開始時の風景。教師以外は顔も音も分からない

てきた。ホワイトボードの使い方、部屋分け、その他起こり得る問題などをまとめて、先生方に共有した。他の先生方もまた、オンラインに向いているだろうアイデアなどを惜しげもなく、私に送ってくれた。おかげで授業が始まる前に十分な予行を行うことができ、安心して新学期を迎えることができた。

しかし、授業が始まると、思ってもみない問題が起きた。それは、学生の顔が見えず、音も聞こえないことだった。恥ずかしい、インターネットのスピードが遅くなるなど理由をコメント欄に並べて、訴えかけてきた。確かにその通りなのだが、真っ暗な画面、イヤホンから流れてくる無言の電子音の衝撃にどうしたらよいのか、授業中にもかかわらず頭の中が真っ白になった。オンライン授業は、いつしかパソコンに向かってひたすら独り言をいう私の独演会になってしまった。このままでは授業に支障をきたす恐れがある、そうした悩みを他の先生に打ち明けた。何名かの日本人先生から「学生に答えてもらえば良い」、「ビデオを見ながらアプリでコメントを書いてもらえば良い」などのアドバイスをいただき、早速取り入れたところ大きな効果があった。先生方の優しいアドバイスは、一人で苦しんで悩んでいた私に微笑みか

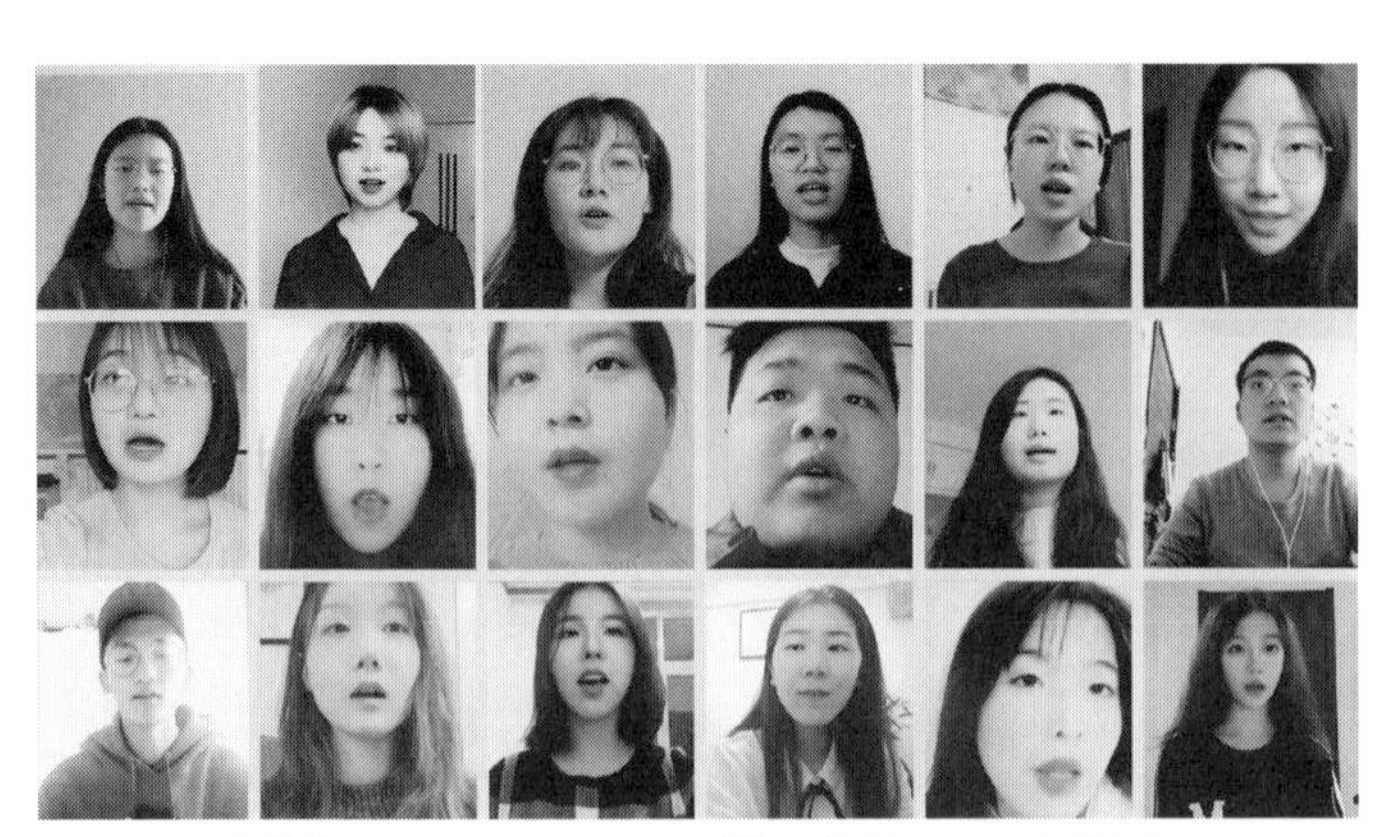

先学期、あるクラスにおける『花は咲く』のMV合唱写真

けてくれる存在であった。オンライン授業では、どうしてもアプリでの交流になるので実際の顔と顔のコミュニケーションより劣ってしまう。そのため孤独に陥りがちである。チームの力をより感じたのはこの時である。初めてのことで分からないことも多い、その「分からない」を自分で抱えて時間をかけて咀嚼するよりも、迅速に共有し知恵を絞ることで早く対応し、学生の学習向上につなげる。中国における先生の横のつながりの素晴らしさを感じた。

さらに授業で新たに取り入れたのは、「学生同士の話し合い」という時間だった。学生同士が話す機会が先学期に比べて、大きく減っている。先学期ならば毎週、当たり前のように顔を突き合わせていたのが、今では黒い画面の向こうで元気に過ごしている姿を頭で補填するしかない。そこで作文や会話の授業において、お互いの作品を聞きながら気になったところをどんどん指摘するような仕組みにした。学生からは「久しぶりに話すことができて、とてもうれしかった」といった声があった。こうした取り組みで学生たちの交流を促進するだけでなく、自分の作品がどのようにとらえられているのかを客観的に知る良い機会にもなった。「中国人の日本語作文コンクール」も同じ形を採用し、作文を提出した。果たしてどのような結果になるのか、今から学生と一緒にドキドキしながら待っている。

授業以外の活動も新たなグループが始動した。例えば学生主体の「料理研究会」。家で過ごす時間が長いので料理の写真をグループに送って、お互いに評価するものである。私も学生に誘われて参加してみたが、送られてくる美味しそうな写真を見ながら、学生が両親の前で自ら料理をして作っている姿を想像した。私も学生から刺激を受けて手作り料理を送ると、すぐに「その料理のレシピを送ってください」と言ってきた。「日本語だけど頑張ってね」と簡単に答えておいたが、次の日には私よりもきれいで美味しそうな写真がグループに送られてきた。学生のやる気が、日本語の勉強以外でも発揮されていることに嬉しくなった。

日本語でいえば、「発音特訓」と「スピーチ特訓」を授業以外で開催した。最初は数日で諦めるのではと私は思っていたが、学生たちは毎日の作文作成、録音、修正をきっちりこなし、学期末を迎えた。最初に始めた時、学生たちの自信や発音には大きな問題があったが、最後になると、慣れてきたのか、楽しそうに笑顔で録音していた。この努力が授業、テストや大会などで良い結果を生むことになればと思っている。

この特殊な時期において中国、日本関係なく先生方は学生のことを考え、どうすれば遅れを取ることなく、そしてしっかり学べるのか苦心していた。慣れないことでも果敢に挑戦し、授業では苦労の顔一つ見せず学生に輝く授業をしている。その成果として、特に大きな問題もなく今学期の終わりを迎えている。六月になり、残すところ期末試験だけというところが多くなってきた。今学期の最後も気を引き締めて、学生が最高の能力を発揮できるよう、日々問題を考えている。

中国全土で日本語を教えている中国人、日本人教師は、今回、中国や日本などで慣れないアプリ、資料などを使いオンライン授業に対応したことと思われる。日本人教師の授業に影響がでないようにしっかり支えてくださった中国人の先生方。どちらかが欠けたとしても学生の日本語に支障が出る。横のつながりを強化し、ときには学校をこえ、先生同士で意見を交換し、学生の意見を尊重し、毎回の授業方法を絶えず更新している。一人欠けるだけで、勉強している中国人学生に大きく影響する。それは今だけでなく、五年、十年、それ以上の年月においての損失となってしまう。学生のより良い将来のため、身を粉にして新たなことに挑戦する先生方。今回の大会では日の当たらない可能性があった方々、その一人一人にここで感謝を述べたい。授賞式には全国各地の先生方も参加できるよう段先生にお願いしたいと思う。一人一人が言葉には言い表せないほどの偉大な先生であり、未来のために道を築き上げていく指導者であることをここに記しておきたい。

前川 友太（まえかわ ゆうた）

香川県生まれ。天津の河北工業大学で日本語を教えている日本人教師。今学期の授業についてては中国にいながら、すべてオンラインで行った。授業以外にも様々な活動を学生と一緒に行っている。学校だけにとどまらず「前川工作室」を立ち上げ、オンラインフリートーク、カップラーメン世界ビデオ大会などを主催。江西師範大学文学部国際漢語教育修士課程修了。中国には二度、天津と上海に留学したことがある。

新型肺炎危機を初期段階で体験したこと

大学院生　鈴木　啓介

一月二十三日早朝、ざわめく長距離列車の車内で私は目を覚ましました。軟座を選択した為、六人一部屋のすし詰め状態。広州東駅を出発した列車は、終点河南省信陽市を目指して北上中。早朝目覚めた私は衝撃の事実を知ることになります。中国政府が新型肺炎の蔓延により武漢市を封鎖する決定を下したのでした。午前十時に封鎖するとの発表でしたが、列車は既に湖北省入り口に差し掛かっており、武漢市へ走行予定。湖南省のとある街で、武漢市封鎖の一報を受けて多くの乗客が下車し、当然湖南省に身寄りのない私は、一か八かで武漢市を通過し、目的地の河南省信陽を目指すことにしました。今回は、私が急速に拡大する封鎖網を潜り抜け、住まいの香港へ帰宅したものの、隔離病棟で新型肺炎感染疑惑患者となった壮絶な中国春節旅を綴っていきます。

そもそも私はなぜ新型肺炎感染拡大初期に外省都市で最も武漢に近い河南省信陽へ赴いたのか。私には長年家族ぐるみで付き合いのある中国河南省出身の親友がいます。彼との出会いは世界三大仏教遺跡で有名なミャンマーのバガン。過ごした時間は短かったものの、考えや趣味嗜好が完全に一致した私たちは、帰国後も連絡を取り合い、以後お互いの家族を紹介するほどの仲、いわば兄弟分です。そんな彼が毎年春節の時期に、河南省信陽近郊に位置する実家に招待してくれていましたが、当時仕事で多忙だった私は纏まった休みが取れず、断っていました。しかし、昨年より一年限定で学生に復帰した為、今年の春節は仕事を気にせず旅程を決められる最後の機会でした。加えて、今年一月より彼は広州から北京へ引っ越す予定だった為、会う機会が激減すると考えた私は、彼の実家がある河南省を訪れる決断をしました。

一月二十二日、香港を発った当日は、中国における新型肺炎の感染拡大初期でした。心配になった私は、前述した理由があるとはいえ、渡航中止を考えました。しかし、友人の実家がある河南省では、当時感染が拡大しておらず、外出先でマスクをしている人も極少数だったこともあり、友人からは特に問題は無いと伺っていました。加えて友人の実家は、信陽市から車で一時間半ほど要する農村に位置していた為、感染拡大は人の往来が少ない農村部まで広がらないと考え、感染予防対策を入念に行った上で旅程通り香港を発ちました。香港から河南省信陽までは、高鉄から普通列車への乗り換え含めて走行時間約十五時間。深夜広州東駅で長距離列車へ乗り換えた私は、車内で一晩過ごし、翌朝武漢封鎖の一報を耳にしました。

前述した通り、武漢封鎖の一報は私にとって恐怖そのものでした。武漢へ向けて走行する列車内で封鎖の一報を耳にするとは想像していなかった為です。列車が武漢市を通り過ぎれば良いのですが、下車を促され隔離される可能性も考えられます。私は一抹の不安を抱えながら午後四時に封鎖済みの武漢市内に到着しました。人の姿が全く見えない武漢市。以前訪れて感じた活気溢れる大都市武漢の姿はそこにはありませんでした。交通量も少なく、漢口駅には出発予定だった列車が停車したままでした。幸い、封鎖状態の武漢を横目に止まることなく通過する事に成功し、無事当日夜に河南省信陽で待つ友人と合流できました。二十三日は信陽市内で宿泊し、翌日二十四日から友人の実家がある農村へと車で移動しました。

二十四日早朝、信陽郊外の高速道路走行中、日本のマスコミ取材対応に応じ、電話越しで新型肺炎感染拡大の状況をシェア致しました。現地にいる日本人として情報共有ができればと考えた為です。高速道路を降りてすぐ、全身防護服で身を固めた複数の公安から検問を受けました。私は湖北省を通過してきた事実を伝えていなかった為、無事何事もなく通過し、地図に名前が載っていない程の小さな農村に到着しました。春節期間は各食事前に爆竹を鳴らす風習があった為、村周辺は爆竹の煙で充満しており、至る所から爆竹の音が鳴り響く賑やかな状況でした。元々、私はその小さな農村で、中国農村部の春節文化や農村生活体験を一、二週間程予定していました。然しながら、新型肺炎感染拡大に伴い、私の旅程は大きな変更を余儀なくされました。

数日間滞在した河南省の友人の農村

翌日二十五日は中国春節の当日。友人宅には何十人もの親戚が訪れ、友人家族は河南省農村部の伝統料理で客人を歓迎していました。中には有名な茅台酒を持参する客人もおり、全員酒に酔いながら互いの近況を報告し合う和やかな春節でした。例年と違うのは、その団欒の場に日本人がいること。外国人であっても隔たりなく平等に歓迎されました。中国の客人をもてなす文化は、私自身十数年中国と関わってきましたが、毎回感動させられます。「客人を満足させられない様だと、家の恥」と仰るくらい、金銭度外視でもてなす文化があります。私自身も中国の友人が日本を訪れた際は、中国で学んだ「もてなす文化」に則って全力で恩返しさせてもらっています。中国四十二都市を訪れるほど中国に興味を持った理由の一つに、中国人の人情味溢れる性格があります。

このまま有意義な農村生活を過ごし続ける予定が、二十五日の夜状況が急転しました。湖北省全土封鎖に加え、信陽市も封鎖したと言う情報が入った為です。後にフェイクニュースだと判明しましたが、一月末ごろは真偽不明のニュースがネット上で錯綜していました。このままだと村封鎖も時間の問題だと判断した私は、早速脱出計画の立案を始めました。しかし当時河南省から広東

封鎖包囲網の脱出に成功し、無事深圳行きの飛行機に乗る著者

省の便は、通常時二万円台から八万円まで高騰しており、学生の私が払える金額ではありませんでした。そこで急遽過去の豊富な中国旅行経験から、最安で且つ現実的な脱出計画を自ら考案し、二十七日早朝より実行に移しました。

当日早朝七時半より脱出計画を実行し、二十時香港到着まで七回の検閲と四回の体温検査を経て香港への帰還に成功しました。道中、村に残った友人から、正午農村が封鎖されたとの連絡が入りました。つまり、仮に出発が遅れていたら、封鎖網からの脱出が難しかった可能性がありました。河南省を訪れたタイミングは最悪でしたが、最後は運が味方してくれ、無事香港に帰宅できました。以後、農村は数カ月に渡って厳しい管理下の元、移動が制限されることとなります。正に危機一髪でした。しかし翌日二十八日、体調が悪くなり新型肺炎の感染を疑った私は、香港の公立病院を訪れました。

二十八日夜二十時ごろ受診した私は、新型肺炎感染疑惑をかけられ、隔離病棟に強制隔離される運びとなりました。一時帰宅すら許されず、帰宅する場合警察を呼ぶと言われた私は成す術がなく隔離に従うことにしました。長い待ち時間の末、二十九日朝五時に漸くＰＣＲ検査を受け、当日夜二十時に陰性の結果を頂いて無事退院することができました。

退院後、私の春節旅は多くの方々にとって、「新型肺炎への心構え」として有用な情報になると感じた私は、自らの経験や置かれた境遇を発信することに時間を多く費やしました。ＳＮＳやブログでの発信を始め、メディアの取材対応等、新型肺炎危機を初期段階で体験した日本人として情報発信を積極的に行いました。今回の封鎖旅は、自らへの教訓だけでなく、主体的に情報発信することを通して、多くの方々の新型肺炎に対する意識改革や対策改善に役立てたと考えています。最後に、新型肺炎の一早い終息、並びに新型肺炎と戦い続けて下さっている医療従事者の方々の苦労が報われることを切に願い、結びとさせて頂きます。

鈴木 啓介（すずき けいすけ）

愛知県出身。立命館大学にて現代中国を学ぶ。大学三年時に、深セン大学に半年間交換留学。留学当時自分の人生を大きく変える出会いがあり、香港移住の夢を描く。大学卒業後、二年間愛知県のメーカーに勤務。二〇一九年九月より香港中文大学大学院へ留学を果たし、夢の香港移住をスタートさせ現在に至る。趣味は世界二十四の国と地域、八十六都市を訪れた海外旅行と広東語学習。

十年毎に中国を肌で感じそして今、想うこと

元会社員　井田　武雄

中国と関わるきっかけは、大学に入って選択した第二外国語だった。入学した一九七二年はちょうど日中国交回復の年で、第二外国語として中国語を選んだ。日中国交回復に動かされて選択したのか、ドイツ語やフランス語のクラスが大変多かった中でクラス数が少なかった中国語が面白そうと天邪鬼なへそ曲がり的動機で選択したのかは定かでない。が、結果は大正解だったと思う。日本にやって来る中国からの留学生も、入学の前年までは台湾省からの留学生が主流だったのが、一九七二年からは一変、大陸地域からの留学生が多くなったのも、記憶に深い。

大学を卒業して社会人になってからも、仕事帰りに街の中国語教室に週二日程度通っていた。おぼろげながら、その頃、中国と関わりを持てる仕事をしたいと思っていた。生保会社に入った私は、生命保険は人々の生活が営まれるところに保険は必須と信じて、いつかは中国でビジネスをと心の片隅に。偶然だが、会社の役員のお一人がご本人の学生時代の中国人恩師を北京に訪ねるツアーを企画され、部下だった私がかばん持ち兼素人通訳係を仰せつかって初めて北京に行くことになった。一九七七年のことだ。当時は、飛行機も東京－北京直行便など無く、香港、広州経由北京というルートしかなかった。日本から大きなブラウン管テレビをお土産に持って行って、昔の北京駅の貨物受取場で引き取った。日中国交回復直後ということもあってか、日本人の預け貨物は優先して奥から出して来てくれた。

中国は文化大革命が終わって間もない時で、北京の街は、建物は灰色のレンガで囲まれた四合院が密集する居住区で、街行く人の服装も、灰色か群青色かモスグリーンといった単色系の地味なもので、派手さはないが質実剛健な印象を思い起こす。

会社という世間は狭いもので、知らない内に「あいつは役員のかばん持ちで北京へ行って来たので、中国語ができるらしいぞ」と、噂が自分の実力を上回ってしまうという羽目に。どうやら、これが私のサラリーマン人生を方向付けしてくれたと言える。

爾来、現地駐在を十年毎に経験することになった。中国に関心を持つ自身にとって、大変ラッキーなことになった。一九七七年初めての中国旅行（北京、この時は一週間程度の滞在）、一九八七年から二年間が業務として一回目の北京駐在、一九九七年から五年間がその二回目の北京駐在、二〇〇七年から八年間が三回目の中国で上海駐在。これら十年毎に見て感じた中国はそれぞれの特徴があると思っている。

初めての中国行きの一九七七年、この時は文化大革命が終息して間もない頃、外国文化の流入も殆どなく、いわば灰色の壁に囲まれたとでもいえる中国。二回目の中国は一九八七年、外国の金融機関などの北京駐在員事務

水を浸した筆で書いた字が即凍結し、暫くは消えない。それにしても見事な左右両手使い。厳冬の北京景山公園にて

所の開設が増えつつある時代、とは言っても、外国駐在員や旅行で中国に来る外国人を対象にした「外貨兌換券」が使われていたり、外資系ホテルもぼちぼち建ち始めてきた時代。三回目は一九九七年、この頃は鄧小平の「南巡講話」から五年経過し経済の対外開放の実験が深圳、上海などを始めとする主要経済圏で成功を納め豊かな中国社会に飛躍していった。そして、二〇〇一年一二月にはＷＴＯに加入し国際経済の枠組みに門戸を開くこととなる。四回目の中国は二〇〇七年。一九七〇～一九八〇年代に北京を見ていた私は、「うわ～、二十～三十年の間にこんなにも変わったんだ！」と耳目を疑うばかりの大発展。ＩＴ技術にしろ、新幹線網にしろ、高速道路網にしろ、各省都の空港の多くが国際線を飛ばすようになった事等、その発展スピードには目を見張るものがあり、日本のはるか遠く先を走っていると言っても過言ではないだろう。中国国内を旅行するにしても、各地の旅行先で現地の中国の人と話するにしても、とにかく便利になった、身近になった。

政治体制こそ異なるものの、まずは物質的に豊かで快適な生活を手に入れたいと願う気持ちは、中国人も日本人も同じだ。両国の交流は、政治問題が絡んで時として難しい場面に出くわすが、一生活市民としてそれぞれの経験と感性を以って向かえば、もっといい密な関係が育っていくことと思うし、そのように願うばかりだ。

日本だって、私が子供の頃は「舶来品」なんて言葉を使って、珍しい憧れのモノという感覚だったのを覚えている。また当時では大きな声を張り上げて電車など公共の乗り物に乗っていたりした。インバウンドで中国人旅行者が日本中に溢れんばかりで、「中国の人は電車の中でも平気でスマホで電話したり映画を観たり、しかもイヤホーン無し、大音量でやかましいな！」と偉そうなことを私たちはついつい口にしがちだ。逆に、我々日本人がもっともっと中国に旅行したり、サラリーマンの人なら中国駐在に手を挙げたりして、中国を知る努力をすべきだと私は常々思っている。

井田　武雄（いだ たけお）
一九七二年、日中国交回復の年に大学入学。中国語を第二外国語として履修。保険会社に就職、北京や上海に駐在。一九七七年に初めて中国へ行ったことが契機で、それ以降、十年毎に現地駐在生活。

三等賞

うさぎの絵柄の牛乳飴

会社員　塚野　早紀

「あれ、おかしいな」。中国で初めて食べたときには感動した、うさぎの絵の描いてある牛乳飴も、二度目に食べた時は違う味だった。ごく普通のミルクキャンディーだった。

私は、昨年三月、中国上海行き二泊三日のツアーに夫と参加した。まさか、私が二回目の中国に行くことになるとは！　五年前の私には予測ができなかったことである。むろん、結婚しているとも思っていなかったが。人生は予測できないことがこうも起こるから面白いのである。

二〇一五年十二月、当時大学四年生だった私は、初めて中国を訪れた。日中友好協会が主催している訪中団というものに、応募し、その一員として参加する機会が得られた。概要としては、日本の大学生百人ほどで、中国の北京・杭州・上海を一週間かけて巡り、ところどころ史跡を訪ねたり、現地の大学生と交流したりするというものであった。「中国に行ってみたら、とても楽しかった」という一言に尽きるのであるが、それだけでは終わるまい。

そもそも、私がなぜ訪中団に応募したかというと、募集を見つけたのは大学の国際交流センターの掲示板だった。当時の私は、就職活動も終わり、単位も取り終え、卒業論文も無かったため、アルバイトくらいしかすることがなかった。そのバイトも、親の扶養に入れるぎりぎりのラインに近づいていたため、セーブせざるをえず、とにかく暇を持て余していた。そこで、一週間、航空券・滞在費込み一万円で旅行に行ける、という不純な理由で応募した。もちろん、きちんとした志望動機もあり、私は、政治学科の学生で、東アジア政治ゼミに所属していた。とりわけ、当時、渋谷の百貨店でアルバイトをし

杭州の大学生との教室での交流

ていたことから中国人観光客による「爆買い」を目の当たりにし、日中関係や対日感情ということに興味を持ち研究テーマとしていた。それにも関わらず、中国どころか、朝鮮半島にも行ったことがなかったため、卒業までにどこかに行けたら良いな、と漠然と思っていた。しかし、お金もなく、女性一人で旅行するには親を説得するのも難しい。そんなタイミングで遭遇したラッキーな案件であった。

訪中団では、日本人大学生が十数名ずつ班編成され、その班単位で現地での学生との交流、行動をした。日本にいる間に現地で披露する折り紙を練習したり、事前にWeChatをダウンロードしたり。北京から杭州、最後に上海へと移動したのだが、かなり駆け足での旅行であった。まず北京に着くなり驚いたことは、道路の広さと建物の大きさ、夕方の交通渋滞。日本でいう東京や大阪にも当てはまらず、どちらかというとアメリカのようなサイズ感。とにかく壮大な街であった。中国は国土が広いから、大きな声を出さないと相手に聞こえないのだ、という例えの意味がよくわかった。また、現地での大学生との交流は、日本語を学んでいる学生との交流だったことから、何の抵抗もなくスタートすることができた。着くなり、小さなプレゼントを用意していてくれた上に、大学の学食や売店を案内し、現地のお菓子を食べさせてくれた。話したことは至って普通で、「一人暮らし？」とか「アルバイトしているの？」とか。言葉がわからないときは、スマートフォンに頼りながら会話をした。訪中前の私は、中国の学生は、一人っ子政策で、過激な受験戦争を乗り越えた、勉強ばかりで他人には興味がない……そんな勝手なイメージを持っていたが、全然違った。むしろ、日本人以上に相手のことを気にかけてくれる優しさがあり、相手をもてなすことも上手である。どちらかというと、日本人の方がドライかもしれない。そうかといってスマホを肌身離さないところは、日本の学生とそう変わらず親しみを持てた。そうこうしているうちに、あっという間に時間は過ぎてしまった。大学から帰るバスの車内で、もらったキャンディーを舐めてみた。オブラートに包まれた素朴なミルク味の飴だった。当時は、すごく美味しく感じられてまた食べたいな、と思ったものだ。それは、楽しい気持ちに浸っていたからだろうか。もしくは、緊張から解き放たれたからであろうか。

私は、訪中前、時折、サークル、アルバイト先にいる中国人留学生から、中国に関する話を聞いていた。人から聞いたことからのイメージと、自分で実際に、現地に赴き見聞きしたものでは、圧倒的に後者のほうが強い。インターネットで、リアルタイムに情報を得られる時代となったからこそ、行くべきであると思った。私は、わかったつもりになっているだけだった。行けない理由なんてどこにもなくて。

飛行機で片道三時間程度。グアムなんかとそう変わらない距離だけれども。後にも前にも、自分の一回の旅についてこんなに思い返したことはない。参加した動機こそ少々不純ではあったが、私にとって初めての中国滞在は、一生忘れられない経験となった。

塚野 早紀（つかの さき）
一九九三年東京都生まれ。二〇一二年三月栃木県立栃木女子高等学校卒業。同年四月学習院大学法学部入学。二〇一六年三月卒業。同年四月株式会社安藤・間入社。現在に至る。

三等賞

ともだちの結婚式

団体職員　猪俣 里実

初めて中国へ行ったのはなんと友達の結婚式に参加するためでした。友達というのは実は同僚でもあり元教え子でもあると同時に先輩でもある少々複雑な関係の中国の女性でした。その女性は日本へ留学し専門学校に通っていました。ビジネスの勉強をして見事日本企業へ就職。私は当時その学校の職員をしていました。名前をリンリンといいます。リンリンは日本の広告代理店へ就職し、日本で営業ウーマンとして奮闘、活躍していました。私たち職員は学校でその話を聞いて驚き、嬉しく思っていたものです。三年ほどして、私に転職の機会が訪れました。就職先として声をかけていただいたのはなんとリンリンのいる会社。私はすぐに就職を決めました。一緒に働ける嬉しさでいっぱいでした。会社に入ってみるとリンリンはすでに先輩として大活躍していました。私はリンリンにいろいろと教わりながら仕事を覚えていきました。

そんなことをしているうちにリンリンの結婚が決まったというお知らせをいただきました。お相手はなんと専門学校で一緒だったホウさん。実は二人は来日する前からカップルで、ホウさんが先に日本へ留学し日本語学校へ通ったのち、日本の大学へ進学していたのです。ホウさんも無事大学を卒業し、日本で就職したことが決め手となりついに二人が入籍し結婚式を挙げることとなりました。結婚式は中国で行われます。

そこで参加することとなったのが、私と上司の部長さん二人。歴史があり伝統を大切にする日本の会社で、初めて日本で働くリンリンを上司のお二人はとてもよくサポートしていらっしゃいました。リンリンはこの会社に入った初めての外国籍の社員でもあったのです。結婚式が行われるのは二人の故郷の瀋陽。私にとって初めての

豪華な結婚式会場

中国本土訪問です。台湾や香港は仕事や旅行で訪れていましたが、本土は初めて。それも結婚式だなんてとても胸が高鳴りました。

結婚式が行われたのは八月。会社の夏休みを利用して行きました。上司と空港で落ち合って瀋陽に着くとリンリンとホウさん、ホウさんのお父さんが出迎えてくれました。実はホウさんのお父さんも日本留学経験者です。市役所の職員であるお父さんは市の事業で神奈川県に研修でいらっしゃいました。その時にお世話になった学校に息子のホウさんを留学させたのです。お父さん、ホウさん両方を指導した先生もいらっしゃいました。お父さんの車で瀋陽市内のホテルへ。街をながめた第一印象はやっぱり「広いな、スケールが大きいな」ということでした。日本車が目立ちます。

翌日は瀋陽市内を観光などしていよいよ結婚式の日。予想に反して二人ともずっと洋装でした。はじめは白でお色直しをした後はオレンジのドレス。豪華なホテルで日本のバブル期を思わせるセットとお料理。舞台にはいろいろな演出が登場します。シャンパンならぬビールタワーや両家の深い契りを示す砂の儀式。花道もあり、大きな鳥かごのセットもあったり、来賓客を飽きさせない、楽しい演出がたくさんありました。中でもうれしかったのは新郎と新婦が一緒にテーブルを回り一人一人にお酒をついだり、たばこをすすめたりしてくれたこと。中国ならではの心のこもったおもてなしを感じました。日本と違うのはここで新婦がご祝儀を集めるのですね。受付で済ます日本と違ってご本人に直接渡せるのも心が通じたようでうれしかったです。

さてもう一つ日本と違うのはみんなの服装。日本では来賓も正装していきますが、中国の皆さんはラフなこと。女性はドレスやきれいな衣装を着ている人が多かったですが、男性はTシャツ、短パン等普段の服装のまま。これも友人が集まり気兼ねなくという雰囲気に一役買っていたと思います。一通りのセレモニーが終わると司会進行もなく、自由に食べて、飲んでそれぞれのタイミングで帰るところもおおらかでいいと思いました。

結婚式の翌日は瀋陽市内を一人観光。東北の街や文化のことをリンリンから少しずつ聞いていましたが、お店には日本の中華屋さんで見るような料理がほとんどないのにも驚きました。意外と楽しい思い出に残っているのが、リヤカーに乗ったこと。瀋陽北駅からホテルに帰るのに歩くのはつらいと感じていたところ駅前にオートバイとリヤカーがいました。オートバイがさっと出発してしまい、残るはリヤカー。「乗ってみる?」という顔のおじさん。リヤカーは前に荷台があり後ろが自転車でこぐ方式で、自動車がいっぱいの道路を走りました。十分ほどでしたが、片言でおじさんとなんとか話をしてホテルにつくと「ホラ!」とうちわをくれました。東北部でもその日は日本の夏と同じくらい暑かったのです。帰国してからリンリンにそのことを話すと「いくら?」。値段を言うと「たっかーい!」。確かに考えてみるとタクシーと同じくらいの値段でした。

猪俣 里実（いのまた さとみ）

横浜生まれ横浜育ち。大学卒業後日本語学科のある専門学校に勤め、外国人留学生の募集、ビザ申請業務、留学生活サポート等に携わる。日本語教師の資格も持ち、日本語の授業、外国人留学生の就職指導にもあたる。現在は国際協力系の一般財団法人に勤め、日本で働く外国人社員の研修、外国人と協働する日本人社員への研修などに携わる。趣味は散歩、水泳、食べ歩き。

大聴衆を前にした中国語でのスピーチ

会社員　宮川　曉人

中国語によるスピーチの背景と経緯

二〇一八年十一月、北京工業大学の大講堂において、私は約二千名の聴衆を前に中国語にてスピーチをする機会を得た。中国教育部主催の「留動中国」という在華外国人留学生を対象にした教育イベントで外国人留学生代表としてスピーチをした。私は一九八五年に北京語言学院（現北京語言大学）に留学し、以来三十余年が経過した。フレッシュな留学生というより老留学生としての参加だ。

スピーチに至った経緯を紹介すると、中国教育部主催の在華外国人留学生対象の漢語エッセーコンテストに応募出稿したところ、入賞することができた。入賞後、事務局の教育部留学生服務中心より、「貴殿の文章は特色があり、好評だった。受賞者代表でスピーチしてほしい」という電話依頼が日本にいる私に来た。得難い機会なので「ありがたくお受けする」と答えた。「後日、当日予定のプログラムを連絡する」と言われて、その場は終わった。

私は、仕事で中国語の短い挨拶や簡単なスピーチをすることはあっても、それは会議や会食の際の軽いものだった。数日後メールで届いたプログラムを見ると、中国教育部の副部長（副大臣）や北京工業大学の校長がスピーチをする中に私のスピーチ時間がとられている。

私は事務局に連絡し、「重要な方々が話すなかでのスピーチであり、私は原稿を準備するので、表現などを指導してほしい」と申し出た。先方は「大丈夫、お手伝いします」と言って承諾してくれた。

私の書いた漢語エッセーは一九八五年留学当時の北京の交通と現在の交通の発展ぶりを対比させるもので、「当時の北京は地下鉄が未完成で、バスが交通の主流だった。バスはディーゼルエンジンで、途中でエンストを起こして停車することも多く、乗客が降りて、皆で車体を押してエンジンをかけることもあった。現在では電動バスが主流となり、乗り心地は快適で安全安心感強く、車体デザインも洗練されている。当時は車掌からの切符購入だったが、運賃はキャシュレスの電子決済に進化した。交通技術の発展による大きな変化を見ることができる。一方で市民の乗客のマナーも悪くない。学生は老人に自発的に席を譲り、重い大きな荷物を持つ乗客には協力するといった乗客同士の助け合いは今も変わらない」といった内容だった。

2018「留動中国」表彰式で各国留学生とともに（筆者は右端）

スピーチ当日

前日、私は東京から北京に飛んだ。当日はスピーチの前に、中国全土での予選を勝ち抜いた大学数校の留学生による歌舞や演武の表演（パフォーマンス）コンテストがあった。表演をおこなう各大学の代表は、国費留学生や華僑の子弟が多く、いずれも躍動的な歌舞や演武や寸劇で、漢語のセリフのレベルも高く、大いに楽しめた。表演のあとは、漢語エッセーの表彰だったが、受賞者の出身国の多くは「一帯一路」国である欧州、中央アジア、アフリカ等が多く、日本からは私一人だけだった。

私のスピーチのテーマは「中国の変／不変」とした。一九八〇年代から二〇一八年にいたる三十余年の間、中国の交通は発展し大きく変化したが、乗客同士の交流や助け合いの思いやり等は今も変わらないことについて話した。ほかにも、私自身の経験にもとづく、中国と母国日本の間の橋渡しとしてビジネスの交流に長年従事してきたこと、在華留学生が母国では間違いなく中国専門家になれることを伝え、エールを送った。最後に中国語を指導してくれた教師の先生方や中国の友人たちとの信頼や絆が長年のビジネス交流の基礎になったことに心から感謝するという内容で十分程度話した。緊張したが、スムーズに話すことができ、満場の喝采を受けることができた。事務局の先生方の支援もあり、気持ちよくスピーチをこなすことができた。

各国留学生代表との交流

若い各国の留学生たちは、専門がＩＴ工学、資源工学、生命工学など先進科学技術を専攻する学生が多かった。卒業後も約半数が中国に残り、母国の研究機関や主要企業の研究者として活動することが決まっていた。国家の将来を担うエリートの若者たちだといえる。留学生たちは一様に希望と意欲にあふれ、母国の未来の建設に燃える意気込みに満ちていた。中国が進める「一帯一路」の交流が若い人にまできめ細かく行われていることを改めて感じた。人作りという「百年の計」に協力する中国の寛容な懐の大きさをも強く感じさせられた。

中国への尽きない意欲

私が留学していた一九八五年当時の中国の生活は質素なもので、中国語の学習以外は地方への旅行くらいしか楽しみがなかった。現在の在華留学生は、科学技術大国となった中国で先進科学技術を思う存分に学べるという恵まれた環境にある。もう一度機会があれば、現在の中国で５Ｇ、ＩＯＴやＡＩ等の先進科学技術について学習し相互交流したい、更に日中間のみならず「一帯一路」国との幅広い交流の深化につなげていきたいとの意欲を改めて持つことになった。

宮川　曉人（みやがわ　あさと）

一九八二年京都大学経済学部卒、日本興業銀行（現みずほ銀行）入社。一九八五～一九八七年北京語言学院（現北京語言大学）留学、中国語を習得。その後、同銀行、大手教育出版会社、コンサルティングファームにて、中国拠点設立、コンサルティング等に従事。北京、香港にて駐在勤務経験を持つ。現在は会社勤務の傍ら、中国―日本間の研究開発イノベーション交流、文化交流を進める。

夢は海を渡って

書家・篆刻家　和田　廣幸

今私の書架に、中山服を着て西湖の畔、〝西泠印社〟の月門をバックにしてたたずむ、若き日の自分の写真が飾ってある。

　中学の頃、書道教室に飾られていた先輩の書の作品に心を打たれ〝書〟に興味を持ち、その後〝篆刻〟に魅了され、書を生み出し育んだ中国に対し、そこはかとない憧憬の念を懐くようになっていた。大学時代、一九八四年の冬休みには学生の書道訪中団に参加し、初めて中国の大地に降り立った。確か北京・桂林・上海を回ったかと思う。マイナス二十度というこれまで日本では経験したことのない極寒の北京、殺伐として色を失っていた天安門広場、凍てつく万里の長城、大砲の響きのような頤和園の湖のぶ厚い氷の裂ける音、飛行機から見たポコポコと山が林立する桂林の奇観、上海の地では真っ赤なスカートを穿いている女性を見て、バスの中で皆で歓声を上げたこと、今でもくっきりとその瞬間が脳裏に浮かんでくる。

　一九九四年、「三十而立」の論語のことばを胸に、三十にしての留学を決意して再びやってきた北京。これを機に四半世紀にも及ぶ自身の中国生活が始まろうなどとは、誰が思っていただろうか。先ずは中国語をと必死になって勉強した。常に片手にメモを携行し、見るもの聞くものを全てメモにとり、片っ端から辞書を引く。ちょっと年上の留学生は社会経験もあったせいか、少なからずこうした時間の大切さを知っていた。留学は一年、その後は困難とは思いつつも何とか仕事を探し、出来ればここ北京の地に長く留まりたい。さもなくば中国語の先にある本来の目的である〝書法〟や〝篆刻〟の本格的な勉強にまで到底たどり着くことはできない。その後、北京で出会った諸先輩方の力添えと応援をいただき、外国人専門家として大学で日本語の教鞭を執ることになった。私自身横浜の出身ということもあり、標準語を希望する先方の要望に合致したのか、色々な教材の録音に参加する機会にも恵まれた。縁あって世界で最も売れているといわれる人民教育出版社出版の「新版・標準日本語」のメインスタッフとして関われたのは本当に嬉しかった。またこうした縁で中国の小・中・高・大学そして大学院で使用される日本語教材の録音を一貫して担当したり、中国国際放送局にて番組を録音したりと、本来の自分の目的とは異なった分野で、中国で必要とされ、そしてそれをやり遂げられたことは望外の喜びと今の自分の自信になっている。

振り返れば、中国での生活は日々サバイバルゲームの真っただ中にいるようだった。我ながらがむしゃらに猪突猛進してきたように思う。そうでなければ一外国人として渡りあっていけなかったであろうし、刻一刻と猛烈なスピードで変化してゆく現代の中国に振り落とされてしまったに違いない。中国人の家内と北京で生まれた息子、何とか北京での基盤を築き本来の目的である〝書〟の世界に没頭できるようになれたのは、中国からの贈り

展覧会場での揮毫の様子

物であると感謝している。

一昨年、息子の〝海外留学〟のつもりで戻ってきた日本。北京で生まれ育った息子は、残念ながら中国語は喋れても日本語が全く喋れない。北京での生活は家庭はもとより、周囲の環境は全て中国語だったので致し方ないとは思いつつも、どこか後ろ髪を引かれる思いがあったのは否めまい。まだ頭の柔らかいこの時期に、父親として〝日本での生活〟という経験を息子に提供することが叶うならと、一家三人意を決して日本に越してきたのだった。

四半世紀もの時間を中国の地で過ごした日本人は、周りを見ても決して多くはない。言葉は五、六年を過ぎたあたりでほぼ同じレベルに達すると思うが、思考が馴染むようになるには、それなりの努力が無ければ、滞在が長かろうが短ろうが余り関係はないだろう。一枚の写真を見て、そこに宿る空気の匂いや湿度感、街の喧騒や人々の交わす言葉の訛り具合など、こうした想像が可能になるには、年月もそうだがやはり自らの実体験が必要になる。四千年とも五千年とも言われる悠久なる歴史を有する国―〝中国〟、そこには永きに亘って無数の人々が織り成し築き上げてきた文化や智慧が脈々と息づいているのだ。そうした地で生活できたことは、私にとってかけがえのない経験であり、また一生の財産だとつくづくと感じ入る。五十半ばを過ぎた自分は、〝書〟・〝篆刻〟の世界ではまだまだ駆け出しの年齢に過ぎない。中国の地で培ったこの四半世紀の経験を生かすも殺すも、全ては今後の自身の研鑽にかかっているのだ。与えられる者から与える者へ、人は徐々にその立場が変化してゆく。家庭においても社会においても、こうしたことを踏まえ今後更に精進していきたい。

瞼を閉じれば、西湖にたたずむあの若き日の自分の姿と白髪混じりの今の自分が、重なり合って浮かんでは消えてゆく。そしてそれはまた息子の姿にも見えなくもない…。例え時は流れても、決してあの輝く瞳だけは変わらずに…。

和田 廣幸（わだ ひろゆき）
一九六四年横浜生まれ。中学の頃より書法・篆刻に興味をもち、学生時代には文化勲章受章者で篆刻界の泰斗・小林斗盦に就いて学ぶ。一九九四清華大学留学。以後清華大学、外交学院等で日本語の教鞭を執る。一九九四～二〇一八年、北京にて生活。長らく日本大使館にて留学アドバイザーを勤める。日本語教材の執筆・出版、録音等多数。現在、専門誌「金石書学」の編集委員の他、書家・篆刻家として日本、中国をはじめ各地域で活躍中。

違和感がくれた最高の思い出と夢

大学生　吉原　萌香

私の夢は、一人でも多くの日本人に本当の中国そして中国人を知ってもらうことだ。

私は大学で中国語を専攻している。私が大学で中国語を学ぼうと決意したきっかけは、高校一年生の時に自分の考えに対して大きな違和感を抱いたことだった。それはフィギュアスケートの試合を見ていた時のこと、日本でも有名な羽生結弦選手が中国の選手とリンク上でぶつかってしまい、お互いに怪我を負ってしまった。私はそれ以降、中国人の選手が故意に羽生選手にぶつかったのではないかと考えてしまっていた。そこから私は、なぜそう考えてしまうのだろうと自分に問い始めていた。中国は日本の隣の国であり、文化も漢字も伝わって来ていて、とても近い国のように感じていたはずが、実は私は中国や中国人のことを何も知らなかったことに気付いた。私が抱いていた中国へのイメージは、ニュースなどメディアから得ていたマイナスなイメージのみだった。私はそんな自分に違和感を覚え、嫌いになるのならば中国の文化や、中国人の考え方、生活習慣に自分で触れてから嫌いになろうと決めた。その時から、まずは大学で中国語を学び、留学へ行くことが私の目標になった。

大学に入学してからは、中国語の美しい発音の虜になり、中国に留学に行くことが楽しみになっていた。二年生の時には中国に行きたいという気持ちが溢れ、お金を貯め一週間ほど天津と北京を旅行。そして三年生になり、期待と不安でいっぱいの中、一年間の北京留学が始まった。クラス分けテストで少しレベルの高いクラスに入ることになった。日本にいた際は日本語で中国語の授業を受けていた私は、留学して先生の指示や討論、すべてが中国語という環境に初めて入った。先生の指示さえも必死にピンインを聞き取り辞書で調べていたほど、それま

始発に乗って天安門広場の　に行ったときの一枚。大勢の中国人の中で中国を肌で感じた

では中国語を聞いて理解するという習慣がなかった。クラスメートとの簡単な話し合いでさえ、自分の使う文法や単語が正しいかどうか怯えながら話すほど自分の中国語に自信がなかった。それでも周りのクラスメートに助けてもらいながら、必死に授業に食らいついていた。

授業が始まって一週間が経とうとしていた日、私は授業で書いた作文を不安でいっぱいの中、勇気を振り絞って先生に添削をお願いしに行った。そこで先生が私の作文を見て「あなたこの単語違うわよ。このクラスの授業は難しいんじゃない？」と聞いてきた。その瞬間なぜか涙が溢れ出てしまった。授業を淡々とこなしているように見え、かつ他の先生よりも要求してくるレベルが高い先生だと思い込んでいたこともあったのか、その先生の言葉はとてもストレートで冷たい言い方に聞こえてしまった。次の学期もいるのなら、今はクラスを下げて来学期挑戦すれば良い。と言われクラスを下げることになった。なぜあんなに厳しい言い方をするのだろう。怖いなあ、という思いを抱えながらもクラスを下げて、新しい環境での中国語の学習が始まった。ほかの国の留学生に比べて総合的にレベルが低いと感じた私は、そこから半年間、友人や先生の話す中国語の真似をしたり、夏休みには帰国をせずに交流会に毎週参加をして中国人とのマンツーマンでの会話練習をしたりした。

そしてまた新しい学期が始まり、クラスが上がった私には大きな不安要素が一つあった。それは半年前の、あの先生のことだった。また聞き取れずに、発言もできずに授業についていくことが出来なかったらどうしようととても不安だった。しかし授業が始まってみると、半年前とは全く違う先生の中国語が私の耳に、心にすっと入ってきた。だが授業についていくことが出来る喜び以上に嬉しかったことがあった。それは、怖く、冷たく厳しいと思っていたあの先生が、実は誰よりも授業に対して熱意があり、学生思いだということに私自身気付くことが出来たことだ。半年前は一割しか理解していなかった先生の言葉を、九割十割理解できるようになり、やっと本当の先生を知ることが出来たように感じた。ある日の試験の作文でこれまでの自分の思いを伝えると、返却された私の答案用紙には四行にわたって先生の気持ちが書かれていた。そのコメントを見たとき、半年前とは違う涙が溢れてきた。先生の言葉は私に自信をくれた。中国語を勉強して、中国に来て良かったと心から思うことが出来た。あの日先生の所へ添削を頼みに行っていなければ、半年後の涙はなかったし、一人の中国人の本当の姿、思いを受け取ることが出来なかった。あの答案用紙は私の一生の宝物になった。

大きな違和感から始まり中国を知りたいという思いが、こんなに大切な思い出をくれた。ほかにも書ききれないほどの体験を、思いを普通の大学生にさせてくれた中国に感謝をしている。そして私には生涯の夢が出来た。それは一人でも多くの日本人に本当の中国、中国人を知ってもらうこと。私はこれほど大きな夢をくれた中国が大好きだ。

吉原 萌香（よしはら もえか）
福島県出身。二〇一四年福島県立安積黎明高等学校卒業。二〇一七年大東文化大学外国語学部中国語学科に入学。大学一年次に中国語の発音に魅力を感じ猛練習を重ね、第三五回全日本中国語スピーチコンテスト全国大会（朗読部門）にて最優秀賞、孔子学院賞を受賞。大学三年次に北京外国語大学で一年間の語学留学を経験。

三等賞

中国の現地でしか経験できない知識・感動・幸せ・魅力

高校生　長崎　美由輝

わたしが初めて訪中したのは高校二年生の夏だった。海外留学への勇気がなくチャンスを逃してしまったわたしに父が海外への旅行を勧めてくれたのだ。留学に代わる初めての海外旅行で父が二泊三日のツアーに応募してくれた国は、隣国である中国の上海だった。

二〇一九年七月二十七日。わたしは十七歳にして飛行機に乗ることさえも初めてだった。そして初体験にして国内でない上海に飛び立つ。想像しただけで胸が高まった。鹿児島空港から浦東国際空港まで搭乗時間はたったの二時間だった。しかし、人生で初めて降り立った異国の地には、日本にはない景色が広がっていた。

一日目は、現地ガイドと合流し田子坊へ向かった。田子坊は上海市の新黄浦区にあるお洒落スポットだ。この界隈は、元々フランス租界があった場所らしく、個人的な意見だと「中国」をあまり感じない場所だった。また迷路のように入り組んだ路地には、個性的なアートやファッションやグルメなどのショップが所狭しと軒を連ねていた。もう夕刻だったため、「巴国布衣」で本場の四川料理を食べた。初めて見る四川料理はどれも新鮮に感じ、茹でた豚肉と薄くスライスされた胡瓜を〝洗濯物〟のように盛り付けたものを大蒜ダレで頂く晾干白肉や、中国山椒が効いた食べ慣れない辛さの麻婆豆腐、フカヒレスープなど全てが絶品だった。また、運良く四川省の伝統芸能で、演者の仮面が一瞬にして次々と色を変えていく「変臉」ショーを鑑賞できた。携帯電話で動画を撮っていたので、何度も見返したが仮面が変化する仕掛けが全く分からない早技だった。後から調べてみるとこの「変臉」は中国の第一級国家機密として大切に守られているそうだ。夕食後は黄浦江のナイトクルーズに乗船した。黄浦江の左右両岸には外灘地区と浦東地区の光り輝

上海の夜景。船上より

くネオンが広がっていた。外灘地区は十九世紀に建てられた西洋建築物が特色で、反対岸の浦東地区は、上海の栄華発展を象徴する巨大な高層ビルが立ち並んでいた。私は、これほど美しく、自分の心を動かし、息をするのを忘れるほど魅了された絶景を見るのは初めてだった。日本には決してないような強烈な輝き、こんな景色があるんだ！と自分の視野の狭さを感じた。絶対にもう一度、〝百万ドルの夜景〟を見に行こうと強く思った。

　二日目は、朝一番で江南シルク精品館に行った。日本語の堪能な現地の方が、絹製品ができるまでをレクチャーしたり、双子の繭から取った繊維を薄く伸ばして布団にする工程を体験した。次に、茶芸館で〝きき茶〟の体験をした。何十種類もあるお茶（漢方）をグラム単位でブレンドし、肝臓に良いお茶・ダイエットに適したお茶・集中力が高まるお茶など調合の仕方で様々な効能があることがわかり貴重な体験ができた。その後、徒歩で豫園と豫園商城へ足を運んだ。釘を一本も使わずに建てられた楼閣である三穂堂や、長期に渡る浸食によって削り出された彫刻品のような複雑な形が特徴の石灰岩・太湖石など見どころの多い庭園だった。豫園商城は庭園の静けさとは一転し、豫園を囲むように広がり、上海屈指の賑やかさを誇る門前町だった。次に上海博物館を訪れた。紀元前に造られた青銅器や祭器、土器、陶磁器、古典や書道の時間に習ったことのある王羲之を筆頭とする、宋から清時代にかけての著名な書家による作品など、歴史が好きなわたしは心が踊った。中国の歴史や美術品を多く鑑賞できて充実した時間だった。その後、新天地で買い物をし、休息した。

最終日は飛行機の関係上、外灘を散策することしかできなかった。初日の夜に見た華やかな景色とはまた違い、黄浦江や建造物をじっくり眺めることができた。

わたしは、初めての中国旅行で、幸せを感じ、また人間的に成長できたと思うことが二つある。何よりまずは、日本とは違う新しい言語、文化に触れたことだ。中国を訪れるまではわたしの中で中国の方は抑揚のある発音ゆえに常に怒っているように感じられたり、他人に興味がない、といったようなイメージを持っていた。しかしいざ上海の街に出て、拙い中国語や英語で話しかけてみると、わかりやすく丁寧に行きたい場所について教えてくださり、少し会話もすることができ、がらりとイメージが変わった。その国に対するイメージや偏見は、行ってみてそこに住んでいる人と関わってみないと知り得ないと気づくことができた。二つ目に中国に関する知識が増えたことだ。行く先々について前もって調べてみたり、その地で新たなことを知ったり、身をもって経験したことは一生忘れることのないかけがえのないものになった。初めての中国旅行は、わたしにとって得ることのできた知識や感動、幸せ、魅力を、まだ中国を訪れたことのない人に伝え、中国をより多くの人に好きになってもらう架け橋になりたいと強く感じた出来事となった。

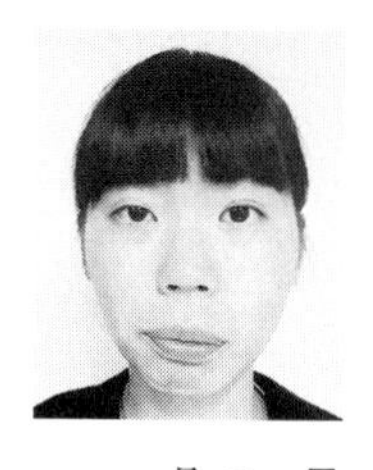

長崎　美由輝（ながさき　みゆき）
二〇〇二年　鹿児島市にて誕生。二〇二〇年六月現在　鹿児島県立伊集院高等学校三学年在籍。

三等賞

北の大地で生きるお婆ちゃんにめぐり逢う

会社顧問　野田　義和

私が初めて中国の現地法人に赴任したのは、日中友好三十周年記念の年、二〇〇二年のこと。私の赴任先は中国東北の七〇〇万人の大都市の瀋陽であった。九月に従業員千三百五十人の製造業の現地責任者として無事に赴任。五十四歳の時である。

現地で半年ほど経ってからのある日の朝、「お早うございます。昨日から仕事をしています。よろしくお願いします」と少しイントネーションが違う女性が挨拶に来てくれた。この女性は新たに採用された女子事務員であった。「あれ、あなたどうして日本語が話せるの?」と尋ねると「学校で日本語を学びました。私のおばあちゃんは日本人です。祖母からも習いました」と言われ親近感を覚えた。状況から推測するとおばあちゃんは、戦前に日本から瀋陽に移住した「中国残留孤児」のようだった。「今度、おばあちゃんと食事でもしたいね」とお誘いすると「はい。伝えます」と返事、彼女は喜んで室から去って行った。

二、三日したら彼女から「おばあちゃんが会いたいと言っています」と返事があった。初めてのことであり少し戸惑ったが、その週の金曜日に「火鍋（中国のしゃぶしゃぶ）」のレストランを手配した。

約束の日に、おばあちゃんをレストランの前で待っていると娘とおばあちゃんを乗せた車が来た。初めての出会いであった。七十代半ばの素朴な昔風の中国のおばあちゃんそのままの感じであった。私は日本に残した母の姿が重なり嬉しくなった。「こんばんは。始めまして。お会いすることを楽しみにしていました」と挨拶すると、おばあちゃんは私に、しがみ付くように抱き付かれ、周囲にはばからず声を出して涙されたことを記憶している。おばあちゃんは何を感じてくれたのだろうか。もう何十

赴任期間中に製品輪胎年間生産70万条体制確立時の記念碑。「信頼を盤石に　誇りを未来に」を石に刻みこむ

年も日本人に合ったことがないとも言われた。そのお顔の皺の深さから、さぞやご苦労をなさったのであろうか……。

美味しそうに火鍋を食べながら、おばあちゃんはゆっくりと日本語を思い出すように話された。「日本から十四歳の時に中国に来て、中国の男性と結婚、子供にも恵まれ、今はこの孫娘が大事にしてくれるので幸せに暮らしている」と言われた。日本からのお土産として、日本茶・お漬物の沢庵・博多人形をお渡しした。日常、お茶は高級品でなかなか飲めず白湯が多いらしく、久し振りの日本茶に大変喜んで戴いた。博多人形の立ち姿を見て少しにっこり、日本の故郷を思い出されたのだろうか、周りの緊張がほぐれた瞬間だった。ただ、失礼ながら、生活状態は決して豊かではなさそうであった。

「日本の故郷はどこですか」と聞くと「もう、忘れた……忘れたよ」と天を仰ぎながら言われた。更に「一番ご苦労されたことはなんですか」と尋ねると「わたしが日本人であることを終戦直後は隠す必要があり、身を挺して隠し庇ってくれたのが中国人の主人、この主人が一生懸命に私を守ってくれたので今日まで生きられた」とも聞かされた。そっと「日本に帰りたくないですか?」

と聞くと「主人を中国において帰れない、又帰りたくもないねぇ」と言われた。そしておばあちゃんは「今日がわたしの日本帰国の日……ありがとう　これで切りがついたよ」と声を震わせながら言われる姿に、娘さんも通訳の女性も私も、皆が涙したことを今でも鮮明に覚えている。

お互いの中国に来た経緯、中国の好きなところ、嫌なこと、家族のことなど会話が途切れることなく、昔話に花を咲かせた「あっという間の充実した二時間余り」であった。私が帰りに会計をして席に戻ってくると、おばあちゃんが私にお金を渡そうとされた。これはご主人が「日本人と逢うのだろ、楽しんできなさい。持っていきなさい」と温かく送り出してくれたとのこと。中国の東北人であるご主人の「懐の深さと人情の厚さ」を改めて感じさせられる貴重な体験であった。

遂に帰任の時が来た。いろいろなことを体験・経験した中国の三年間であった。心残りなことも多くあり、もっともっと長く居たいと思わせてくれた「大地」であった。

多くの苦楽を共にした中国の「盟友」が空港で見送ってくれた。何度も日本と往復した飛行機。いつもの座席は通路側であったが、この日だけはなぜか窓側に座った。離陸し機体は右に大きく旋回した。眼下には多くの思い出を残した大地が見える。見えぬ

自分の工場を一生懸命に探した。その時ふっと「さようなら　中国。ありがとう　瀋陽……」の言葉が出てきて、思わず熱いものが止めどもなく頬を伝った。私も少しは「大地の子」に近づけたかな……。この日から中国が私の「第二の故郷」になった。

今もあのおばあちゃんはお元気だろうか。「再見」とはまた会えること。

「謝謝　中国　再見　瀋陽」

野田　義和（のだ よしかず）
二〇〇三年中国瀋陽市にある現地合弁会社に工場長として赴任。業種はゴム製品の製造・販売会社。この会社は国営の工場を買収したもので、当初は「脱国営」に注力した。「この国で出来なければどこで出来るか」の気概で工場の運営に当たり、世界一レベルの工場までに成長したと自負している。

三等賞

江西省南昌市のコロナ状況と街の変化、そして回復

教師　鈴木 高啓

今年の春節は、例年以上に静かなものとなった。一月中旬に発生した新型コロナウイルス感染被害が、現在でも、日本をはじめ、世界各国で猛威を振るっている。

江西省南昌市の大学で日本語を教えている私は、今年の冬休みは一月十日から日本に帰省し、二十日に南昌市に戻ってきた。今考えてみれば、最も危険な時期に中国入りしたことになる。

春節が近づく二十三日ごろ、新型肺炎の被害が深刻になり始めた。武漢での死者が十人を超えた頃である。南昌市内でも初めての患者が発見され、様々な噂が飛び交い始めた。南昌での最初の患者は公務員で、発覚後直ちに入院したのだが、彼がタクシーの運転手で、現在も営業中だというデマがSNSを騒がせた。社会が動揺すれば情報の混乱と流言飛語が生まれる。当初、過剰な混乱を避けるためか、詳報を控えていた当局だったが、春節を機に情報公開に踏み切った。最初に動いたのは「騰訊新聞（テンセント・ニュース）」だった。自社が展開するSNS「QQ」に公式ページを立ち上げ、政府発表の被害状況を地図とともにリアルタイムに報道し始めた。

江西省は湖北省と隣接している。日本で言えば、東京都内から琵琶湖くらいの距離はあるが、南昌に最も近い大都市は武漢である。多くのチェーン店が武漢に基点を持ち、様々な物流も武漢を経由することが多い。武漢が都市封鎖された二十四日ごろから、南昌市内の物流にも影響が見られ始めた。

まず、武漢を中心とする飲食チェーン店が食材の調達が不可能となり、営業を見合せ始めた。続いて、武漢から供給されていたコンビニのおにぎり・サンドイッチや弁当類が消えた。そして、薬局で医療用マスク類が完全に売り切れて、新規供給の目処が立たなくなった。二十

春節飾りを残したまま人通りが消えた街中

六日の段階で、南昌市内においてマスクをつけない外出が禁止され、学校も正門以外が全て封鎖、入場に体温検査が必須となった。医療用マスクの不足は、南昌だけでなく中国全土レベルであった。ＳＮＳではゴミ箱に捨てられたマスクを「回収」して再利用しようとする不届き者の写真が拡散され、「マスクを廃棄する際はハサミを入れてから」という注意喚起も行われた。その後、大学事務局が職員用のごく少数のマスクを確保するのにも数日を要した。

　そして学校側から外出禁止の通達が来た。三十一日には春節休みが明けたが、食堂も料理店も学内のスーパーも再開されなかった。すでに学校に戻っていた私には無駄なことだったが、学校から職員全員に「学内に帰ってこないように」という指示が出た。

　二月一日、同月十一日から学校再開の予定であったが延期された。「停課不停学（授業なくとも勉強はやめず）」の合言葉が作られ、学校から「オンラインで授業をするので準備をするように」と指示が来た。

　三日には学校から新型コロナウイルスへの対応が発表され、「部屋から出ないように」という指示が出た。私たち外国人教師は寮棟が建っている敷地内はもちろん、

再開した商品の少ないスーパー

自室からも出ることが出来なくなった。校門は全て封鎖され、門前で体温検査が始まった。新学期に向けて学校に戻ってきた学生が、北キャンパス正門から中へ入れてもらえず、故郷へ帰らされたそうだ。

七日には寮棟エリアも封鎖され、買い物は「天虹到家」で届けてもらう形になったが、すでに多くの物が売り切れで手に入らなかった。

八日、都市間移動をした者に二週間の隔離措置が取られることが発表され、日本での短期留学を終えて江西省に帰ってきた私の教え子が自宅に帰れず、景徳鎮市の隔離施設に送られた。毎日健康診断を受け、二四日まで収容された後、帰宅を許されたそうだ。

十一日、新たに外国人教師が二人、大学に戻ってきたが、寮の門前には「外来者隔離中」の貼り紙が貼られ、隔離措置のため自宅に監禁となった。

一方で、授業は二月十七日からオンラインで実施されることとなり、ＩＴシステムを総動員して準備が行われた。我が校では「超星学習通」というシステムが使われることとなったのだが、お世辞にも使いやすいとは言えず、またサーバーがちょっとマイナーなスマホゲーム程度のリソースしかなかったため、本当によくダウンした。

一月の終わりごろから、連日日本からの援助の様子が報道されていた。ＨＳＫ事務局からの箱に書かれた漢詩がネットを中心に話題となり、返歌を送ったりもされた。しかし二月中頃くらいから風向きが変わってきた。日本でダイヤモンドプリンセス号の大感染が起き、雲行きが怪しくなってきたころだ。このころには「支援物資はありがたいが、日本国内で使ってくれ」という書き込みもちらほら見られた。

二月十八日、江西省全域でWeChatを使った通行証の発行が始まった。当初は発行には中国公民のＩＤ番号が必要で、外国人には使用できなかったが、後にシステムが変更され、外国人も利用可能になった。そしてこれを機に、徐々に都市機能が戻ってきた。公共交通機関はまだ制限されていたものの、学校周辺施設へは出入りが許され、一部だが物流も戻ってきた。

はっきり言って四月になるころには、中国のコロナ状況はほぼ終息していた。マスクをつけない外出は禁じられていたはずだが、それを監視する監視員が喫煙のためにマスクを顎にずらしていたくらいなので、人々もご想像の通りだった。ところが、ちょうどこのころから海外の感染状況が深刻になり始めた。感染が爆発的に拡大していたアメリカの大統領が連日中国を非難したり、日本が緊急事態宣言を出したりしたころだ。南昌はもっと早く解除宣言を出してもよかっただろうと思うのだが、配慮もあったのだろう。結局、この緩い緊張状態は五月初めまで続き、その間ずっとオンライン授業が行われた。

五月十五日から、学生たちに学校へ帰還するよう命令が出された。まず四年生、続いて三年生と二年生というふうに、学年を分けて順番に帰還が実施され、校門前では二月初旬さながらの厳戒態勢の下、体温検査や消毒が行われた。

五月二十五日、ようやくオフラインの直接授業が始まった。学期の四分の三が終わったころだ。六月に入るころには、人々の流れも物流も、完全にコロナ前の状況に戻った。まだ公共施設の門前では体温チェックが行われているが、その程度だ。学生や街の人々の中にもマスクを着けていない人が増え始めた。

南昌市広報の公式アカウントからだったと思うが、「コロナを共に戦った外国人たち」ということで、私をはじめ何人かの外国人教師が文を依頼され、私も中国語で文章を書き寄稿した。こういう依頼を受けると、「ああ、中国のコロナ状況は終わったのだな」と感じる。しかしながら、世界ではいまだ多くの国々でたくさんの人々が苦しんでいる。一刻も早い終息と平穏を望むとともに、今回の対策のための越境封鎖等で世界の国々の間に分断が生まれることを強く憂慮する。各国には慎重な対応を望むとともに、利己主義にならない全世界的な視点で、この難局を乗り越えてほしいと願ってやまない。

鈴木 高啓（すずき たかひろ）

日本岐阜県生まれ、大学で中国語を専攻、大学院で教育学を専攻し修了後、高等学校中国語教師と一般企業通訳を経て、岐阜県日中友好協会事務局へ。二〇〇五年から二〇一六年まで同事務局長。その間、各所で通訳・翻訳を行う。二〇一七年から江西省南昌市に在住し、現在江西財経大学で日本語教師。

三等賞

中国で働くきっかけ

会社員　橋本　岳

私が初めて中国を訪れたのは、二〇一一年の冬のことです。当時私は高校一年生でした。正直に言いますと、私はこの時まで中国に対して空気も悪くて汚い上、中国人のマナー問題等イメージも非常に悪くて嫌いな国でした。この時、こんなイメージの中国に来たきっかけといたしましては、当時勉強が非常に嫌いな私の元に高校の同級生の一人から学校休んで無料で海外に行けるというお誘いを受けて、当時は学生でしたのでお金も無かったため、学校の授業もサボれて無料で海外に行けるなんて幸せだと感じました。しかし、行き先がイメージの悪かった中国で両親や他の友人からも、心配されました。私自身の意見といたしましても、正直不安で参加するかどうか迷いました。しかし、無料だし嫌だったら、もう二度といかなければ良いし、挑戦してみようと思い最終的に応募し参加いたしました。その時実際に訪れたのが、北京・武漢・上海の三都市を一週間かけて巡るというプランで二都市目の武漢では二泊三日のホームステイを体験させていただきました。ホストファミリーの中国人家族は非常に優しくしていただき、中国人に対する印象が大きく変わりました。たった二泊三日でしたがこのホームステイをきっかけに後の私の人生が大きく変わることになります。

今までは、旅行するときも親としか行ったことがなかった私ですが、このとき初めて独り立ちし、尚且つ言葉が通じない環境に行き私自身非常に成長できた良い機会となりました。この会に参加する前は、中国語などの知識は全くなく、中国語の挨拶である「你好」と「謝謝」の二つの単語しか知りませんでした。また共通する漢字も多いため筆談で会話していました。この時、実際に北京・武漢・上海の三都市それぞれ違う顔を持つ中国国内の都市は、その時初めて楽しいいと思いました。それまで勉強嫌いで何やらせても飽きてしまう私の性格ですが、帰国後は高校の図書室で中国関連の本をひたすら読み、ますます中国に対する関心が強まり、高校卒業後の進路では中国語学科がある大学に進学して、中国語を極めたいと思いました。また、両親からも中国に行ってから、ここまで熱中するのは珍しいと言われました。大学に進学したら、たくさんの中国人と交流するようになり、実際に中国の文化とかを教えてもらった際に、中国の文化にも非常に興味を持ちました。しかし、あの中国体験プログラムでは旅行感覚で、尚且つ皆暖かく迎えてくれたから楽しかったのかと思い、実際に中国で長期間住んだら、果たしてどうなのかと思い大学三年生の時に交換留学プログラムを利用して、北京師範大学に約四カ月（一学期）留学させてもらいました。そしたら、それもまた楽しく高校一年生の時に初めて中国に行った時と同様の

留学中に旅した、内モンゴル自治区で大自然が作り出す雄大な砂漠と草原に感銘を受けた時の写真

楽しさが蘇って来ました。帰国後日本の大学を卒業したら、どんな職種でお金も名誉も要らないので中国で仕事したいと思い、現在では北京のホテルで実際に働き、それまで学んで来た中国語使って接客しております。

しかし、このことを友人に伝えると未だに多くの人が「中国に行って平気なの?」など心配されます。私も僅か十年前まではそのような考えを持っておりましたが、実際に来てみて肌で感じることにより、良い点や悪い点に気づけた気がします。また、言葉の面でも英語が王道な中、「どうして中国語を勉強しているの?」と言われますが、そう言われるのが非常に悔しく中国語の面白さと魅力を多くの友人にわかっていただきたく、ずっと活動して来ました。また、今やSNS等で頻繁に中国の悪口を拝見しますが、それを見るたびに心が非常に痛いです。もちろんのこと、日本でも中国でも他の国でも、どの国でも良い点や悪い点など有りますが、悪い点ばかり強調しても、しょうがないと思います。それぞれの良い点に気づき、それぞれの国が仲良くしてくれることを私は望みます。

話は変わり、今年世界的に猛威を放っている新型コロナウイルスで同じように甚大な被害を受けたのが、ホームステイした武漢だったので、この期間ずっと応援し続けました。また、多くの日本人が警戒して日本に帰る中、こうして中国が苦しんでいる姿を私も共に戦い克服し、大好きな中国が早く復活してくれることを期待し、この期間中もずっと中国に残り仕事をしていました。

話は戻り、仮に高校一年生の時にあの時、友人に誘われてなくて中国に来てなかったら、こうして中国に住んで仕事しているだけでなく、中国が嫌いなままだったと思います。ですので、その同級生には今でも感謝しております。

最後に、一人でも多くの人が中国の魅力に気づき、一人でも多くの人が中国に足を運んでもらえれば嬉しいです。今後の目標といたしましては、日中友好の架け橋になれるよう努めます。

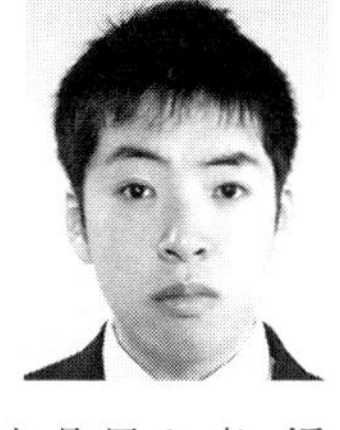

橋本 岳（はしもと がく）
東京都立大田桜台高等学校（ビジネスコミュニケーション科）卒業後は明海大学外国語学部中国語学科に進学し、大学三年生の夏から約四カ月間北京師範大学に留学。帰国後は大学に戻り中国経済を研究し、大学卒業後に単身北京に渡り現在株式会社UDSでホテルの飲食部に勤務。

リアル留学ライフ イン 上海

大学生　小田　紘平

食生活

留学生活中、私は食生活で苦労した。なぜなら、日本の中華料理と、現地の中国料理に、大きな差があったからだ。麻婆豆腐、青椒肉絲や回鍋肉など日本でも聞いたことのある中華料理も、現地では、よりオイリーかつ辛さが増していた。つまり、日本の中華料理は、日本人向けに作られていることがわかった。では、中国の日本料理はどうなのか。上海には、日系のチェーンの店も多く、牛丼、ラーメン、うどん、寿司屋やとんかつ屋のほか、中国人経営の日本食レストランも多い。そして、これらの店で食べた時、もちろんおいしいのだが、ちょっと味が違うと思った。また、多くの店で、中国人が好む、肉松、トマト系、辛いスープ、甘めで濃いめの味付けなどを導入していた。中国では都市部を中心に日本の商品、食べ物が多く消費されている。そのため、中国には、飲食系以外にも衣類、化粧品、雑貨屋、百均、コンビニなどの領域で多くの日系企業が参戦している。私が考えた成功している日系のチェーン店の秘密は、日本の文化をそのまま取り入れるよりも、中国人の舌や好みに合うように、一ひねり加えていることだと思った。

最後に、私が一番好きな中華料理は、番茄炒蛋である。安くて、簡単で、栄養豊富な番茄炒蛋がなぜ、日本の中華料理の定番にならないのかが、未だに謎である。

中国と中国人の良さ

中国は、電子決済、ワイマイ、タオバオといった便利なサービスを普及させるスピードが、本当に早い。例えば、ここ五年で普及した電子決済アプリのすごいところは、他のサービスと提携して、新幹線のチケット、ワイマイ、タクシー、ディズニーのチケット、公共料金、携帯料金などの支払いにも使えることだ。さらに、軽微な交通違反の罰金も電子決済で支払える。これらのサービスは中国語が話せない人や、中国のコインや紙幣を知らない人でも使えるというから素晴らしい。私自身、これらの便利なサービスに慣れていたので、日本に帰ってから、現金の不便さを痛感した。一方、一台のスマホにそれだけの機能を持っていることから、スマホをなくしたときは、何も出来なくなり非常に困ることになる。

パンダがカメラ目線なのは、カメラマンが飼育員だから。上海野生動物園にて

　中国人は、うるさい、礼儀がないといわれることがあるが、それは、メディアによって、そういう箇所が切り取られているから目立っているのである。また、日本人は確かに丁寧で親切な人が多いと言われるが、それだけ、普段から他人のことを気にしないといけないということを意味し、それがいきすぎると疲弊につながる。一方、中国人は、何事も主張しないと、相手は察してくれないという場合があり、みんなが主張するうちに、日本人からするとうるさく聞こえるのかもしれない。しかし、これは文化の違いであり、どっちが良い悪いというわけではない。少なくとも私が接した中国人は、良い人ばかりであった。例えば、私が急性胃炎で本当は病院に行きたかった時、夜だったため、私は開いている病院を知らなかった。そのため、仕方なく薬局に行って、薬を買おうとしたら、店主に、まず医者に診てもらいなと言われ、夜間診療をしている病院を教えてくれた。そこの病院でも、医者と看護師は、丁寧に簡単な中国語を使って会話

してくれた。また、点滴を受ける部屋で、点滴を受けた際も、周りの同じく病人である中国人のおばさんたちが、話しかけてくれたり、お湯を汲んでくれたり、ティッシュをくれたりした。

つまり、あの国の人だから○○だと決めつけることは、聞く耳を断ち、壁を作り、交流を拒絶し、偏見にもつながる危険な考え方であることを知って欲しい。

観光地に関して

中国の地図を見ると、水（河）があるところに、都市があることがわかる。そのため、都市と歴史ある水郷が共存していることがある。私が行った水郷の中では浙江省の烏鎮や上海では湯圓がおいしい七宝が有名である。水郷の周り方は、昼に歴史を学び、夜は景色を楽しむというのがおすすめだ。夜になると、水郷の運河をまたぐ橋がカラフルかつ上品にライトアップがされ、優雅な雰囲気を醸し出す。外灘の近未来的な夜景もきれいだが、時と現実を忘れたいのならば、水郷がおすすめである。きっと、昔の富豪が楽しんでいた世界を満喫できるであろう。

上記の通り、中国の良さの一つに、都市と歴史的建造物がうまく共存できていることも挙げられる。他にも、古代庭園豫園がそうである。一キロメートル先には上海一の繁華街、南京東路があるにも関わらず、ひとたび、豫園に入ってしまえば、その喧噪とは無縁である。一方、上海郊外においては、地下鉄の開発により、古い町が壊され、新しいマンションに建て替えられている。つまり、私が心配していることは、歴史的価値があるものの保護と開発という、正反対の事柄をどのように、並行させていくかということである。

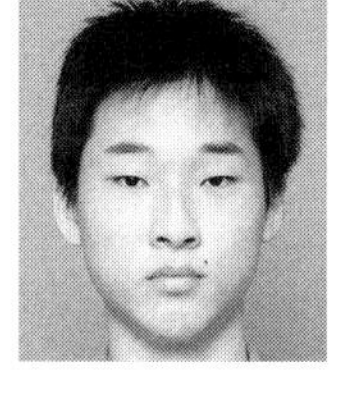

小田 紘平（おだ こうへい）

一九九八年神奈川県生まれ。二〇一七年慶應義塾大学環境情報学部入学後、十四億人と話すことが出来るという理由から、二年生で中国語を習い始め、ほとんど話せなかったものの、翌年二〇一九年二月から1年間休学し、思い切って上海に語学留学する。現地では、上海野生動物園のパンダに一目惚れし、三回ほど見に行く。好きな中華料理は番茄炒蛋。趣味は京都の歴史名所巡り。

方正地區日本人公墓

女優　神田　さち子

私は一九九六年からひとり芝居『帰ってきたおばあさん』を演じ続けている役者です。実在していた中国残留日本人女性鈴木春代さんの辛苦の半生を通して戦争の愚かさ、平和の有り難さなどを訴えて二十五年。その主人公春代さんが夫と夢見て渡った「王道楽土」の開拓村ってどんな所だろうか？　舞台の現場、中国をこの目で見ておかなくちゃ、いや観るべきだと思いました。そこで私は中国（東北部）を初めて訪れる事にしました。勿論そこには旅先案内人として調布市の医師池田精孝先生（故人）からのお誘いがあったのです。

「慰霊の旅に行きませんか？」と。「慰霊？」訝しながらも確かめるべく二〇〇二年八月六日全国の皆さんらと「中国東北地区友好と慰霊の旅」に同行することにしました。団長の池田先生は旧制の飯田中学校卒業後、一九三九年先に開拓団として入植していた両親のもとへ。近くのチャムス医大へ進学。八月九日ソ連軍侵攻により大学は閉鎖。牡丹江へ着いた時は軍の大半は国境に向け出発し、重症入院兵を守る留守部隊のみだったそうです。

「この戦争は敗けだ。若い君たちが死ぬことはない」という上官の一言で長春へ。先生の両親はやっとの思いで辿り着いたコロ島で死亡。妹さんも引揚船の中で死亡。

「あの時、長春にいた私達医大生は白衣を着て真っ白いご飯を食べていました……。どうしてどうして家族と一緒に居てあげなかったのか」と自分を責め悔いる言葉が続きます。「満州で死んでいった人たちの魂の居場所を作ってあげたい。そして国策の犠牲になった人々に光を当てたい。その為に奔走する爺さんが一人位いてもいいでしょう……」。微笑みの中の目は哀しげでした。〃あの時白いご飯につられてね〃。首をうな垂れながら仰った一言は二十年経った今も私の心をえぐります。

方正地區日本人公墓前にて献芝居（2002年8月9日）

八月九日（……思えばこの日はソ連軍侵攻の日）。雨が上がった曇天の静かな朝、はやる気持ちを抑えながら私達慰霊団は黒龍江省方正県のたった一つの日本人公墓（慰霊塔）に向かいます。広大な平原の奥にぽつんと立つ黒い御影石の墓碑。周知の事ですが公墓はこの一帯からあまりにも多くの日本人遺骨が出てきた。それを現地に住む残留日本人女性たちが拾い集めているのを聞いた省庁が、時の周恩来首相に伝え、一九五三年五月人民政府の手により建立。隣に在る「中国養父母公墓」は何と残留孤児だった方が養父母さんへの感謝を込めて建てられたものでした。

旅の同行者は元開拓団員や引き揚げ者の家族二十名。郷愁も鎮魂も心に深く秘めた旅となりました。中国大陸の真夏はそれなりに想像はしていましたが目的地はなんとハルピンからバスで四百キロ。想像以上の長旅で疲労も重なり悪寒が襲う。気温は一四度。加えて雨。窓に顔を寄せていた私に同行の方が大風呂敷を貸して下さいました。お蔭で私は肩からすっぽり覆って肌寒さを凌ぎました。バスで三時間、やっと森閑とした木立の一角の公墓に到着。「まあ、こんな奥地に……四千五百名もの命が眠っていらっしゃるんだ……」。暫し呆然と佇んでいると母・弟妹をこの地で亡くした岡山の女性が墓碑を撫ぜつつ「ごめんよ。こんなに遅くなって。やっと姉ちゃんが会いに来たよ！」と大声で泣きながら叫んでいらっしゃるではありませんか。もう私は夢中で昨日ホテルで準備していたビニールのござを敷いて「帰ってきたおばあさん」の一シーンを演じました。開拓団として子供を連れて山中逃げ惑う途中わが子が足手まといとなり殺める。そして「ごめんよ、母ちゃんを許しておくれ！」と謝るシーンです。その場にはバスガイドの陳さん、ドライバーさん、方正の方々が棒立ちのまま同席。日本語でしたので内容の理解は無理だったかもしれませんが一生懸命目を凝らして観てくださいました。

多くのみ霊よあなた方が祖国へ帰りたがった想いはいかばかりだったでしょう。今の私たちの平和はあなた方の憤りの死の上に成り立っているようなものです。私に出来ることは棄民となった人びとの悲しみ、踏みにじられた人生の無念の叫びを次世代へ語り継ぐことしかできません。私は渾身の力を振り絞り天へ、地へ届けとばかりに叫びながら演じました。終了後の拍手はみ霊にも聞こえたと思います。

中国と日本は長い歴史で結ばれ、綿々と日中文化交流も続いております。時折政治の流れで意にそぐわない事も起きました。でも初訪中の私に市井の人々は広大な大陸同様に実に心寛く温かく受け入れて下さいました。村のおばさんたちは私たちを見ると人懐っこい笑顔で何度も手を振ってくれその上、方正公墓地もきちんと見守ってくれていたのです。

日本人として決して忘れてはならない歴史的な場所での舞台の一コマ。それは今生かされている者からの〝命の献芝居〟ではなかったかと思います。

尚二〇一二年十二月丹羽宇一郎元中国大使も離任前の多忙な時間をくぐって参拝されました。

神田 さち子（かんだ さちこ）

舞台女優・神田さち子語りの会代表。中国東北部の撫順生まれ。『帰ってきたおばあさん』（第五十五回文化庁芸術祭参加作品）は現在も国内外で継続公演中。中国各地（大連、哈爾濱、北京、合肥）計九回公演。映画『望郷の鐘』『一粒の麦』ほか多数。NHKラジオ、RKB、TNCテレビ出演。著書『忘れえぬ人たち』『あなたに伝えたくて』『心のはらっぱ』。毎日放送主催作文コンクール、澄和Futurist賞、西南ウーマン二〇一八受賞。

三等賞

終わりを見に行ったら始まりだった話

会社員　三浦　功二

社会人を経て人生二回目となった大学生活も残りわずかとなった。卒業を控えていた私は、卒業旅行を決行した。十年ぶりの卒業旅行である。旅行先として選んだ場所は、かねてより行きたいと思っていた中国西内陸部だ。約十日間をかけ、西内陸部の敦煌、嘉峪関、西安を旅する計画を立てた。現役大学生二人も興味を示してくれ、私を含め三人で行くこととなった。今回の旅の目的はシルクロードを巡る旅である。この旅で私がやりたかったことは、敦煌ではゴビ砂漠で井上靖『敦煌』の主人公、趙行徳になりきること、嘉峪関では万里の長城を見ること、西安では空海の足取りを辿ること、であった。

今回は嘉峪関を旅して感じたことを書こうと思う。嘉峪関は中国北西部甘粛省に属する都市の一つで、北は砂漠地帯、南は祁連山脈に挟まれ、東西に伸びた平地、いわゆる河西回廊と言われる土地に位置する。世界史の授業ではじめて河西回廊という言葉を聞いて、その響きにロマンを感じたことを覚えている。そしてなんといっても嘉峪関の一番の見所は世界最大の建造物の一つ、中国黄土地帯に横たわる巨龍、万里の長城である。

万里の長城といえば北京が有名だけど、二千五百キロメートル以上も離れた嘉峪関にまで至る。そして嘉峪関は万里の長城の西端と言われている。

シルクロードに位置し、万里の長城の終点ともなる嘉峪関、こんなロマン溢れる場所にいつかは行ってみたい、そう思っていた私は今回の卒業旅行に嘉峪関を選んだ。

飛行機で敦煌まで行き、そのあとは列車で嘉峪関へ向かった。列車はボックス席で、向かい側には学生の中国人が座っていた。彼らは春休みを利用して旅行を楽しんでいるとのことであった。嘉峪関で万里の長城を見に行く話をしたら、おすすめスポットや人気のレストランなど

嘉峪関、万里の長城西端にて

を調べてくれた。他の席にいる人たちは私たちに甘粛省の名産をおすそわけしてくれた。メロンを帯状にして干したものや牛肉を干してスパイスで味付けしたものなど、日本では珍しいものばかりだった。知らない人たちと出会い同じ時間を共有することも旅の楽しみの一つである。

どこまでも続く砂漠地帯をぼんやりと眺めること約四時間、私たちは嘉峪関に到着した。列車でお世話になった人たちに感謝の意を告げ、駅前からバスに乗りホテルへと向かった。その晩は早速列車で出会った学生に教えてもらったレストランへ行き、羊の串焼きを堪能した。スパイシーな味付けとスッキリした喉ごしのビールがとてもよく合い美味しかった。翌日はタクシーをチャーターして万里の長城がある箇所をいくつかを観光した。市街地を離れるとすぐに砂漠地帯が一面に広がる。砂塵に霞む、荒涼とした大地に目を奪われた。タクシーに揺られること数十分、この旅の一番の目的地である〝万里長城第一墩〟へ到着した。

嘉峪関の南に延びる長城は北大河の絶壁にぶつかり途絶える。これだけの岸壁が形成されるまでにどれほどの月日が流れたのだろう、というほどの切り立った北大河の岸壁を見てあっけにとられる。そして万里の長城がここで途絶えたことを納得した。

こんな絶壁に阻まれたら、異民族が進攻することは難しいだろうな。お目当ての長城最終地点はその河の近くにあった。一直線に延びた土嚢のような壁（長城）は北大河のすぐ手前で終わりをむかえていた。そう、ここが万里の長城の終端である。そこには石碑が置かれおり、このような文字が刻まれていた。

〝万里の長城、ここを以って始まりとする〟。あれ、嘉峪関って万里の長城の終わりじゃなくって始まりだったのか。たしかガイドブックには万里の長城の終点と書いてあったはずだ。まあでも確かに終わりって、視点を変えれば何かの始まりともいえるわけで、どっちとも捉えられるかな。なんてことを考えながら一人物思いにふける。

終わりじゃなくて始まりか。終わりこそが始まりだったなんて、卒業旅行にぴったりじゃないか、なんて一人で興奮する私とはかなり温度差のある二人を引き連れ、次の目的地へ向かう。

このあと、長城西の要所として有名な嘉峪関関城へ向かった。そこではレンタサイクルを借り、関城周辺の様子を自転車で楽しんだ。最後は懸壁長城へ行き、山の斜面を駆け上るように作られた長城を息を切らせながら登った。山頂から一望すると、砂漠地帯へ伸びる長城は砂煙りの中でかすんでいた。丸一日かけ万里の長城を十分に堪能した私たちは、翌日嘉峪関を後にし、西安へと向かった。中国西域嘉峪関、終わりを見に行ったら始まりだった話はこれで終わり。社会人を一度終え、学生生活を再スタートさせる。そして学生を終え社会人生活がまた始まる。石碑に刻まれたあの文字は、終わりはまた何かの始まりでもあるということを私に教えてくれた。

三浦 功二（みうら こうじ）

二度目の大学卒業を終え現在中国人向けのウェブサイトの開発プロジェクトに従事し、中国語の翻訳とシステム開発をおこなっている。一度目の大学では中国語を専攻し、上海に半年間留学した。二度目の大学では会計学を専攻し、一カ月間上海のコンサルティング会社でインターンをおこなった。

三等賞

国と国とをつなぐもの

会社員　市原　佳子

二〇一二年の秋、久しぶりに帰ってきた日本で、連日のように報道される中国での日本関連ニュースを見ながら私は静かに心を痛めていた。と同時に、中国で出会った多くの親切な人たち、日本語を学ぶ学生たちの顔を思い出し、みんながいるから日本と中国はこれからも大丈夫、と確信もしていた。

二〇一一年九月から約一年間、縁あって日本語教師として重慶の大学に赴任していた。

その年の春に大学を卒業し大学院に進学していたのだが、ひとつ心残りがあった。大学生のうちに海外留学をしなかったことだ。英語も好きだったが、第二外国語として選んだ中国語の勉強がことのほか楽しく、現地で暮らしながら語学を磨いてみたいという淡い夢をずっと抱いていていた。中国での日本語教師の募集を見たのは、進学して数カ月経ってからのことだった。留学ではないけれど、旅行とは違って、一定期間暮らして中国語環境や中国の文化にどっぷり浸ることができる。もともと日本語教育にも興味があって多少勉強していたこともあり、すぐさま、やってみたい！と強く思った。

そもそも中国に興味をもったのは、大学での留学生たちとの付き合いがきっかけだ。私が生まれて初めてことばを交わした外国人は、中国出身の同学年の留学生だった。日本語が上手で、気遣いができて、素朴なかわいらしさのある女の子だった。そのあとも、何人もの中国人留学生と仲良くなったが、みな同年代にもかかわらず自分よりずっと気が利いて、人当たりがよく素敵な人たちだった。そんな彼ら、彼女らが生まれ育った国はどんなところなんだろう、自分の目で見てみたい、という思いが大きくなっていた。

休学して単身中国に行くなんて一大事であるはずなの

大学のそばの火鍋店にて受け持ちのクラスの学生たちと（筆者は中央）

に、やると決意したらあっという間に事が運んだ。二〇一一年九月、気づけば中国人学生たちを前に教壇に立っていた。

重慶での日々は、今思えば毎日が夢のようだった。自分が囲まれて過ごしてきたのとは異なる環境や文化の中に腰を据えて暮らすという体験は、刺激的だった。とくに印象に残っているのは、教室外での学生との交流だ。たとえば着任してすぐ、一人で日本から来た私を思いやって「先生、今日から毎日私たちと晩ごはんを食べましょう」と言って、本当に一学期中毎日晩ごはんに付き合ってくれた子がいたし（彼女たちにとって、一人で食事をするというのはひどく寂しいことらしい）、生活必需品を買いに行くと言えば、付き添って一生懸命値切り交渉をしてくれた子たちもいた。折に触れて食事に誘われ、いっしょに重慶名物の火鍋をつついた。「私の故郷に遊びに来てください」ということばに甘えて、学生に地元を案内してもらい、あげく図々しくも実家に泊めてもらったことも一度や二度ではない。

私が彼ら、彼女らにとってライバル学生でも商売敵でもなく、一応は丁重に扱うべき外国人教師という立場だったことも無関係ではないのかもしれない。しかしながら、それを差し引いても、私が中国生活の中で受けた数々の厚意は、人々のあまりあるホスピタリティー精神の表れだとしか思われない。学生に限らず、とにかく人懐こく人情に篤く、一度仲間だと思えばひとを自らの家族のように思いやる、というのが、私が中国で個人的な付き合いをしてきて感じた中国人の本性である。

重慶といえば歴史的にみて日本に対する特別な思いがある土地だが、そういうわけで、私は自分が日本人であるために嫌な思いをしたことはない。それは住んでいたのが都市部から遠く離れた地域で、私がそこでほぼ唯一の外国人という状況だったせいかもしれないけれど、日本から来たと言うと驚いてむしろ顔をほころばせてくれる人が多かったのは幸いだった。中国人の温かさに触れると、両国間の厳然たる暗い過去を思って不思議な気持ちになることもあったが、あるいは、一人と一人のひと同士が付き合うときには、目の前の相手がどんな人間なのか、どんな表情でどんなふうにこちらに話しかけてくるのか、といった対人関係上ごく当たり前なことのほうが重要なのかもしれないと思った。

任期を終えて帰国してから間もなく、政治的なすれ違いから日本と中国の関係が悪化しはじめた。当時、日本でも、かの地で激しいデモが行なわれる様子がさかんに報道された。それを見て不安や怒りや嫌悪を覚える日本人も多かっただろう。

しかし、実際に中国に行き、そこに暮らす人たちの生活を垣間見、その人たちがどんなことを考えながら日々を生きているのか少しだけわかった気がする。私には、こんなことぐらいでは中国人も日本人も互いのことを嫌いになったりしない、と思えた。帰国後、中国のどこかで災害や事故があったと聞けば、あちらで出会い親切にしてくれた人たちの顔が浮かぶようになった。同様に、日本で地震などが起きたときには、私のことを思い出してくれる中国人もいるかもしれない。両国の一人一人がそういう経験を持てば持つほど、国と国との関係が本当の意味で壊れることはないと信じている。

市原 佳子（いちはら よしこ）
二〇一一年三月大学卒業。同年大学院に進学するが、九月から休学、二〇一二年八月まで長江師範学院（重慶）日本語専攻の専任外国人教師を務める。二〇一四年大学院卒業。現在会社員。

コロナに負けない中国人シニアと共に

健康管理士　柴野　知也

今年一月二十四日から新型肺炎コロナウイルスの感染拡大で私が住む北京でもライフスタイルが急激に変化しました。私は二年前から中国北京市内で中国シニア（約千人）を対象に日本式健康講座を実施してきました。日本健康管理士の私が行う健康講座は中国人シニアからも実用的で役立つ内容が多いと好評を得ていました。そして地元行政からも支援を受けて実施しておりました。昨年九月からはその実績も認められシニアと交流ができる拠点にも恵まれたばかりの出来事でした。

中国の春節から多くの方々がネット上でライブ活動を始めている様子を見て、私はシニアにも必要になると感じました。すぐさま自分自ら体験し、シニアの方々にもどういった内容のライブに参加してみたいかなどのヒヤリングを開始しました。その結果こういう時期だからこそ楽しめるもの、日本のことも知りたいなどの多くの意見が寄せられました。私たちは皆さんの要望を提供できる中国人シニア講師を仲間の中から探し始めました。すると私たちの趣旨、特にシニアの皆さんのストレスが増える中、〝元気〟を出してもらいたいとの思いに共感して下さった〝切絵講師〟〝カメラ講師〟〝ウクレレ講師〟シニアの方々が協力して下さることになりました。

早速、二月末から中国人シニア講師（主に六十代）の方々を中心としたライブ交流を毎日公益活動として実施し始めました。

私たちが運営する美康国際ネット大学に携帯から簡単に参加できることもあり、最高齢は九十代の方まで参加して下さいました。ただ最初は中国人シニア講師陣もライブという初めての取り組みに順調とは言えないスタートでした。例えば、携帯上での簡単な操作に時間を要するなど、お互いに苦労の連続でした。そしてやっとの思いでライブ交流が実施されても、思ったような交流ができない、参加して下さる方から良い反応が得られなかったりすると気を落としていました。そんな時、ある悲しい知らせが飛び込んで来ました。それはある高齢者がマンションから飛び降りて自殺したとの内容でした。私はその悲しい知らせから、シニアの皆さんのライフスタイルの変化をもう少し正確に把握する必要があると調査を始めました。そこで下記の具体的な変化が分かりました。

一、多くのシニア関連施設や管理の厳しい住宅にお住いの方々は自分の意思で簡単に移動できない

二、一気に各業界が大規模リストラやリモートワークが続く中、急遽大家族となり毎日家族の世話に追われている

三、親の介護で不安を抱えながら緊張の毎日を過ごしている

という様々なライフスタイルの変化の中で大変な時期を過ごしている方々がいらっしゃるということでした。

そして私たちの声かけにお答え頂きました方々を中心に私たちの公益ライブの内容が本当に〝元気〟を与えられるものであるかどうかをお聞きしてみました。するとほとんどの方々から私たちの取り組むライブ活動に励まされました。今、唯一の楽しみです。等の貴重な嬉しいお声を頂きました。それを聞いて離れていても心を支えることが出来れば、ストレスを抱えるシニアの皆さんのお役に立てるのではないかと思い、続けていこうと決意しました。その決意にシニア講師陣も同意して下さり、更に新たなボランティア講師をご紹介して下さったり、シニアの講師自身も参加者に喜んで頂ける内容を提供することが生き甲斐になっていると話して下さいました。まさにシニアに活躍して頂くことこそが本当の健康予防につながり良い循環ができると確信しました。それからも毎日のライブを日々改善しながら続けておりました。その努力もありシニアサービス関連団体からも私たちの公益講座の内容を提供して頂きたいとの喜びの声も頂き更に交流の和が広がりました。

その頃、今の中国シニアに必要な日本のものは何かと私が考えついたのが〝食事〟についてでした。

それは自宅待機中においてどの家庭でも食事を作ることが必須でした。

まずは健康長寿を目指す日本の食生活を私がライブで共有させて頂きました。すると多くの方々から反響があり、更に実際にその作り方についても教えて欲しいとの

日本人シニアとの愛情家庭料理交流の様子（オンライブ画面）

声も多く頂きました。どうせなら私ではなく今年七十二歳になる私の母親（日本のシニア）にその役割をお願いしようと考えました。というのも以前、私の妹が末期癌に苦しんだ際にも栄養バランスはもちろんのこと、一手間加える愛情料理の力ですっかり免疫力を回復させました。私は手作り愛情料理の凄さと大切さを知っていましたし、今こそ中国に必要な要素だと感じていました。すぐに母親と連絡を取りライブを行うことになりました。

日本人の一般家庭の台所から「野菜具沢山の味噌汁」の作り方というシンプルだけど栄養満点で愛情いっぱいの日本伝統家庭料理の味噌汁の作り方を出汁の取り方から丁寧に中国のシニアの方々にお伝えしました。ライブ後も中国の医師を始め、多くの反響を呼びました。その多くは日本の家庭料理の素晴らしさが分かりました。私も愛情料理にチャレンジします。早速愛情料理を実践しました。等の中国シニアの多くの方々から喜びの報告と多くの愛情料理や家族の喜ぶ写真も頂きました。このライブ交流を通じて中国シニアの皆さんの愛情あふれる気質、学ぶ意欲の高さ、その実行力の早さ、そしてすぐに誰かとシェアしたいと思う発信力の強さに私も母親もとても驚きました。同時に母親は中国シニアの皆さんに喜

中国人先生のウクレレ交流（オンライブ画面）

んで頂けたことで今までにない喜びを感じたようです。そして何より今までの中国に対するイメージも変化したようでした。特に日本では家族関係が気薄になる中、中国シニアの皆さんが作られた愛情料理の写真を拝見し、私だけでなく多くの誰もが幸せな温かい気持ちになり、明日への生きる力をもらったことでしょう。そしてその時、写真にはすごい力があると感じました。

ちょうどその頃、海外での感染拡大が進んでいました。ライブ交流で感じた中国シニアの愛情や勇気あふれる写真を世界の人々とも共有できればと考えておりました。そして国際シニア同士がお互いに共通したテーマで発信し合う機会を作りたいとの思いから「国際シニアフォトコンテスト」を私たちと同じ理念を持つ清華大学シニアクラブの方々と一緒に主催することを決めました。

中国シニアを中心に海外日本にも呼びかけたところ、日本シニアや医療介護施設からも多くの作品を応募頂きました。その中から「勇気、愛情、希望、感動」を感じられるものをテーマとした百十四点の作品を選び、採点基準の半分はネット上での公開投票としました。二週間の投票期間内に八万ビュー以上のアクセスと多くの方々から共感の声が寄せられました。

私は新時代に合わせたシニア同士の国際文化交流という取り組みを通じて、中国人シニアと共に考え実践することで、ボランティア精神と愛情に溢れた多くの中国シニアの方々と出会うことができました。そして多くの日本のシニアにも中国シニアとのライブ交流を通じて中国人シニアの魅力ある姿をお伝えすることができました。これから人生百年時代と言われる中、同じシニア同士がそれぞれの人生を豊かに歩んでいくにあたり、どんな状況においても希望を与え合えることの大切さ。共感できる仲間を作ることは大きな心の支えになると同時に色んな考え方に触れることで視野を増やし、頭を柔軟にすることで家族や次の世代の人々とも円滑に付き合えることが多々あると分かりました。またどんなにＩＴ化が進んでも人を強く元気にさせる力はやはり人と人との繋がりであると実感させて頂きました。

これからも多くの中国と日本のシニア同士に活躍して頂ける舞台を提供し、新時代の国際文化交流活動を進めて行きたいと考えております。

柴野 知也（しばの ちや）
大阪出身の日本人女性。大学在住時中国からの留学生と交流し中国に関心を持ち、卒業後は台湾企業に就職。中国関連ビジネスを十五年以上経験。十年前に父親の介護を機にシニア関連ビジネス業界に転身。五年前から北京を拠点に中国シニア関連の新規ビジネスに取り組み奮闘中。今まで出会った中国人シニアは三千人。

三等賞

萩の絵が結んでくれた中国との縁

医療機関社員　松山　美奈子

中国と私を結んでくれたのは「萩の花」の絵です。
学生時代、百号の大きさに挑戦して描きあげ、学祭に出展した日本画「萩の花」の絵は、創立者・池田大作先生のご提案で「北京大学との交流に持っていきましょう」との話になったのです。

萩は、たおやかな枝に赤や白の花を咲かせます。控えめながら、たくましさも感じさせられ、花言葉は「柔軟な精神」。そのようにとの思いを込めて描きましたが、一学生の絵を日中交流の一端として使って貰えるという光栄に、未だ、自分の目で見たこともない、行ったこともない中国は、その時から憧れの地となりました。

いつか、中国へ行きたい、できるなら、自分の絵が北京大学に飾られているのをこの目で見てみたいと思いは膨らみました。

卒業後、社会人として仕事をする中、有志で美術交流団を作って訪中すると聞き、その一員に入れて貰って、北京、西安、南京などの七都市を訪れたのは、一九八二年のことでした。

初めて訪れた中国では、美術館、博物館、故宮等々、歴史的な文化遺産を巡り、時には人民公社や公園など、自分の感動した場所を写生しながら回りました。墨絵の世界のような街並みに喜び、中国の悠久の歴史に胸がときめいたのが、懐かしく思い出されます。

ある街では、お爺さんが「あなたの描いた絵と、私の描いた掛け軸を交換しましょう」と、掛け軸を下さり、その方の絵の方が、何倍も素晴らしいのにと思いながら渡した事を覚えています。絵や美術の持つ交流の花は、至る所に咲きました。私にとって、初の中国、そして、感動の二週間が終わり、言葉が話せたら、もっといろんな交流が出来たのではないかと思う場面がたくさん有り

「萩の花」の絵。北京大学との交流で海を渡る

ました。語学の必要性を痛感した私は、帰国後に、出勤前の早朝中国語講座に通い始めたのです。そして、もう一度中国に行こう、今度は生活をしたい、墨絵を習って、日本画と合わせたような絵も描こう、北京大にも行って絵を探すんだ、と夢を更に膨らませました。

そのお蔭か、縁あって、中国関係の仕事をしている人と出会い、「いずれ中国へ行きますよ」との言葉にもときめいて結婚。その後、一九九〇年に念願の北京駐在が決まり、駐在員の家族として赴任し、天壇公園の近くのマンションでの生活が始まったのです。

当時、小さな子どもを抱えていましたが、我が家に来てくれた中国の阿姨さんは、とても子どもを可愛がってくれました。我が子以上に愛情を注いでくれるので、お蔭で私は、安心して子どもを預けながら、北京師範大学等にも通えたのです。生活の中で阿姨さんと話すと、身近な言葉も教えて貰えて、餃子や饅頭といった中国料理も教わりました。

また、王府井の中央美術学院の先生に墨絵を習う事もでき、春蘭から竹・梅・牡丹など、墨絵の画材になる花の描き方から山水画まで、墨の持つ濃淡の美しさを教えて貰いました。ひと筆で勢いよく描かれる世界は、何度も色を重ねる日本画とは、また違った美しさがあり、感銘を受けました。本当に夢が叶った幸福な日々でした。一九九二年には、日中国交回復二十周年の佳節を迎え、様々な行事にも参加させて頂き、歴史の時に北京にいた事も幸せの一つでした。

北京大学へ何度か足を運んだのですが、あの広大な大学内で、残念ながら絵を探す事は出来ませんでした。たとえ私の絵が北京大学に無かったとしても、その話のお蔭で夢が広がり、こうして実際に中国で生活が出来たという感謝は尽きません。駐在生活は六年半でしたが、中国の地でたくさんの方と出会い、多くの思い出を刻み、夢を実現できたとの幸福感を抱いて帰国しました。

帰国後は、日々の生活や、二人の子供達との関わりに時間を取られましたが、長女は幼少期に過ごした中国が忘れられず、清華大学に留学を果たし、今は外資系企業で英語、中国語を使って仕事をしています。息子は第二外国語で中国語を取ったくらいですが、今はＩＴ関係に従事。主人は変わらず、中国と日本を行き来しながらの仕事なので、繋がりを大切にしながら、近いうちに中国に事務所を出したいと希望しています。

子ども達も自立し、社会人になった今、私は、ＮＰＯ法人「まちの塾フリービー」で、中国人担当講師として、中国から来た子供達の勉強サポートをしています。今年の春も、四年間関わってきた李君が高等専修学校へ無事入学したことはとても嬉しかったです。

これまで、中国の友人と繋がりながら、中国語も忘れない程度に続けてきましたが、もっと中国語を学びたいとの思いが膨らんできています。更に、私と中国を結び付けてくれた「萩の花」の絵も、描きなおして再現したいと今、日本画も学び直しているところです。コロナが終息した後には、人生の総仕上げとして、中国でもう一度生活し、水墨画を学び、美術交流をしていくのが私の夢です。幾つになっても叶えられない夢はないとの新たな気持ちと、「柔軟な精神」で進んで参りたいと思っています。

松山 美奈子（まつやま みなこ）
山口県出身。創価大学卒業後、一九八二年八月美術交流団として初訪中。在学中より日本画に親しむ。夫の仕事に伴い、一九九〇年から一九九六年まで北京駐在。帰国後、中国の子供の学習サポートなど携わる。現在、病院勤務。

それぞれの恋愛観

会社員　千葉　由貴

私は二〇一六年から二〇二〇年の四年間北京の大学に留学していた。その四年間の中で多くの経験をした。四年間も北京で生活をしていたので、中国人の生活により密着していたし、中国のリアルな部分に触れることができていたと思う。

私が思う「中国のここが好き」は、恋人同士の付き合い方だ。留学する前はどういう付き合い方をしてるかなんて全く想像ができなかったし、したこともなかった。中国人の若者の付き合い方を一言でいうと、「いつも全力」だ。全力で愛を伝え、全力でぶつかる。よく街中で若者のカップルが人目もはばからずケンカしているのを見ると、お互い全力なんだなと感じる。最初のころは人が見ているところでみっともないと思ったりもしたが、言いたいことも言えず、なあなあな関係で自然消滅、またはＬＩＮＥで一言別れようと言ったりするほうがみっともないじゃないかと思うようになった。

中国の若者は平気で人前でいちゃつくし、ＳＮＳでもこれでもかというくらい自分の恋愛を発信している。ただの自慢かと思われるかもしれないが、それだけではない。世に自分の生涯の伴侶になるであろう人を発信する＝責任と覚悟を持つことを意味していると私は勝手に解釈している。中国人は世界の中でもかなり面子を大切にする国民だ。もちろん人にもよるが、一度世に自分の恋人を発信してしまったら、簡単には別れられない。自分のプライドが許さないと思う中国人が多いからだろう。少し極端だと思われるかもしれないがあながち間違ってないと思う。

中国人カップルは彼氏・彼女の中で割と役割がはっきりしていると思う。簡単にいうと、彼氏はスーパーマンで彼女はプリンセスだ。スーパーマンはプリンセスを喜

2019年、北京市にて友人と

ばせるためにあの手この手を使い、プリンセスはスーパーマンに嫁ぐ価値があるかどうかをジャッジする。言いたいことは何でも言うし、どうしてほしいかも遠慮なく伝える。

私は何でも言い合える関係を自然に築けるのは、お互いに良いことだと思った。日本で俗にいう、言わなくてもわかりあえる、つながっているは存在しないのだ。言わないとわからないし、伝わらない。言えなくてモヤモヤしてる時間でお互いの愛を確かめ合ったほうがよっぽど二人の未来にプラスになると思う。

実際私も中国人とお付き合いしたことがある。文化も言語も生まれ育った環境も違う人と関係を築くのはとても難しかった。彼はとてもゲーム好きで私にかまってくれない日があった。ある日夕食は何を食べるかという話になったときに彼は真っ先に「デリバリーでピザを頼もうよ」といった。多分ゲームをしたかったからだと思う。私は外に食べに行きたかったが彼を思って我慢した。何日もそんな日が続いて、私はずっとモヤモヤしてある日とうとう不満をぶつけた。てっきりわがままだなとかと言われると身構えていたが「気づかなくてごめん」と言われた。彼と過ごす時間の中で驚くことや、傷つくこともあったが、思ったことを素直に言えて、それを受け止めてくれた彼にとても感謝している。ありのままの自分でいれたし、わがままになってもいい関係性を自然につくれることに感動した。ロマンチックなことを平気ででてきちゃうのも、日本で育ってきた私には新鮮だった。

ある日、私は寮で大事な試験に備えてテスト勉強していて、夕食をどうしようか考えていたら、彼が手料理を持ってきてくれたことがあった。てっきり一緒に食べるのかと思っていたら彼は授業に遅れるといって行ってしまった。後からわかったことだが、彼は授業と授業の間のほんの一時間で私のために料理を作り、走って届けてくれたのである。留学中も宿題を添削してくれたり、病院に付き添ってくれたり、会うたびに私の荷物をもってくれたりと、些細なことかもしれないが、異国で心細い私にとってはそれがとても温かった。

中国語に〝細節打敗愛情〟という言葉がある。小さなこと、些細なことが積み重なって、これから先の愛情が保つかどうかを決めるという意味だ。大げさかと思うかもしれないが、生活は一日一日の積み重ねであり、愛情も一日一日ゆっくりと育むものである。つまり記念日や大事な日に何をしてあげるかではなく、日々の生活の中でどのように接するかのほうがよっぽど大切なのである。

お互いに対してオープンでストレートに何でも言える関係性を築ける中国人の若者の付き合い方が私は好きだ。いいことばかりではないのは重々承知だが、これからますます複雑化する社会で、恋愛くらいは遠慮なく自分をさらけ出せて、自然体でいられるくらいわかりやすくあってほしいものだ。

中国へ留学しなければ、日本人の恋愛の関係性について何の疑問も持たなかっただろうし、自分の恋愛観が変わることもなかっただろう。心から一生の思い出に残る留学生活だったといえる。機会があればまた訪ねたい。

千葉 由貴（ちば ゆき）

現在二十二歳女性。一九九八年に岩手県一関市に生まれる。十八歳まで岩手で育ち、高校卒業後四年間北京外国語大学に入学する。卒業後、中国語を生かせる企業に就職。

三等賞

パンダと私の物語

自営業　船木 智美

中国から贈られたパンダ「ランラン」「カンカン」が上野動物園にやって来たのは一九七二年、私が三歳の時だった。祖母に連れられてパンダを初めて見た私は、その魅力に取りつかれてしまった。お土産に買ってもらったパンダのぬいぐるみは私の宝物になり、毎日パンダと一緒に寝た。保育園でも小学校でも、お絵かきと言えばパンダばかり描いた。そして「いつか本物のパンダを触りたい、抱っこしたい」と夢見ていた。

パンダを触るには、どうしたら良いだろう？　上野動物園に勤めたとして、パンダの飼育担当になれるのだろうか？　残念なことに、自分には理系科目がさっぱり振るわなかった。好きなことが必ずしも仕事にはつながらないという現実にぶつかる瞬間だった。

就職は両親の勧めもあって、公務員試験を受けた。実家からの通勤で給料の大半は自分の好きに使えるという恵まれた環境。私は、いわゆる「パラサイトシングル」だったのだ。

そして社会人生活にも慣れた頃、仕事帰りに通える語学教室を見つけ中国語の勉強を始めた。学生時代の英語の授業では、英会話が身につかないと実感していたので、中国語は会話ができることを目指した。クラスメートは同年代のＯＬで、旅行で中国語を使いたい、いずれ留学したいと考えている人たち。彼女たちから多くの刺激を受け、「学ぶことの楽しさ」を知った。

勉強を始めて一年目のゴールデンウイークに初めて中国を旅した。二泊三日の北京滞在中、フリータイムが一日あり、独りで北京動物園へ向かった。目的は勿論、パンダに会うためである。

地下鉄を降りると、方向音痴の私は手元にある地図を見ても、どちらに動物園があるのかわからなかった。そ

1999年5月、四川省蜂桶寨熊猫繁殖基地にてパンダと一緒に撮る

こで、いかにも動物園に行きそうな親子連れに道を尋ねた。彼らは私の拙い中国語を理解して一緒に動物園まで歩き、更には入場券まで買ってくれたのだ。現地に住む人との会話の楽しさを知ると同時に「もっと中国語を勉強してまた来たい」と思った。

その後、年に二回は中国を旅し、各地の動物園でパンダを見た。上野動物園ではガラス越しにパンダを見るのに対して、中国では屋外で活動する「生の」パンダを見られる。パンダという生き物は本当に不思議だ。ただ眺めているだけで人を笑顔にしてしまうのだから……。

その後二〇〇〇年代になって、夢のようなツアーに出会う。「四川省の自然保護地区見学と野生のパンダを探すツアー」企画したのは秘境ツアー専門の旅行会社だった。

このツアーなら野生のパンダを見つけられなかったとしても、繁殖基地でパンダと一緒に写真を撮ったり触ったりできる。参加者もかなり旅慣れた「秘境マニア」たちだった。

行程は、関西空港から広州経由で成都入り。一泊して翌日、バスに揺られておよそ二百キロメートル移動。雅安という町で一泊。またバスに揺られてパンダ繁殖基地に到着。ここで二歳くらいのパンダに出会った。けがをして保護された野生のパンダで、けがが治り野生に戻す訓練中だという。飼育員がえさをやり、「パンダが食べることに集中しているうちに背後から近付いて下さい」と指示される。言われるままにパンダに接近し、背中から抱きついて写真を撮った。ごわごわして犬の毛のようだった。ぬいぐるみのようにふわふわではないのだ……。「パンダを触る」という夢を叶えた瞬間だった。当時の写真をFacebookの壁紙で使った時、友人はぬいぐるみだと思ったようだ。「実は本物のパンダ」と話してもなかなか信じてもらえない。この機会に当時のことを書いてまた思い返す。するめいかを噛んで味が染み出すように、何度も味わえる。パンダツアー話は私にとって最高のごちそうだ。

　その日は繁殖基地の背後に広がる山中に入り、テント泊。細々したことは現地ガイドがやってくれるのだが、驚いたのは食事のこと。キャンプ中に作る食事の定番は、日本ならカレーライスだろうが、やはり中国。野外でも中華鍋を使って、炒め物を数種類作るのだ。これも強烈なエピソードとして記憶に残っている。

　そして翌朝、野生のパンダを探して山中を歩く。残念ながら発見には至らず、パンダが寝ていたと思われる場所に案内される。笹が押し倒されてできた窪みの中にパンダの毛が落ちている。そこで白と黒一本ずつ拾って持ち帰る。これも私の宝物として今も大切に保管されている。

　あれから二十年の時が流れたが、夢を叶えた自信は次のステージに進むきっかけとなり、今の自分を支えている。今もパンダが大好きで、生まれ変わったらパンダになりたいとさえ思う。偶然だが今の勤め先は上野動物園の近く。職場での呼び名は「ふなぱん」だ。

船木 智美（ふなき ともみ）

一九六九年千葉県松戸市生まれ。大学卒業後、税務署勤務。一九九八年頃から中国語会話の勉強を始める。「パンダを触る」夢を叶えた後、婚活をして二〇〇三年結婚、江戸川区へ転居。二〇〇六年税務署を退職。二〇一〇年長男出産。経理事務とそろばん塾でのパートをしながら起業準備。二〇一九年十月合同会社叶や設立。

そして中国　ず〜っと中国！

自営業　鈴木　潤子

大学で選択する「第二外国語」通称「二外（ニガイ）」は、私の通った大学の場合、必修は一、二年次だけで、三、四年は任意。それなのに、私は、四年まで選択しました。「それなのに」の逆接の中には、ギリギリ単位で卒業したい大学生が、なんで任意科目を最後までしっかり履修したんだ？ということのほかに、「英文学科は英文化や文学を修めるところなのに、なんで英文学科の人間が中国語Ⅲ・Ⅳまで？」というところまで含まれています。そして、私自身、なぜニガイを続けることができたのか、なぜ中国に惹かれたのか、未だに分からない。確実なのは、中国の映画が好き、胡同が好き、小鳥のかごを持ったおじさんが好き、元気な女性たちが好き、八角の香りが好き、四大文明で唯一生き残っているその文明の偉大さが好き、堂々と意見を言う気質が好き、好き、好き……。こんな不思議な、山盛りの好き・好き・好きです。

四年次の中国語クラスは五人だけで、私以外の四人すべてが上海、広州、台湾に留学していた人たちでした。当然、英文学科は私だけで、他は全員国際関係学科。だけど、みんな優しかったし、先生の苗字は「サイジョウ」で、みんなで「ヒデキ！」と呼んで楽しかったし、ヒデキは家に呼んでくれて本場の水餃子の作り方を教えてくれたし、留学組の四人も、ヒデキも、みんなして私の成長を応援してくれたおかげで、卒業までに何とか私も中国語検定準二級をゲットすることができたのです。

在学中に尋ねた桂林では、「南方飯店」という小さな宿に滞在しました。宿の前には屋台のあったかいオレンジ色の電球が連なっていて、幼少期楽しみだった稲荷神社の縁日そのものでした。おじさんたちおばさんたちが小姐小姐！　とバンバン声をかけてくれました。夕飯食べよう、明日の果物も買おう、とうろうろしていると、

夫、義父母と訪れた広州で散策（1995年）

「你是短期留学生嗎？（あなたは短期留学生ですか）」と声がしました。探すと、すぐ目の前の果物屋さんの奥に腰かけて、ミカンの実を口につっこんでいる青年が、私を呼んでいました。「不是。我在旅游（いいえ、私は旅行しています）……」と、ほんのちょっと返答し始めたばかりで「中国語、うまいね！」と彼が叫びました。とても流ちょうな日本語でした。

北京大学生という彼は、メモ紙に自分の名を「葉斌」と大きな字で書いてくれました。「北京大学⁉　すごい！」と、叫ぶと「すごくないよ。ジュンコさん、香港人みたいね。ぼく、人民服着ていないから、よく香港人に間違われる」とジージャンの襟をピっと立ててにっこりしました。

屋台のおすすめの食べ物、旧正月の話、近くの射撃場の紹介など、葉さんは桂林に来たばかりの私にたくさん楽しいことを教えてくれました。そのうち、お互いの故郷の話になりました。「私は新潟が故郷だけど、知らないでしょ……」と話し始めたとたん、「に、にいがたああ〜⁉」と、屋台全体がひっくり返るほどの大きな声で葉さんが叫びました。彼がカバンから取り出したのは、なんと田中角栄の伝記本でした。「あなた、フタダムラの人!?」「何それ?」「ああ〜! 新潟の人なのに、フタダムラを知らないの〜!? 田中角栄が生まれたところでしょう!?」と、手のひらを額にあててそっくり返って「情けなや!」のオーバーリアクションをしました。田中角栄の伝記本(日本語の!)をめくりながら、日本人顔負けの角栄大好き論を嬉々としてぶつける葉さんの様子を見て、こんなにも日本を知ってくれている人が中国にいるなんて、とても嬉しく感じ、私も張り切って

「私も魯迅の『故郷』が好き!」と言いました。でも「魯迅? 暗いよね?」と一蹴されました。も〜葉さんったら! 滞在中に購入した「四季泰安」と書かれた花柄のかわいい小皿、中国滞在中見ない日はなかったコルクで栓する魔法瓶は、今でも使っている私の大切な中国土産です。

中国語Ⅳも無事終え、大学を卒業し就職した私でしたが、その就職先に、男性でありながら毎日自分で弁当を作ってくる人がいました。無口なその男性とはおかずを交換することから始まって、少しずつ会話が広がり、大学時代その人もニガイに中国語を選択していたことが判明し、互いに、「小潤(=わたし)」「小隆」とあだなをつけて呼ぶようになりました。

私が作った水餃子を、彼は「広州で食べたのと同じだ!」とそれは喜んでくれました。しばらくしてその人と結婚し、彼の両親も連れて、香港、広州、桂林を巡りました。

結婚してやってきた静岡県浜松市の農村には、驚いたことに、多くの中国出身の女性がお嫁に来ていて、元気いっぱいの家族を作っていました。「子育てが一段落ついたら私の故郷、南寧へ行こうよ」と、長男の同級生のお母さん、明(ミン)さんが誘ってくれ、もちろん私は「当然! 一起去吧!(もちろん、一緒に行きましょう)」と喜んで叫びました。

きっとこれからも、ずっと私は、中国と縁があり、中国が大好きであり続ける、嬉しい予感でいっぱいです。

鈴木 潤子(すずき じゅんこ)

一九六九年新潟県生まれ。シンクタンク「高橋データ処理」代表。津田塾大学学芸学部英文学科在籍中、国際関係学科に一人交じり中国語を四年間修める。広告代理店下請け勤務を経て「高橋データ処理」設立。二〇一一年より「浜松有機農業者マーケットの会」事務局長。中国のお嫁さんが多い地元で地域との橋渡しに張り切る。趣味は音楽鑑賞、語学習得、マンガ、料理。四川省のパンダ幼稚園に行くのが夢。

三等賞

中国訪問での思い出

大学生　戸田　幸亜

私は昨年の夏に、漢語橋世界大学生中国語コンテストの本選に出場するために中国の湖南省へ行きました。それまで大学の授業を通じて約二年間中国語を勉強してきましたが、これが私の人生初めての中国訪問でした。中国語が話される本場の地であり、いつもお世話になっている中国語を教えて下さる先生方や仲の良い中国人の友人の故郷に行けることに心から嬉しく感じました。

中国で過ごした十日間はとても有意義な時間でした。漢語橋本選では、世界中から集まった選手たちの中国語力に驚きました。私も彼らのように流暢な中国語を話せるように、もっともっと頑張ろうと強く思いました。また、彼らと出会い、世界中のどの国にも中国語を学んでいる人がいることを実感し、世界中の色々な国から集まった人たちが、大好きな中国で中国語を使って交流できるということがとても素晴らしいことだと感じました。大会本番のスピーチでは、中国語との出会いやこれまで沢山の中国人との出会えたことに感謝の気持ちを込めて、精一杯披露することができたと感じます。一緒に大会に出場した選手の中には、日本に興味のある人たちもました。私たちは日本語で会話をしたり、好きな日本映画について話したりしました。私は日本から遠く離れた国々の人達が日本に関心を持っていることや日本語を学んでいること、日本で昔から歌われている童謡を歌ってくれたことに驚いたと同時に感動しました。

また、中国に滞在した十日間の中で、沢山の中国人と出会いました。私は、本選に出場する私たちのサポートをしてくれた、一人の笑顔の可愛い女子大学生と親しくなりました。彼女は、私が本選に向けて中国知識問題を勉強している時、笑顔で話しかけてくれました。彼女は、自分に日本語の名前をつけて欲しいと言ったので、私は

2019年、湖南省にて第18回「漢語橋」世界大学生中国語スピーチコンテスト大会のアジア各国の選手、中国人サポーターと。最後列右から5番目が本人

彼女の中国名に「雲」という漢字が入っているのを知り、「雲さん」という呼び名を付けました。雲さんは、私の拙い中国語に優しく耳を傾けてくれました。日本が好きだという彼女は、私に、好きな日本の曲を教えてくれました。私が彼女のお気に入りの曲である、米津玄師の「Lemon」という曲を歌ってあげると、彼女はとても喜んでくれました。私は、雲さんが日本の色んな曲を知っていることに驚いたと同時に、日本の曲が大好きであることがとても嬉しかったです。私は彼女に、話したいことや聞きたい事が沢山ありましたが、中国語で言いたいことを上手く話すことができなかったことがとても悔しかったです。いつかまた会った時には、もっと色々な話ができるように中国語学習を頑張っていこうと強く思いました。また、夜になると一緒に大会に出場した色々な国の人達と、泊っているホテルの最寄駅から三つ四つほど先の駅で降りたところにある賑わっている街へ行きました。降りた駅で道に迷ってしまった時に、私たちは二十代くらいの女性の中国人に道を尋ねました。その方は親切に道を教えてくれました。彼女は、私たちのためにそのまま街を案内してくれ、私たちと一緒に色々なお店を回ってくれました。彼女はとても親切な人でした。

私は道に迷わなかったら出会う事のなかったこの出会いに感謝の気持ちが湧きました。さらに、泊っているホテルの近くにあるスーパーに行った時には、お店で働いている年配の女性が気さくに話しかけてくれました。彼女は私にどこから来たのか、何歳なのか尋ねました。将来、再び湖南省に行った時にはそのスーパーに訪れ、またその女性と交流できたら良いです。

また、本選の大会がある間は湖南省にあるホテルに泊まっていたので、自分の足で湖南省の土地を歩く機会が沢山ありました。真夏の湖南省の町を歩きながら、一生懸命に鳴いているセミの声を聞き、夏空を見上げ、中国の夏を身体中で感じることができました。漢語橋の大会を通じて、湖南省に訪れることができ、心優しい人たちと出会えたこと、素敵な中国の町を知れたことに心から感謝しています。

中国で過ごした十日間はとても濃厚で、実際の中国を自分の目でみることができました。また、十日間という短い時間でしたが沢山の中国人と出会うことが出来ました。その時出会えた人たちとの交流はとても楽しく、これからの中国語学習や人生において大きな刺激や励ましとなりました。さらに湖南省に行き、その町の魅力を感じたことで、これからの人生で中国における東西南北のすべての地域に行ってその地の人々と交流したいと思いました。この中国訪問で多くの人々と出会い、国が違う人と人との出会いが、国と国に橋を架けるのだということを、身を持って体験することができました。また中国に行ける日を夢見て、これからも中国語学習を頑張っていきます。

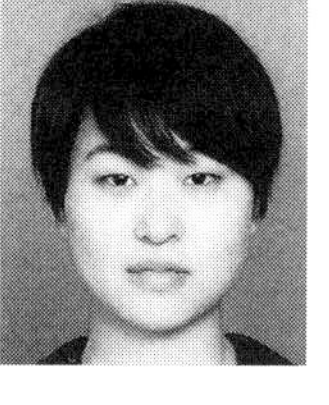

戸田 幸亜（とだ さちあ）

武蔵野大学グローバル学部グローバルコミュニケーション学科四学年所属。一九九七年新潟県長岡市生まれ。武蔵野大学入学後、授業を通じて中国語の勉強を始める。二〇一九年度第十八回「漢語橋」世界大学生中国語コンテスト日本予選を通過し、中国にて行われた本選に出場。中国語を学ぶことや中国文化に触れることが好き。太極拳二四式や中国の歌を鑑賞することが趣味。中国全土を巡ることが夢。

初訪中体験「武漢」

短大生　畠山　友里

日本の様々な観光地や公共機関では、英語の他中国語や韓国語など、複数の言語で表記されているものが増えてきました。その中で私は、世界で一番話者が多い中国語を話せるようになりたいと思っていました。短大に入学してから国連の共通語にも指定されていると知り、中国語を学び始めました。私の短大は毎年武漢市の江漢大学から留学生を受け入れています。昨年は六人が来日し、彼女たちの日本語の使い方や発音等をサポートするとともに、私も中国語の発音を聞いてもらう等、親しく交流していました。その後、全日本中国語スピーチコンテスト大分県大会に挑戦し、朗読の部において優秀賞を受賞しました。昨年は、大分市と武漢市が友好都市締結してから四十周年を迎え、武漢市で記念式典が開催されました。幸運なことに、スピーチコンテストで受賞した自分も招待され、念願の初中国を果たすことができました。

十一月二十日から二十三日までの四日間、大分市日中友好協会訪問団の一員として、中国湖北省武漢市に行きました。武漢空港に到着して、周りが漢字だらけの世界に圧倒されました。レストランでは私の知っている中国料理とは異なり、本場の中国らしさを感じました。円卓テーブルには様々な料理があり、日本で生野菜として食べるものでも加熱調理のものばかりでした。大皿で出された煮魚は川魚のようで、小骨が多く食べるのが大変でした。一番目を惹かれたのは、フルーツです。フルーツの盛り合わせと一緒にオレンジや西瓜の皮で作られた飾りもあり、どこのモニュメントかなと考えさせられるくらい芸術的なものでした。中国の料理はどの食事でもフルーツが出るようで、これが出ると料理の終わりの合図だということを教えてもらいました。

中国に着いてから最初に足を運んだ場所は、唐詩でも有名な黄鶴楼でした。私は小学生の頃から漢詩・漢文に興味があり、杜甫や李白、孟浩然など中国の詩人も耳にしていました。中に入ると巨大な絵が飾られており、鶴を中心に草や花、李白などの古代の詩人が描かれていました。黄鶴楼に登った所からは、黄鶴楼の屋根の造りや、武漢長江大橋を遠目に高層マンションが立ち並び、発展した武漢の街並みを眺めることができました。

夜の祝賀会では副市長さん方が各テーブルに挨拶に来られ、私たちがスピーチコンテストに出場し中国語の勉学に励んでいることを添乗員さんが通訳してくださいました。同席していた中国人の方と中国語でお話をしましたが、今まで耳にしたことのある単語であっても頭の中で漢字が思い浮かばず、返答に時間がかかりました。ネイティブの方が話す中国語、四声の聴き分けが難しいなとも感じました。現地の方と会話が出来る楽しさを味わうと同時に、自分の単語力のなさを痛感しました。改めてもっと耳を鍛えなければと思いました。その後、皆で夜市に出かけてみました。散策していると出店を見つけ、

晩餐会のコース料理よりフルーツの盛り合わせ

店員さんに「多少銭?(いくら?)」と尋ねて言葉が通じたときは感激しました。

三国志の赤壁の戦いの地、赤壁古戦場にも行きました。岩壁に書かれた「赤壁」の文字を見たときは、千八百年以上も前に繰り広げられた戦の跡が今も残っていて、時代を風化させていないのだなと思いました。更に鳳雛庵やクリフ石刻も見ました。

移動を含め四日間という短い旅でしたが、スピーチコンテストに出場したことで貴重な経験をすることができました。私が今まで認識していた中国は、メディアから伝わってくるほんの一部だけでした。今回訪れた武漢は中国で四番目の大都市にあたり、東京より大きいそうです。交通量もとても多く、車のクラクションが三十秒に一度聞こえてきました。ヘルメットを被っていない状態で走行しているバイクを見つけたので質問してみると、電動バイクだと教えてくれました。この電動バイクは免許がいらず、十八歳以上なら誰でも乗れて自転車と同じように横断歩道を渡れると聞き、日本との違いに驚きました。武漢には日本の大企業もたくさん進出しており、中国の生活に馴染んだ物も造り上げているのかなと思いました。

翌月、武漢で謎の肺炎が流行していると話題になり、年明けにはそれが新型コロナウイルスによる大規模感染だったということが分かりました。現地を訪れ更に武漢からの留学生が傍にいた私としては、心が痛む出来事でした。大分市では春節祭を行う予定でしたが、急遽チャリティーイベントに変更し武漢へエールを届けました。新学期に入って江漢大学からは様々な支援物資が届きました。武漢に無事に帰国した留学生からも日本を気遣ってくれる声が届き、次にいつ会えるかはわかりませんが、深い交流ができたと思っています。

今回中国に行ったことが、更に今後の中国語の勉強の後押しになりました。言葉の壁を乗り越えて誰かの役に立てるよう、これからも日々励んでいきたいと思います。

畠山 友里(はたけやま ゆり)

大分県立芸術文化短期大学国際総合学科に入学後、中国語を学ぶ。二〇一九年十月全日本中国語スピーチコンテスト大分県大会に出場。朗読の部優秀賞受賞。十一月大分市と武漢市の友好都市締結四十周年記念式典に参加し、初めての中国、湖北省武漢を訪れる。

日本人が忘れかけている「長幼の序」の美魂に中国で出逢う

会社員　新井　博文

二〇一八年某月某日、夕方上海で地下鉄に乗った。タクシーで移動するには時間がかかるので地下鉄に乗った方がよい。

その日は、お客さんとの交渉が重かった。「納期が長い、十二カ月を九カ月にせよ」「金額があまりに高い、半額にせよ」というのがお客さんの言い分だ。いつものこととは言え、脳裡に課題は染み入って離れない。通勤ラッシュ時だから、地上だけでなく地下鉄の電車もそれなりに混んでいる。車輛に乗り込んでドア前の真ん中に自分の立ち位置を確保した瞬間、一人の青年が人混みをかき分けて私の方に近寄ってきた。電車を降りるタイミングを失った青年なんだろう、と思っていた瞬間、私の肩を叩き、来た方向を差し示して何か言っている。通訳言わく「席に座ってください、と言っているから座ったらどうですか」と言う。

私たち一行は、五十代二人、六十代初めの通訳、そして私六十八才である。

私は、座りたいほど疲れてはいないし、電車に乗っている時間も長くないので、座るには及ばないと思ったが、次の瞬間「彼の気持ちを有難く受けよう」という気持ちに変わった。立っている乗客に「すみません、すみません」と言いながら彼がいざなう席にたどり着いた。すると座っていた青年女性がスッと立って席を空けてくれた。

二人はカップルで、彼女が席に座っていて、彼は彼女の前に立っていたのだろう。二人のどちらかはわからないが、ドアが開いたときに私が乗ってくるのを見て取って、席を譲ろうということになったにちがいない。席は彼女が確保しつつ、彼が私を呼びに来て席に案内したのだ。「長幼の序」の一例だ。

私は、今年七十才を迎えた。顔こそしょっぱい顔をし

吉林省中朝国境の町、図們市で（対岸は北朝鮮）

ているが、自分で「顔も姿形」も、同年の人たちのなかでは、若く見える、と思っている。ただし「年配」と見える点が一つある、白髪であることだ。白髪は、年長者と思わせる説得力のあることも気付いた。ただ、最近は髪の数が少なくなった上に、短髪にしているので、白髪効果は薄れた。反対に、白髪効果に代わって、事実「歳かさ」を増した。

「席」を譲られること、が始まってかれこれ十年余りになる。しかも中国でだ。地下鉄とバスで、上海に限ったことではない。中国大陸のあちこちをビジネス出張で旅をするが、どこに行っても「席を譲られる」という現象は起きる。北京空港の早朝にもこんなことがあった。

時間間際のゲートイン、この日はあいにく搭乗ゲートから地上をバスで駐機場まで移動することになった。バスに飛び乗った瞬間、後方座席に座っていた若者が、立ち客を押しのけて、私のところに来た。私は、何が起きたのかと思った。なにか間違ったことをしてしまったのか、と一瞬自分を疑った。乗客でいっぱいなうえに、駐機場までは短い時間でもあり、乗客が自分の居場所・立ち位置に落ち着いてバスの発車態勢が整った頃合いの正に発車直前であったから、わざわざ後部座席からドア付近までやってくるとは想像もしなかった。

座っている目の前に、年配者が現れたというならまだしも、席を譲るために混雑している乗客をかき分けてまでやってきたり、離れたところから声をかける、という心持ちには心を動かされる。

これが、数年に一度あるかないか、ということではない。私は、年に十回ほど中国に出張する。毎回電車に乗ったりバスに乗るわけではないので毎回ではないが、電車やバスに乗ると高い頻度で若者に席を譲られる。「長幼の序」の、道徳観がしっかり根付いていることを実感する。

「長幼の序」を改めて意味を調べてみると、〝年長者と年少者との間にある秩序。子供は大人を敬い、大人は子供を慈しむというあり方〟とある。年少者や子供が年長者や大人を敬うだけではなく、反対に、年長者や大人が年少者や子供を慈しむことで、どちらも大切である、と解説がある。

これまで、席を譲られた数だけ、若者たちになにか恩返しになることをしてあげないといけないと思っている。しかし、コロナ感染というこの時期に中国に行けない。ふと考える。自分ができることから始めよう。日本でもよいではないか。いずれ、中国を訪れる機会が戻る。

自分がお世話になってきた分の恩返しを社会にする、小さなことでもよい、アクションを起こす。「他人」にしてあげる。折しも今日は今年一番の夏日であった。マンションの垣根の剪定があった。若者四人が汗だくで剪定作業をしていた。持参してきた冷えた水もこの暑さでは温まっている。冷えたペットボトルの水を四本差し伸べた。

人は個人だけでは生きられない。社会の中で生活する。生活するためには、秩序が必要となる。人が、社会が忘れようとしている人の心のあり方を、中国という大陸で改めて気づく。中国では「長幼の序」という美しい心もちに、まだ沢山出会える。ＡＩが珍重される時代にも貴重なことの一つだと思う。

新井 博文（あらい ひろふみ）

一九五〇年一月生まれ。大手鉄鋼会社を経て、環境改善を事業とする会社で中国を担当している。イタリア・ローマで日本人学校を設立（一九九〇年四月）以来ローマにこの学校がある。鉄鋼プラント、廃棄物焼却プラントを多数、中国、豪州、インドなどに納入、稼働している。

中国は活気あふれた温かい国

高校生　吉岡　菜々美

中国に悪い先入観を持っていた私は去年の夏、中国を訪れた。それが私にとって初めての海外渡航であった。中国に行くことになったのは学校での留学プログラムに応募したからだ。それは中国の中でも経済が発展している香港と深圳に行き、世界基準で経済の様子を感じることができるプログラムだった。

私は中国に行く前、中国に対してマイナスのイメージを多く持っていた。日本のメディアなどでも中国に関して否定的な報道が目立ち、特に中国に行きたいという思いはなかった。しかし、高校生になってからの中国語との出会いが私にとって大きなものとなった。高校二年生の時、言語選択があり、私は中国語を選んだ。その時中国語を選んだ理由は、言語の中でも漢字が使われていて、一番簡単そうだなという単純な理由だった。しかし、中国語を学んでいくうちに言語だけでなく、中国の歴史や文化を学ぶことができ、興味を持つようになった。中国語の先生が話してくれる内容はテレビのニュースで見るような中国とは違った新たな一面もあり、本当の中国は私が持っているイメージとは違うのではないかと思うようになった。それから実際に自分の目で確かめたいと強く思うようになった。

そして、学校のプログラムで中国渡航を見つけた。これまで私は海外に行ったことがなく、応募することにためらいもあった。しかし、せっかくの機会だし、挑戦してみようと思った。そして、中国へ行けることになったものの、楽しみという感情や早く行ってみたいという思いと同時に不安も多くあった。初めての海外で慣れないことばかり、わからないことも多かった。しかし、事前学習で多くの人の助けもあり、楽しんで学習に取り組むことができた。

2019年、深圳華強北の風景

　私はこれまで、中国に対してマイナスイメージばかり持っていた。しかし、それらはすべてテレビのニュースなど間接的に得た情報ばかりだということに気が付いた。私が中国に行って学んだ大切なことは、実際に自分の目で見る大切さだ。私が中国で過ごしたのは、深圳などの都市で多くの工業者たちの集まる活気あふれた場所や、中国人のやさしさを感じた時間だった。

　例えば、世界最大の電気街といわれている華強北に訪れた時、私はモノづくりのすごさに圧倒された。私は深圳が発展していくのを目の当たりにした。家電などのすでにできている商品が並べられているのではなく、その商品を作るための細かい部品が売られていたのである。さらに「ボム」というものの存在にも驚いた。深圳では新しいものが発売されると技術者たちがこの製品を分解し、作り方や必要な部品などが書かれたボムを作成する。そしてそれをもとに他の技術者が同じ製品をより安い部品を使い、再現するのである。深圳ではこのボムが作られ、真似されることが、よりよい製品を生み出すことにつながっているのだ。多くの技術者が互いに切磋琢磨していることが深圳の経済を支えているのではないかと感じた。

また、私は中国人の温かさも感じた。これは実際に行くまで感じることはできなかった。中国人は過激なデモを起こしていて、冷たい、怖い、そんな印象が私の中にあった。でも、実際に出会った中国人はそんなイメージを大きく覆した。ショッピングセンターで買い物をしていた時、優しい対応をしてくれた中国人の店員さんに出会った。その店員さんは中国語を読めず、話せず、戸惑っていた私にジェスチャーで商品の説明をしてくれた。それでも私が理解できなかった時には、根気強く、丁寧に、必死に説明しようとしてくれているのが伝わった。たとえ、話す言葉が違ったとしても、必死に伝えようとしてくれていることに感動した。私も日本で外国人と出会ったとき、優しく接しようと心に決めた瞬間でもあった。

また、この経験を通して言語についても興味を持った。英語でのコミュニケーションも重要で世界共通言語だと感じた。英語でのコミュニケーションもとれるように今後しっかり勉強していきたいと思う。それでも中国ではやはり中国語が主流である。今回学んだ知識を深めつつ、中国語の取得に励みたいと考えている。そのうえで中国の文化も学び、中国についての学びを深めていきたい。

私が中国で過ごしたのはたったの数日で、中国の全部が見えたとはとても言えない。でもこの数日で多くのことを吸収し、イメージが良い方向へ変わったことは事実である。実際に現地へ訪れることの大切さを忘れず、これからも中国への学びを深めて行きたい。中国は活気あふれた温かい国。これが私の見た中国だ。

吉岡 菜々美（よしおか ななみ）
二〇〇二年京都府生まれ。現在、立命館宇治高等学校三年生。

三等賞

凌霄大酒店の二年間

会社員　齊木　桃子

私は二〇〇四～二〇〇六年と、日中間の親近感が薄れているときに湖北省の国営ホテルで働いていました。

中国に対する前知識は中華料理とオリンピックがもうすぐある、というくらいの乏しいもので、中国語も最初は「私の名前は果物のタオズ（桃）です。中国語はわかりません」の挨拶だけでした。

筆談セットの〝紙・ペン・電子辞書〟は三種の神器で私がこれを出すと「東西来了！」と言われて、私の必須アイテムとなっていましたが、同僚は皆とても優しく、筆談で根気よくおしゃべりしてくれました。

そんな中でもだんだんと日本や日本人に対する感情というものがなんとなくわかってきました。毎日夜はテレビで日本軍が残忍な行為をするドラマが放映され、優しい同僚も私に対してではなく、雑談として昨日のテレビの会話を話題にし、いつもなんとも複雑な気分でした。

特に一定の年齢以上の男性は要注意で、同僚に招待してもらったお食事会で初めて会う場合、最初の挨拶として必ず戦争の話を振られます。そんなことを身構えていたあるとき、かなりご年配の男性が食事中に泣き出しました。まさか?とまた身構えたら、なんと、「人生で初めて外国人とごはんを食べて感激した」と。

びっくりしました。若い世代の人は、戦争のことも言いたいのかもしれませんが、まずはアニメやテレビドラマ、自動車、京都などの観光地、今の流行りなどを聞いてくるのに、この年代、おそらく七十代以上のその男性は、戦争の話題でも、山口百恵でもなく、「外国人と卓を囲んだ」という事実に感動してくれました。そういえば、私も始めて異国の人を見たときは興奮したし、初めて英語で話しかけたときも、緊張で何を言っているかわからない状態でした（通じていたかも不明ですが）。

もちろん、中国会食あるあるで、その日もたくさんおいしい自家製黄酒をいただきました。二年の滞在で何度も食卓を囲みましたが、一番心に響いた会食でした。とくに田舎の地方都市では外から来たお客さんを熱烈にもてなし、「もう無理」というくらい毎度白酒や黄酒をだしてくださいます。今思えば、最高に贅沢な二年間でしたが、当時は本当に死ぬのではないか?と思っていましたが、その男性との出会い以降、「外国人に出会った」と感激してくれる人がいるなら、黄色や白の水をとことん飲んでやる! 万が一な事があってもそれはそれで本望……と思うようになっていました。あ、もちろん生きてこそ、ですが。

相互理解、大切ですね。お互いを知らないから疑ったり、嫌ったりする……悪いところや過ちはもちろん謝罪して、反省もしないといけないけれど、それだけでは幸せにはなれない。楽しくない。中国に滞在する前までは、「中国語を話せるようになったらいいなあ」程度の感情の私でしたが、優しくて豪快な人々に囲まれ、刺激的な二年間を過ごしたおかげで、〝我愛中国〟になりました。どのくらい濃厚な中国漬けだったかというと、日本帰国後、母と日本語で会話していたときのとっさの相槌に

ビジネスで長期宿泊の米国企業のお客様が、ホテルの同僚とその子供たちを宴会に招待してくださいました

「対」が出てしまうほど、浸かっていました。

そして中国を知らない日本人に、中国や中国人のマイナスなことを言われると頭にきて反論してしまいます。みんな、そんな上辺だけの情報で決めつけないで!!!

日本帰国後すぐに一回だけ凱旋帰国しましたが、現在すでに十年以上経ちました。私がいたのは発展著しい地方都市なので、その後がとても気になります。帰国当初は、はがきやメールの連絡をとっていたのに、いつのまにか途絶えてしまいました。湖北省と言えば、今回のコロナで大変であった省です。すごく気になるし、行きたい。当時の人々全員に会うのは難しいけれど、まだその町にいる人には会いたい。二〇二一年は武漢マラソン大会の参加と、私の町散策と、たくさん人を呼んで大宴会を開催したい。まずは国外渡航ができるようになっていること、外国人の入国ができるようになっていること。そして武漢マラソンが開催されること。いろいろまだ先行き不透明なことだらけで前途多難ですが、Back to the 私の青春。

当時私と一緒に遊んでくれた同僚や学生さんたち、主に二十代の人は、外に興味があったから私と出会ったのは必然かもしれず、そのほとんどは国外へ留学したり、嫁いだり、出て行ってしまいました。それでも当時大人だった、故にSNSを使いこなしていなくて連絡が途絶えた人たちとあの町で再開できるのではないかと期待しています。

北京や上海のような大都市は外国人も日本人もたくさんいるから、私がいても物珍しさはないでしょう。中国人にでさえその地名を知られていない地方都市だからこそ、私は存在するだけで意味があった。実際に見たことも話したことも、触ったこともない日本人も同じ人間。最初から悪いことを考えているのではない。楽しく一緒に笑いあいたい、おいしいごはんを食べたい、おいしいお酒を飲みたい！　恋しい！

齊木 桃子（さいき ももこ）

日本の化学メーカー勤務。長野県出身。ベトナム、カンボジア、イタリアと職を転々とした後、二〇〇四年から湖北省、十堰の国営ホテル、凌霄大酒店で青年海外協力隊員として二年間過ごす。ホテルのお客様を連れて、世界遺産建造物のある武当山に月イチの頻度で行っていたので、ガイドさんに間違えられる。現在、定期的に社内外で〝羊会〟や〝中国会〟を開催して、都内近郊の中国を感じるレストラン巡りをしています。十堰の薄葉麺と武漢の熱干麺が恋しい麺大臣でもあります。二〇二一年は武漢マラソン参加が目標です。

上海での一年、私の人生の全てと言っても過言ではない

元公務員　中曽根　正典

四十歳を過ぎた頃、仕事を通して中国の上海出身の青年と知り合い、彼から書道や篆刻を習っていました。彼は礼儀正しく、流暢な日本語を話しました。私は彼と親しくなり、ある時彼に、私は公務員として事務の仕事に携わっているが、若い時から教師に憧れ、いつか教壇に立ちたいという思いを抱いていて、外国で日本語を教えたいと話すと、彼は私に理解を示し、「自分の弟が上海の大学で働いているので、弟に相談してみよう」と言ったのです。私は半信半疑でしたが、暫くすると彼の弟から、上海の某大学が日本人講師を募集しているという連絡があり、私は応募することにしました。上海は数年前に仕事で訪れたことがあり、親近感もありました。

卒業証明書や成績証明書などを取り寄せ、中国に送りました。数カ月後、面接の連絡が入り、暮れに上海を訪問し、大学関係者の面接を受けました。日本に戻ってから、音沙汰がなく、不安を感じていましたが、やがて念願の採用の知らせが届きました。青年は「名誉あることだ」と喜んでくれました。私は長年勤めた職場を退職し、国語、日本語教授法、中国語会話などの勉強に取りかかりました。その後、私の担当は卒業年度の三年生に精読を週五日、二年生に日本語会話を週二日という連絡があり、教科書も届きました。出発が近づくにつれ、高揚感が高まっていきました。

一九九四年八月二十三日、上海虹橋空港に到着。日本語学部の二人の先生が出迎えてくれました。車で市内に入ると、街中は活気に溢れ、至る所で高層建造物の工事が行われているのが目に入りました。改革開放の真っただ中でした。宿舎は市の中心部から離れた別の大学の広い敷地内の一角にありました。

九月六日、最初の授業日。緊張の面持ちで教室に入り

孫（ソン）日本語学部長と歓談（市内レストランにて）

ました。三十名ほどの人数で、生徒は真面目な印象でした。自己紹介すると微かに笑い声が聞かれました。最初に全員で第一課の文章を読んでもらいました。鑑真和尚の話です。すると、生徒は一斉に大きな声で読みあげ始め、私はあまりの声の大きさに驚きました。更に、生徒の授業への積極的な姿勢も感じたのです。「彼らは内容も理解しているようだ。私は何を教えれば良いのだろうか？」と不安がよぎりました。九十分の授業に備え、前日までに用意したノートに沿って、文法や語句を説明し、何とか授業を終えました。その間、私の額からは汗が流れ続けていました。一カ月程し、授業にも慣れた頃、恒例の上海地区大学日本語弁論大会が行われました。事前に私の宿舎で指導した男女二人の生徒が、内容、日本語レベルとも申し分なく優勝しました。文学の授業では、共に欧米に留学経験のある夏目漱石と森鴎外の生き方や代表作などを説明しましたが、生徒は「留学」という言葉で関心を示し、熱心に聴いていました。ビデオ学習では、日本で人気のあった兄妹の思いが絡むテレビドラマを紹介すると、女子生徒は夢中になり、聞き取れない言葉があると、「いまの意味は何ですかー？」と大きな声で説明を求めました。授業以外にも生徒達と音楽やスポーツなどを通じて交流を深めることが出来ました。又、春休みなどには蘇州や杭州など周辺の都市を訪れ、地方の文化にも接しました。

一九九五年六月十四日、最後の授業日。私は、柔らかな日差しが射し込む東側の窓から遠くの景色に目をやりながら、「多くの思い出に満ちた、この教壇に立つことはもうないだろう」と感じたのです。授業や宿題をはじめ試験問題の作成などを自分なりに工夫しました。大学の図書館に毎日のように通い、日本の新聞記事に目をやり、学習の参考に思える記事は生徒に紹介し、自分で出来ることは全てやりきった思いでした。私の教育への情熱は、汗となって流れたのです。生徒は純真な心を持ち、前向きに生きているのを感じました。一人の生徒が「僕はダイナミックな上海が好きだ。上海に生まれたことを誇りに思う」と力強く言いました。私は発展していく上海の姿を毎日、目の当たりにし、家族を大切にし、逞しく生きる中国の人々の心に触れることが出来ました。青年との出会いをきっかけに実現した上海での一年は、私の人生の全てと言っても過言ではありません。私の生活を支えてくれた生徒達、大学関係者など多くの人々との絆をいつまでも大切にしたいと考えています。

「乾杯！ 中国、謝謝！ 上海」

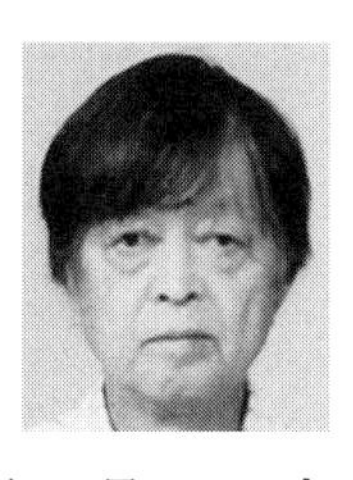

中曽根 正典（なかそね まさのり）

一九七二年三月中央大学法学部法律学科卒業。一九七二年四月群馬県庁入庁。一九九四年三月同庁退職。一九九四年九月上海大学国際商学院（一年間）。一九九六年四月社会福祉法人榛和会などに勤務。

老師（センセイ）と呼ばれて

教師　藤原　剛史

二〇一二年六月、大学を卒業して以来三十数年勤めてきた会社を退職。会社時代は二年間の北京駐在、三十数回に及ぶ中国出張と、私と中国とのかかわりは、仕事を通してかなりのつながり、縁があった。自分の背中に会社の看板を背負って仕事をしていた。背中の看板が無ければ、中国ではただの人であることは十分に承知していた。

二〇一二年七月、私は北京に向かった。新しい自分の道を進むために。この年の八月から私は、北京郵電大学世紀学院で日本語を教えることになった。

北京郵電大学世紀学院は、北京の地下鉄四号線の西紅門駅と九号線の郭公庄駅の間に位置していた。中国の大学は、学生全員学内の寮で生活しており、先生の寮も完備されている。学内に、食堂、スーパー、クリーニング、文房具店等が揃っており、特に食堂は、東北料理、四川、広州、イスラムと多岐にわたる料理が用意されており、味もなかなかのものであった。ただ、量が半端なく多いのにはちょっぴり閉口した。

中国の大学は、だいたい八月中旬過ぎから前期の授業が始まる。一年生から四年生、全学生数は五千人ほど、多くの学生が授業開始の二、三日前に続々と大学に戻ってきた。その中には新入生もいた。両親が付き添っている学生もいた。おそらく地方出身と思われた。彼らは真新しい布団を手に携え、続々と寮の中に入って行った。両親としては、これから北京で一人暮らしをする子どものことが、心配でならないのだろう。

私はソフトウェア科学専攻の学生、一学年百人の学生たちに日本語を教えた。

中国の大学では母国語を教える外国人教師を外教（ワイチャオ）と呼んだ。学生たちは、中国人以外の教師から教わるのは初

2018年、北京延慶区官庁水庫の近くの康西草原にて

めてか、興味深い視線で私を注視していた。基本的に前期は二年生が主体で、後期は引き続き二年生、それと一年生を教えた。その他に、ソフトウェア関連用語を使った日本語会話、日本文化の授業も行った。土曜、日曜は授業はなく、北京の学生たちは自宅に戻っていった。学内に残るのは地方出身の学生たちであった。ただ、十月一週目の国慶節には、ほとんどの学生が家に帰って行った。外教として困るのがこの一週間の過ごし方であった。学内には学生はほとんどおらず、食堂も閉鎖状態、街中の商店も店じまいで大変往生した。

翌年二〇一三年十月、国慶節が始まった。この年は新疆ウイグル自治区に旅をした。ウルムチの空港に到着すると、ウルムチ出身の黄金峰という、私が教えている学生が出迎えてくれていた。私はびっくりすると同時にうれしかった。どうやら、事前に私の旅程をつかんでいたみたいだった。彼の案内で、市内のほとんどが観光できた。大変嬉しかった。

国慶節も終了し、本格的に授業が始まった。十二月末、前期授業の期末試験も終わり、長い冬休みが始まろうとする時、翌年二月末からの後期授業は、移転先で始まることが告げられた。北京の北西部、延慶県に大学全体が移転するのだ。荷物の整理等に追われ、一月の十日過ぎに日本に帰国。春節が終わった二月二十日、北京に戻った。空港に大学関係者が迎えに来てくれており車で新天地に向かった。ちょうど万里の長城の八達嶺を超えて、十数キロの所に新しい大学があった。延慶県の康庄という所在地であった。北京市内のような活気は感じられなかった。

　大学から自転車で三十分ほどで河北省の官庁水庫に到着する。河北省張家口市と延慶県の県境に位置している。この水庫は北京の永定河にも流れ込んでいる。このあたりは昔から馬の飼育で有名であり、内モンゴル産の馬もここで調教されていた。私は以前から馬が好きで乗馬の練習をしていたこともあり、官庁水庫のほとりの広大な大地で馬に乗って練習に明け暮れた。それが私にとって唯一最大の楽しみでもあった。

　大学の方も、毎年ユニークな新入生が何人か入学し、それぞれの個性をいかんなく発揮、持ち味を十二分に出してくれたので、授業も最高に盛り上がった。私も学生も楽しい授業であったと確信している。大学にまる六年お世話になった。七月末退職し、八月から江蘇省南通市如皋市の技能研修生養成機関の日本語教育部門の校長を一年間することになった。貴州省、四川省など遠方から来ている学生も多かった。これから日本で働くという不安と期待が入り混じった表情で日本語の勉強に励んでいた。ハングリーな意志の強さもあり上達も早かった。

　二〇一九年八月、私は七年間の中国生活を終え日本に戻ってきた。北京での六年間、如皋での一年間、素晴らしい時を過ごすことができた。大学時代の教え子、技能実習生として日本にやってきた教え子、何人かと今も交流がある。これは私にとってかけがえのない宝物であり、今後とも彼らを見守っていきたい。

　会社という看板を背負って生きてきた自分と惜別し、自分自身で前向きに歩んだ七年間の中国、人との縁、自然、万物すべてに感謝。

藤原 剛史（ふじわら よしのぶ）

一九八一年三月東京外国語大学中国語学科卒業。一九八一年四月㈱電通入社。二〇一二年六月退社。二〇一二年八月北京郵電大学にて教鞭をとる。二〇一八年七月退社。二〇一八年八月江蘇中江人力資源服務有限公司入社。二〇一九年七月退社。二〇一九年十月エリート日本語学校にて教鞭をとる。二〇二〇年九月現在に至る。

あとがき

謝辞に代えて

主催者代表　日本僑報社　段　躍中

新型コロナウイルスが世界的に猛威を振るう未曾有の困難にみまわれた今年、第三回「忘れられない中国滞在エピソード」コンクールを無事開催することができました。これもひとえに皆様のご支援、ご協力あってこそで、心より感謝申し上げます。

駐日中国大使館には引き続きご後援をいただいたほか、最優秀賞「中国大使賞」の授与に対し、孔鉉佑大使をはじめとする大使館の関係各位の多大なるご理解とご支援をいただきました。また孔大使より、本書出版にあたり、温かなメッセージを頂戴しました。心より感謝申し上げます。

海江田万里衆議院議員、矢倉克夫参議院議員には大変お忙しい中、特別にご寄稿いただきました。ここに厚く御礼を申し上げます。

また本コンクールに対しては、これまでに程永華前駐日中国大使、二階俊博自民党幹事長、福田康夫元首相、近藤昭一衆議院議員、西田実仁参議院議員、伊佐進一衆議院議員、鈴木憲和衆議院議員など多くの方々のご支援をいただき、深く感謝申し上げます。

ご後援をいただいた読売新聞社をはじめ、公益社団法人日本中国友好協会、日本国際貿易促進協会、一般財団法人日本中国文化交流協会、日中友好議員連盟、一般財団法人日中経済協会、一般社団法人日中協会、公益財団法人日中友好会館の日中友好七団体、そして中国日本商会の皆様にも、厚く御礼申し上げます。各団体の皆様には、それぞれの機関紙（誌）、会報、ホームページなどの媒体を通じて、本コンクールの開催を広く告知し、大きく盛り上げていただきました。

読売新聞、共同通信、朝日新聞、毎日新聞、東京新聞、NHK、日本テレビ、公募ガイド、観光経済新聞など日本のメディア、また人民日報、新華社、経済日報、北京日報、中国青年報、人民中国、中国新聞社など中国のメディアにも本活動について多彩にご紹介いただきました（巻末に一部記事を掲載）。ここに改めて各社に御礼申し上げます。

日本の図書取次関連会社、全国各地の書店や図書館、とりわけ創業二十四年となる弊社の書籍を長年ご愛読くださっている国内外の読者の皆様には、この場を借りて厚く御礼申し上げます。

今回のコンクールの応募総数は二百十九本。応募者の分布は、日本の北海道から九州まで全国各地の三十都道府県にわたり、海外では中国（大陸部をはじめ台湾省、香港特別行政区、マカオ特別行政区）、さらにフランス、チリにも及ぶなど大きな広がりを見せました。年代別では二十代、三十代が中心でしたが、最年少はわずか九歳、最年長は九十歳と幅広い世代にわたりました。

入選作は、厳正な審査の上で八十作品（名）とし、そのうち最優秀賞となる中国大使賞（一名）、一等賞（五名）、二等賞（二十四名）、三等賞（五十名）を選出させていただきました。

応募作品の内容はバラエティ豊かで、たとえば、中国の製造現場でその品質管理と衛生基準のレベルの高さに「百聞は一見に如かず」と感銘を受けたという貴重な体験、十代の多感な時期にいじめを受けたが、『三国志』の英雄たちに生きる希望を見出したという感動の経験、稲作指導をきっかけに中国を訪れ、「焦裕禄精神」に鼓舞された地方公務員の体験、中国での戦争の真実をたどる旅で平和の大切さを痛感し、日中両国民の友好を深めることの意義深さを感じた出来事など、数多くのエピソードが生き生きとつづられています。

また、受賞作品のうち、新型コロナウイルスとの闘いに関する「特別テーマ」の十作品が入賞しました。これらの作品からは、手を携えて世界的なコロナ禍を乗り越え、前に進もうとする強い意志と勇気がうかがえました。

　これらは経験者以外あまり知られていない、日本人が見たありのままの中国の姿であり、真実の体験記録です。そこには中国滞在中の国境を超えた心のふれあいや中国の奥深い魅力、そして不幸な歴史の記憶への共感などがつぶさに記されています。この貴重な記録の数々を、より多くの方々、特に若い世代の皆さんに伝えたいと思い、ここに一冊の作品集にまとめて弊社から刊行する運びとなりました。コンクールにご応募くださった全ての皆様に改めて感謝申し上げます。

　日本と中国の国交正常化から今年で四十八年、平和友好条約締結から四十二年が経ち、今では政治、経済、文化、社会、教育など各分野における両国の交流・協力が著しい発展を遂げています。

　私どもは長年、さまざまな活動により民間の〝草の根〟交流を推進してまいりましたが、本コンクールではこれを通じて民間の力をさらに結集していきたいと考えております。日中間の懸け橋として活躍される方も多くなりましたが、その懸け橋の一人ひとりがさらに緊密に、強く連携することができれば、より大きな力になることでしょう。

　本書を通じて、日中間の懸け橋によるかけがえのない体験を発信し、それをより多くの人々と共有したいと考えています。そして読者の皆様が、本書を通じた〝追体験〟により、中国により深く関心を持ってくださることを心より期待しています。

　本活動が微力ながら日中両国の相互理解と文化交流、人的交流の促進に役立つものとなることを願ってやみません。まだまだ至らぬ点もありますが、さらなる努力を重ねて目標を実現してまいりたいと存じます。引き続きご支援、ご協力のほどよろしくお願い申し上げます。

二〇二〇年十月吉日

第2回「忘れられない中国滞在エピソード」受賞者一覧

特別賞
衆議院議員　鈴木　憲和

最優秀賞・中国大使賞（1名）
乗上　美沙

一等賞（5名）
山崎　未朝
入江　正
横山　明子
片山ユカリ
森野　昭

二等賞（20名）
原田あかね
為我井久美子
田上奈々加
伊藤　美紀
野間　美帆
逸見　稔
中島さよこ
南部　健人
杉江　裕子
南　沙良
三輪　幸世
芦田　園美
小嶋　心
高橋　史弥
森原　智美
福島　達也
澤野友規子
神田　康也
岩崎みなみ
後藤　明

三等賞（44名）
宮崎　圭
藤盛　耕嗣
中村　美涼
丸山　香織
小田登志子
金子　聖仁
池田　亜以
永田　容子
伊藤　奏絵
岩崎　茜
井上　直樹
合田　智揮
豊崎みち子
河原　紫織
池乃　大
日比　野敏
大友　実香
金戸　幸子
張　美紗子
大野美智子
梅舘秀次郎
吉田　陽介
奥村　眞子
森　眞由子
辻　尚子
松本　匡史
玉城ちはる
日田　翔太
五十嵐真未
原山　敬行
前川　友太
松本　健三
谷川　靖夫
長崎たまき
安田　翔
田中　敏裕
新井　香子
吉岡　孝行
高橋　稔
桑田　友美
荒井　智晴
伊勢野リサ
森井　宏典
佐藤　正子

特別掲載
横井　陽一
白井　省三
和中　清
伊藤　俊彦
堀江　徹
安田　太郎
市川　真也

第1回「忘れられない中国滞在エピソード」受賞者一覧

特別賞

衆議院議員 伊佐 進一

最優秀賞・中国大使賞（1名）

原 麻由美

一等賞（5名）

中関 令美
三本 美和
相曽 圭
瀬野 清水
田中 弘美

二等賞（10名）

浦井 智司
青木 玲奈
浅井 稔
佐藤 彩乃
秋山ひな子
大友 実香
大岡 令奈
吉田 怜菜
星出 遼平
坂本 正次

三等賞（24名）

濱田美奈子
石川 春花
長谷川玲奈
大石ひとみ
佐藤 力哉
山本 勝巳
臼井 裕之
古田島和美
中道 恵津
須田 紫野
大北 美鈴
桑山 皓子
金井 進
浜咲みちる
堀川 英嗣
小椋 学
中瀬のり子
岡沢 成俊
佐藤 正子
福田 裕一
清崎 莉左
牧野 宏子
浦道 雄大
小林 謙太

佳作賞

藤田 安彦
奥野 有造
金谷 祥枝
中島龍太郎
北川絵里奈
宮川 暁人
服部 哲也
菅 未帆
西田 聡
伴場小百合
荻堂あかね
小山 芳郎
村上 祥次
高橋 豪
荒井 智晴

特別掲載

小島 康誉
武吉 次朗

「忘れられない中国留学エピソード」受賞者一覧

特別賞

衆議院議員
近藤　昭一

参議院議員
西田　実仁

一等賞（10名）

堀川　英嗣
五十木　正
中村　紀子
小林　雄河
山本　勝巳
髙久保　豊
岩佐　敬昭
西田　聡
市川　真也

宮川　咲

二等賞（15名）

林　訥孝
千葉　明
鶴田　惇
林　斌
小林　美佳
山口　真弓
伊坂　安由
高橋　豪
吉田　咲紀
細井　靖
浅野　泰之
宇田　幸代
瀬野　清水

田中　信子
桑山　皓子

三等賞（20名）

廣田　智
岩本　公夫
稲垣　里穂
井上　正順
平藤　香織
畠山絵里香
矢部　秀一
吉永　英未
平岡　正史
池之内美保
石川　博規
井本　智恵

中根　篤
宮脇　紗耶
遠藤　英湖
塚田　麻美
根岸　智代
大上　忠幸
小林　陽子
坂井　華海

特別掲載

幾田　宏

NHK WORLD JAPAN 2019年12月1日放送

来自第二届“难忘的旅华故事”征文比赛颁奖典礼的报道

2019年 12月 1日

《波短情长》节目由明治大学教授加藤彻和本台播音员林音主持，将分享听友们的来信与留言。

本期节目将为您报道11月15日在中国驻日本大使馆举办的第二届“难忘的旅华故事”征文比赛颁奖典礼的情况。（活动主办方：日本侨报社）

大使专栏

使馆介绍
中日关系

驻日本使馆举行第二届"难忘的旅华故事"征文比赛颁奖仪式　驻日本使馆欢迎中国乒乓球队

使馆信息　更多...

驻日本使馆举行第二届"难忘的旅华故事"征文比赛颁奖仪式

11月15日，驻日本使馆举行第二届"难忘的旅华故事"征文比赛颁奖仪式，孔铉佑大使，郭燕公使，日本众议院议员、前环境副大臣近藤昭一，众议院议员、前内阁府副大臣末松义规，日本侨报社社长段跃中，外务省研修所长片山和之及部分日中友好团体负责人、中日两国媒体记者、获奖者及家属代表约220人出席。孔大使在...

- 驻日本使馆欢迎中国乒乓球队回家(2019-11-11)
- 驻日本大使孔铉佑出席日中经贸中心成立65周年纪念庆典并发表演讲(2019-11-11)

专题

更多...

中華人民共和国駐日本国大使館
2019年11月15日

讀賣新聞　2019年12月1日

中国で叶えた幸せ　第2回「忘れられない中国滞在エピソード」受賞作品集

段躍中編　日本僑報社　2500円

評・加藤　徹（中国文化学者　明治大教授）

人の数だけ人生がある

中国に行ったことがある日本人を対象とした作文コンクールの受賞作品集である。老若男女がつづる体験談はノンフィクションだが、短編小説集のような味わいがある。

北京へ単身赴任した父が、一時帰国する。ひまわりの種をかじり、寝言で中国語をつぶやく父の姿を見て、中学生の娘はとまどう。その後、娘の反抗期は家庭崩壊レベルまで悪化。父は帰国を決意する。時は流れた。「結婚するから。あとさ、私、中国に行くことになったから」。上海勤務の辞令を受けた夫と中国に渡る日、娘は昔の「父の気持ちが少しわかった気がした」。

早稲田大の院生は回想する。彼女は小4から高校卒業まで大連に単身留学した。中学で、歴史の授業で日中戦争が取り上げられると、仲良しだった同級生から悪口を言われたり、無視されたりするようになった。2011年、高1のとき、東日本大震災が起きた。彼女は学校で赤い羽根の募金活動を始めた。「日本のために募金してくれるだろうか?」。結果は――。

上海日本人学校の校長となった男性は、87歳の老父を帯同する。中国語が全く分からない「おじいちゃん」は、毎朝6時には起きて一人で外出し、よく迷子になる。老人にやさしい国、中国を離れるとき「おじいちゃん」がぽつりと漏らした一言が、胸を打つ。

日本の私大で研究者間のトラブルに巻き込まれて大学を追われた教員は、再起の場を求めて中国の大学に就職する。学校の観劇会で京劇にはまった福岡の高校生は、一目惚れした役者の舞台を見るため21歳で北京に留学する。このほか、オタク文化を中国人と熱く語り合う大学生や、「優しさ貯金ゲーム」で中国人との共同生活を成功させたシンガーソングライターなど、興味深いエピソードは尽きない。

人の数だけ人生がある。ありのままの中国も、人の数だけある。日本人と中国人のふれあいの多彩さに驚かされる1冊だ。

◇だん・やくちゅう＝1958年、中国湖南省生まれ。91年に来日。日本僑報社代表、日中交流研究所所長。

KYODO 共同通信
2019年11月15日

忘れがたい中国経験つづる
日本語作文コンクール

高橋伸輔

中国滞在中の印象深い経験をつづった日本語作文の「忘れられない中国滞在エピソード」コンクールの表彰式が１５日、東京都港区の中国大使館であり、早稲田大学大学院生の乗上美沙（のりがみ・みさ）さん（２５）＝大阪市出身＝に最優秀賞が贈られた。

小学４年から高校卒業まで大連の学校に通った乗上さんは、東日本大震災の被災地支援のため学校で募金活動したことを紹介。日中戦争についての授業を機に同級生から反感を持たれ、「中国人とは分かり合えない」と思っていたが、募金を始めると予想外にみんな熱心に協力してくれ感銘を受けたという。

受賞スピーチで乗上さんは「見返りを求めない友情のおかげで被災地に思いを伝えることができた」と振り返り、「両国関係のマイナスの部分を下の世代には残したくない」と訴えた。

日中関係の書籍を手掛ける出版社「日本僑報社」（東京都豊島区）主催で、今年で2回目。１０代から９０代まで、昨年の倍以上の２９３作品が寄せられた。孔鉉佑（こう・げんゆう）駐日中国大使は「皆さんの有益な経験が貴重な将来の財産になると信じる」と述べた。（共同）

2019年11月17日

日本第二届“难忘的旅华故事”征文比赛颁奖

2019-11-16 15:08:11　来源：新华网

新华社东京11月16日电（记者郭丹）由日本侨报出版社主办的第二届“难忘的旅华故事”征文比赛颁奖典礼15日在中国驻日本大使馆举行。

在70篇获奖作品中，早稻田大学法学专业硕士研究生乘上美沙的《红羽毛给予的幸福》荣获比赛最高奖项“中国大使奖”。她在文中讲述了2011年在大连留学期间和同学们一起为“3・11”日本大地震发起募捐活动的故事。她希望能够将自己的亲身经历分享给更多的人，以此促进日中友好交流。

中国驻日本大使孔铉佑在颁奖仪式上致辞说，国之交在于民相亲，民间交流是中日关系不可或缺的重要组成部分，也是两国关系得以长期发展的坚实基础。希望大家通过此次活动，进一步了解中国，感知中国的魅力所在，也真诚欢迎大家有机会再去中国走一走，看一看，并把在中国的见闻分享给更多的人。相信大家的点滴努力，一定能够汇聚更多中日关系正能量，将中日友好的种子撒播得更广更远。

国際面
2020年10月21日

第三届“难忘的旅华故事”征文比赛结果揭晓

本报东京10月20日电　（记者**刘军国**）由日本侨报出版社主办、中国驻日本大使馆等担任支持单位的第三届“难忘的旅华故事”征文比赛20日公布评选结果，池松俊哉撰写的《百闻不如一见》获得“中国大使奖”。

池松俊哉在日本一家企业工作，他在文中讲述了去年7月去中国大连、沈阳、青岛等地考察食品工厂的见闻，对中国食品工厂完善的质量管理体系、高水平卫生标准以及中国人民的热情好客印象深刻。

人民网
people.cn
2020年10月20日

第三届“难忘的旅华故事”征文比赛结果揭晓

2020年10月20日11:11　来源：人民网-国际频道

分享到：

预计将于11月出版发行的第三届“难忘的旅华故事”作品集封皮

人民网东京10月20日电（记者刘军国）由日本侨报出版社主办、中国驻日本大使馆等担任后援单位的第三届“难忘的旅华故事”征文比赛10月20日公布评选结果。

在日本一家企业工作的池松俊哉撰写的《百闻不如一见》获得“中国大使奖”。池松俊哉讲述了2019年7月去中国大连、沈阳、青岛等地考察食品工厂的见闻与感受。“我在全国约有一万四千家店铺的连锁便利店总部、做着原料采购和商品开发的工作。现在，连锁便利店的供应离不开中国。例如，收银台旁边热柜里的炸鸡、配菜蒸鸡、鸡胸肉沙拉等，原料大多数都是中国产的。这不仅仅是因为其价格优势，还有高水平的品质管理和技术实力。”池松俊哉在文章开头便写道。在一周的中国考察过程中，池松俊哉亲眼见证了中国食品工厂的先进质量管理、高水平卫生标准以及中国人民的热情好客。在文章最后，池松俊哉表示，“我想挺起胸膛对全日本这样说：‘想象和实际完全不一样，百闻不如一见。只要去一次中国，你也会像我一样成为中国的粉丝。’”

主办方当天还公布了一等奖5名、二等奖24名、三等奖50名等评选结果。获得一等奖的5部作品分别是星野信的《日中携手战胜新冠肺炎》、岩崎春香的《山川异域风月同天》、畠山修一的《和焦裕禄精神在一起》、田丸博治的《追寻战争真相之旅》和佐藤奈津美的《给予生活希望和光明的三国演义》。此外，日本众议员海田江万里和参议员矢仓克夫获得特别奖。日本侨报出版社已把三等奖以上的82篇获奖作品集结成书出版，预计于11月在全日本发行。

（责编：苏缨翔、燕勍）

2019年11月19日

日中友好へ…“中国滞在”作文コンクール

2018年11月22日 17:29

全文

日中平和友好条約の締結から４０年の今年、日本人を対象に、中国に滞在したときのエピソードを募った作文コンクールが行われた。

これは中国関連書籍の出版社「日本僑報社」が主催したもので、中国に滞在経験のある日本人から現地での思い出深いエピソードを募集した。２２日、都内の中国大使館では入選者への表彰式が行われ、程永華駐日大使は挨拶で日中の交流の重要性を訴えた。

中国・程永華駐日大使「まず交流から。交流から理解が生まれる。理解が深まって、初めて信頼が生まれる。信頼が深まって初めて友好だと。最初から友好が生まれるのではない。努力を通じて、友好に向かって（初めて）実現できる」

入選作には、母親の再婚相手である中国人の父との交流を描いた作品や、日中の文化の違いについての作品など４０本が選ばれ、本としても出版される。

日テレNEWS24
2018年11月22日

2020年1月25日

観光経済新聞
kankokeizai.com

本

段躍中編
忘れられない中国滞在エピソード第2回受賞作品集 中国で叶えた幸せ
日本僑報社

あの瞬間、私は中国の人々の深い愛情と友情で、自分たちが今回の募金活動を成し遂げられたことに気付き、素晴らしい人々に恵まれている幸せを感じた。私のココロは、いつしか中国人に対する感謝の気持ちと穏やかな幸福感に包まれるようになっていた（受賞作から）。

第2回「忘れられない中国滞在エピソード」の受賞作品集。相互理解の促進を目指し、日本人の中国滞在経験者を対象として行われたコンクールには、涙と感動の体験など数多くの作品が寄せられた。本書には最優秀賞・中国大使賞（乗上美沙さん、早稲田大学大学院生）の「赤い羽根がくれた幸せ」をはじめ、計77編の入賞作を収録している。

編者の段氏は、日本僑報社代表。

価格は2500円（税別）。282㌻。問い合わせは日本僑報社☎03（5956）2808。

讀賣新聞 2019年11月13日

中国滞在記 乗上さん最優秀賞

日中関係の書籍を出版している「日本僑報社」（東京都豊島区）が、中国に行ったことのある日本人から募集した「忘れられない中国滞在エピソード」（読売新聞社など後援）の受賞作品が決まった。最優秀賞の中国大使賞には、早大大学院2年の乗上（のりがみ）美沙さん(25)の「赤い羽根がくれた幸せ」が選ばれた。東日本大震災発生時、留学していた大連のインターナショナルスクールでの体験をつづった。応募総数は約300点。受賞70点を収録した作品集は書店などで購入できる。問い合わせは日本僑報社（03・5956・2808）へ。

讀賣新聞 2020年10月1日

中国滞在記 池松さん最優秀賞

日中関係の書籍を出版する「日本僑報社」（東京都豊島区）は30日、主催する「第3回忘れられない中国滞在エピソード」（読売新聞社など後援）の受賞作品を発表した。最優秀賞の中国大使賞には東京都大田区、会社員池松俊哉さん(32)の「百聞は一見に如（し）かず」が選ばれた。中国に昨夏出張した際に見学した工場の徹底した衛生管理に驚いたことなどをつづった。応募総数は219作品だった。

讀賣新聞 2019年6月5日

中国滞在エピソードを募集

日中関係の書籍を多く出版している「日本僑報社」（東京都豊島区）が、中国に行ったことがある日本人を対象に「忘れられない中国滞在エピソード」（読売新聞社など後援）を募集している。中国が今年、建国70年を迎えるのに合わせ、応募作品から70人分を収録した作品集を出版する。

「中国のここが好き、これが好き」「私の初めての中国」「中国でかなえた幸せ」「建国70年に寄せて」の4テーマから一つ選び、1900〜2000字以内にまとめる。中国在住の日本人も応募できる。最優秀賞（1人）には賞金10万円が贈られる。締め切りは今月16日。応募はメールで40@duan.jpへ。詳細は日本僑報社ホームページに掲載されている。編集長の段躍中氏は「草の根の交流を伝えることで相互理解を深め、日中関係友好につなげたい」と話している。

2019年6月5日

■「忘れられない中国滞在エピソード」原稿募集

日本僑報社は第２回「忘れられない中国滞在エピソード」の原稿を募集している。応募資格は、中国に行った経験のあるすべての日本人。留学・駐在はもちろん、旅行経験だけの人、現在中国に住んでいる人の応募も歓迎している。中国建国70周年に合わせて70作品を入選とし、１冊の作品集として刊行する予定。最優秀賞の中国大使賞に１人を選び、賞金10万円を副賞として贈呈する。原稿の受け付けは原則、メール（40@duan.jp）に限り、６月16日必着。詳細は（http://duan.jp/cn/）。

朝日新聞デジタル ＞ 記事　　国際　アジア・太平洋　カルチャー　出版

中国滞在の「忘れられない体験」、出版社が作文を募集

高田正幸　2019年5月13日16時00分

シェア　ツイート　ブックマーク　メール　印刷
list　0

日本僑報社の段躍中代表＝東京都豊島区西池袋の同社

中国に関する多くの本を出版する日本僑報社が、中国で心に残った出来事を分かち合おうと、「第２回忘れられない中国滞在エピソード」を募集している。段躍中代表は「日中関係は改善しているが、国民感情はまだ厳しい。中国を訪問した時に感じた気持ちを公表してもらうことで、より多くの日本人に中国の姿を知ってもらいたい」と話している。

募集するのは、中国を訪ねたことのある日本人の作文。「私の初めての中国」「中国で叶（かな）えた幸せ」「中国のここが好き、これが好き」「中国建国７０周年に寄せて」の中からテーマを一つ選ぶ。テーマが違えば、複数の作品を提出できる。

◇

募集期間は５月１３日～６月１６日。１９００～２千字の日本語の作文に、２００字以内の筆者の略歴を加えた内容をメールで（４０@ｄｕａｎ．ｊｐ）に送る。詳細は同社ホームページ（http://duan.jp/cn/）。（高田正幸）

朝日新聞
DIGITAL
2019年5月13日

讀賣新聞

2020年6月6日

中国滞在エピソード募集

日中関係の書籍を出版する「日本僑報社」(東京都豊島区)は「『忘れられない中国滞在エピソード』作文コンクール」(読売新聞社など後援)の作品を募集している。日本人が対象で、最優秀賞(1人)には賞金10万円が贈られる。入選70点は作品集にまとめ、出版される。

「中国のここが好き、これが好き」「中国で考えたこと」「私の初めての中国」「中国でかなえた幸せ」の4テーマから一つを選び、1900〜2000字以内にまとめる。今年は新型コロナウイルスの流行を受け、中国人も応募可能な「中国で新型肺炎と闘った日本人たち」「新型肺炎、中国とともに闘う——日本からの支援レポート」の特別テーマ(3000字以内)も設けた。締め切りは今月15日(必着)。応募はメールで70@duan.jpへ。詳細は日本僑報社ホームページに掲載されている。

「日中友好に尽力したい」心こもった作品多数

第2回「忘れられない中国滞在エピソード」作文コンクール

受賞者と選考委員、中国大使館の皆さんと記念撮影

日中友好のため出版活動を行なっている日本僑報社は11月15日、第2回「忘れられない中国滞在エピソード」(後援は中華人民共和国駐日本国大使館ほか)作文コンクールの表彰式を東京都内の中国大使館で行いました。

293点の応募作品から最優秀賞(中国大使賞)1人、1等賞5人、2等賞20人、3等賞44人の合計70人が選ばれました。

これは日本と中国の相互理解と交流促進を目的としたもので、今回が2回目。中国に行ったことのある、または現在滞在中の日本人を対象に行われた日本語作文コンクールです。

入選作は東日本大震災の募金活動を通して感じた中国の学生たちの深い愛情と友情を描いた作品や、中国の日本人学校に編入し、そこで交流した中国人学生の思いやりのこもった言葉にふれ、先入観でしか見ていなかった自分を反省し、日本人に中国人の良さを伝える決意をした作品、ひまわりの種の食べ方を通しての異文化理解の大切さを説いた作品など、どれも中国人の魅力を改めて気づかせてくれるものばかりです。

乗上美沙さん　横山明子さん　野間美帆さん

孔鉉佑(こうげんゆう)駐日大使は「中国には『少しのことからすべてを見通す』という言葉があります。受賞された皆さんは普段の印象と全く違った、活気に満ちた中国を目の当たりにし、そして、中国の国民が善良で親切だと感じていただけたと思います。このような経験が皆さんにとって将来の貴重な財産になると信じています」と、あいさつしました。

最優秀賞・中国大使賞を受賞した乗上美沙さん(早稲田大学大学院生)は「最優秀賞の受賞の知らせを聞いてびっくりしました。中国の友人たちも喜んでいます。これからも日中友好に尽力したい」

一等賞の横山明子さん(大学教員)は「受賞は驚きました。中国人の学生たちにも知らせました。週明けには中国・湖南省へ戻ります。学生たちが待っていますから」

一等賞の野間美帆さん(中学生・俳優)は「まさか自分が受賞すると思わず、信じられない。昨年から俳優としても活動しています。力をつけて将来は日中共同の作品に参加できたら」と、それぞれ目を輝かせて語りました。

日本僑報社は来年も、第3回の実施を予定しています。

また、第2回「忘れられない中国滞在エピソード」の入賞作を収録した『中国で叶えた幸せ』を発行、最優秀賞・中国大使賞「赤い羽根がくれた幸せ」はじめ77編が収録されています。定価2500円+税。問い合わせは☎03(5956)2808(日本僑報社)

日中友好新聞　2020年3月15日

本の紹介

『中国で叶えた幸せ』

忘れられない中国滞在エピソード第2回受賞作品集

鈴木憲和、乗上美沙など77人共著・段躍中編

中国に行ったことのある日本人を対象に、中国での体験エピソードを募集した日本僑報社主催の第2回作文コンクールの受賞作品をまとめた一冊。

「私の初めての中国」「中国で叶えた幸せ」「中国のここが好き、これが好き」「中華人民共和国建国70周年に寄せて」の4つのテーマに293点の応募があり、最優秀賞・中国大使賞の「赤い羽根がくれた幸せ」はじめ77編を収録。

ありのままの中国の姿とは?中国とどう向き合うか?新たな示唆を与えてくれる涙と感動の真実の体験記録集です。

▼発行=日本僑報社、定価2500円十税。

▼問い合わせ=☎03(5956)2808(日本僑報社)

日中友好新聞　2019年12月5日

公募ガイド 2020年4月号

\ 第3回 /

体験記・作文ほか

「忘れられない中国滞在エピソード」募集

副賞 10万円 ／ 前回 300編以上 ／ 原稿 1900〜2000字 ／ 2020 6/15

あなたの体験が日中友好の懸け橋に

インバウンドの伸びで、観光地や街中で中国人の姿を見ない日はないほど。そのおかげで中国人を身近に感じられるようになった。一方、中国を訪れる日本人はどれほどいるのだろう。残念ながらまだ少ないのが現状だ。もしあなたが中国に行ったことがあり、印象的なエピソードを持っていたら、思い出を文章にしてたくさんの人に教えてほしい。入選作品は1冊の本として刊行されるので、中国の新たな側面を知る機会となる。中国への理解が深まることで、近くて遠かった隣国との距離がグッと近くなるだろう。(は)

応募要項

●内容／中国滞在エピソードを募集。テーマは①中国のここが好き、これが好き、②中国で考えたこと、③私の初めての中国、④中国で叶えた幸せ。　●規定／メールで応募。Word形式で、1900〜2000字。文頭にテーマ、文末に200字程度の略歴をつける。〒住所、氏名、年齢、性別、職業、連絡先(メールアドレス、TEL、あれば微信ID)を明記。件名は「第3回中国滞在エピソード応募(応募者名)」とする。応募数自由。　●資格／中国に行ったことのある日本人　●賞／最優秀賞・中国大使賞1編＝10万円、ほか　●応募期間／6月1日〜15日　●発表／9月下旬予定

応募先 70@duan.jp　問合せ 03-5956-2808　FAX 03-5956-2809　HP http://duan.jp/news/jp/20200122.htm　主催：日本僑報社

中国经济网 www.ce.cn 2019年11月15日

第二届日本人“难忘的旅华故事”征文比赛东京颁奖

2019年11月15日 20:59　来源：经济日报-中国经济网

[手机看新闻] [字号 大 中 小] [打印本稿]

经济日报-中国经济网东京11月15日讯（记者　苏海河）由日本侨报出版社主办，中国驻日本大使馆、读卖新闻社等担任后援单位的第二届日本人“难忘的旅华故事”征文比赛11月15日在中国驻日大使馆举行颁奖典礼。我国驻日本特命全权大使孔铉佑出席并向早稻田大学法学专业硕士研究生乘上美沙颁发了“中国大使奖”，向日本众议院议员、原外务大臣政务官铃木宪和颁发了“特别奖”。当天收录70篇获奖作品的文集《在中国获得的幸福》也在东京首发。

孔铉佑大使为获奖作者颁奖

国際貿易 2019年12月5日

中国大使館で表彰式

滞在エピソードコンクール

第2回「忘れられない中国滞在エピソード」コンクール(日本僑報社主催、当協会など後援)の表彰式が11月15日、駐日中国大使館で開催された。中学生から90代まで293本の応募があった。

来賓として孔鉉佑大使があいさつ、受賞者に対して「活気に満ちた中国を目にし、中国人民が善良で親切なことを感じ取った。これらの有益な経験が将来の貴重な財産になると信じている」と語った。さらに見聞を友人、親類と分かち合うことを期待すると述べた。

最優秀賞と1等賞受賞者が作文のエピソードを中心にスピーチを行った。最優秀賞の乗上(のりがみ)美沙さん(早稲田大学大学院)は小学4年生から高校3年生まで大連のインターナショナルスクールに留学。在校生の多くは中国人。中学になると歴史教科書の「日中戦争」という記述から中国人と日本人の間には壁があり、分かり合うのは不可能だと思うようになった。高校1年の時、東日本大震災が発生、友人が「学校で募金活動を」と提案。日本人のために募金してくれるのだろうかと思った。しかしそれは杞憂だった。「マイナスの感情を下の世代に残したくない。中国人の温かさを感じて欲しい」と語った。

日本僑報社は3等までの受賞作品を収録した『中国で叶えた幸せ』(2500円＋税)を出版した。同社は来年1月中に第3回の募集要項を発表する予定。

中国新闻网 中新网 WWW.CHINANEWS.COM 2019年11月15日

第二届“难忘的旅华故事”征文比赛在东京颁奖

2019年11月15日 23:34 来源：中国新闻网 参与互动

中新社东京11月15日电（记者 吕少威）由日本侨报出版社主办的第二届“难忘的旅华故事”征文比赛15日在东京中国驻日本大使馆举行颁奖典礼。收录70篇获奖作品的文集《在中国获得的幸福》当天首发。

11月15日，由日本侨报出版社主办的第二届“难忘的旅华故事”征文比赛在东京中国驻日本大使馆举行颁奖典礼。图为嘉宾与部分获奖选手合影留念。中新社记者 吕少威 摄

中文導報 CHUBUN 2019年11月21日

第二届“难忘的旅华故事”征文比赛东京颁奖

日期：19年11月3期 阅读：271

中文导报讯（记者 尤楠川）由日本侨报出版社主办的第二届“难忘的旅华故事”征文比赛，11月15日在中国驻日大使馆举行颁奖典礼。收录70篇获奖作品的文集《在中国获得的幸福》当天首发。

2019年11月16日

第2回「忘れられない中国滞在エピソード」作文コンクール表彰式が開催

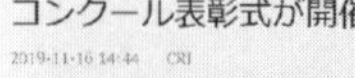

2019-11-16 14:44 CRI

excite ニュース

Record China 2019年11月25日

ニュース ＞ 海外 ＞ 中国 …

最優秀賞に早大・乗上美沙さん『赤い羽根がくれた幸せ』＝東日本大震災時の募金支援描く―第2回「忘れられない中国滞在エピソード」表彰式

2019年11月25日 09:50

第2回「忘れられない中国滞在エピソード」コンクールの表彰式が東京の駐日中国大使館で開催され、約200人が出席。早大大学院の乗上美沙さんが最優秀賞に輝いた。写真は表彰式風

第2回「忘れられない中国滞在エピソード」コンクール（日本僑報社主催、駐日中国大使館、読売新聞社、日中友好7団体など後援）の表彰式と交流会がこのほど東京の駐日中国大使館で開催され、約200人が出席した。

【その他の写真】

BOOKウォッチ 2020年3月15日

「3.11日本加油」にいま「中国加油」でお返しする

デイリーBOOKウォッチ

2020/2/ 8

書名	中国で叶えた幸せ
サブタイトル	第2回「忘れられない中国滞在エピソード」受賞作品集
監修・編集・著者名	鈴木憲和、乗上美沙など77人 著、段躍中 編
出版社名	日本僑報社
出版年月日	2019年11月22日
定価	本体2500円＋税
判型・ページ数	A5判・282ページ
ISBN	9784861852862

タイトルを見て、なんだ、この本は？と思う人が少なくないのではないか。『中国で叶えた幸せ――第2回「忘れられない中国滞在エピソード」受賞作品集』（日本僑報社）。中国に滞在したことがある日本人が、そこで体験した「忘れられないエピソード」をつづっている。要するに、日本人による中国体験談集だ。

「中国人が見た日本」の感想文コンクールがあることは知っていたが、逆の立場の日本人によるものがあったとは･･･。

Record China
2019年2月27日

■ TOP > 社会

あなたの「忘れられない中国滞在エピソード」は？＝第2回コンクール募集要項を発表！

日本僑報社　　配信日時：2019年2月27日(水) 9時10分

Email
Share
Tweet
コメント

日本僑報社は今月6日、中国に行ったことのある日本人を対象とした第2回「忘れられない中国滞在エピソード」原稿の募集を発表した。

日本僑報社は今月6日、中国に行ったことのある日本人を対象とした第2回「忘れられない中国滞在エピソード」原稿の募集を発表した。

同社はこれまでに「忘れられない中国留学エピソード」（2017年）、「忘れられない中国滞在エピソード」（2018年）を開催しており、今回のコンクールは前回、前々回の流れをくむもの。同社は「今年、中華人民共和国は建国70周年の節目の年を迎えます。日中両首脳の相互訪問も再開し、関係改善の勢いは明らかに加速しています。そこで今年の中国建国70周年を記念し、この中国滞在エピソードコンクールを開催します」とした。

今回の募集テーマは「私の初めての中国」「中国で叶えた幸せ」「中国のここが好き、これが好き」「中華人民共和国建国70周年に寄せて」の4つ。テーマの選択は自由、複数応募も可。応募資格は、これまでに中国に行ったことのある全ての日本人で、現在中国に在住している人も可能だという。

応募作品の中から、中国建国70周年にちなみ70作品を入選とする。内訳は最優秀賞の中国大使賞1人、1等賞5人、2等賞20人、3等賞44人で、最優秀賞には賞金10万円が贈呈される。応募受付は2019年5月13日（月）～6月16日（日）（必着）。入選発表は2019年9月下旬を予定している。（編集/北田）

共同网　2018年11月22日

旅华故事作文比赛颁奖仪式在东京举行

朝日新聞 DIGITAL

朝日新聞デジタル ＞ 記事　　国際　アジア・太平洋

「餃子は太陽となり私の心を照らした」体験談に最優秀賞

2018年11月23日08時06分

「忘れられない中国滞在エピソード」コンクールで中国大使賞（最優秀賞）を受賞し、程永華（チョンヨンホワ）駐日中国大使（右）から賞状を受け取る原麻由美さん＝東京都港区の中国大使館

中国での体験談を募った「忘れられない中国滞在エピソード」コンクール（日本僑報社主催）の表彰式が22日、東京都港区 の中国大使館であった。10～80代から125本の応募があり、約40本が入選した。

中国大使賞（最優秀賞）は、今夏まで北京の大学に通っていた原麻由美さん（23）の「世界で一番美味しい食べ物」が受賞した。うっとうしく思っていた中国人の継父と、一緒に餃子（ぎょうざ）を作ったり、食べたりして心を通わせた経験を紹介。「餃子は太陽となり私の心を照らし、親子の絆をくれた」などとつづった。

2018年11月23日

"日本と中国"を読む

心と心つないだ餃子

第一回「忘れられない中国滞在エピソード」受賞作品集

伊佐進一など44人〈著〉 段躍中〈編〉

日本僑報社
2,200円（税別）

日中平和友好条約40周年記念・第1回「忘れられない中国滞在エピソード」受賞作品集。相互理解の促進をめざして、日本人の中国滞在経験者を対象として行われた初のコンクールには、現滞在者を含む日本全国の10～80代の幅広い世代から数多くの作品が寄せられた（2017年・第1回「忘れられない中国留学エピソード」の拡大版。ともに日本僑報社主催）。昨年11月に都内で開かれた表彰式で程永華・駐日中国大使は「身近に起きたことが様々な角度から書かれていた。交流を通じて理解や信頼が生まれる」と語った。

本書には、最優秀賞の「心と心つないだ餃子」ほか入賞作を収録。近くて遠い大国・中国の本当の姿とは？ 14億の隣人と今後どう向き合うべきか？ 新たな示唆を与えてくれる涙と感動のありのままの体験を伝える。

2019年2月1日

2018年12月4日　2019年1月25日

中国滞在エピソード

作文コンクール表彰式開く

「第1回忘れられない中国滞在エピソード」作文コンクール（当協会などが後援）の表彰式が中国大使館で11月22日、開催された。冒頭、程永華大使があいさつし、受賞者を祝福するとともに「中国人と日本人を同文同種という先入観で見ると誤解が生じやすい。交流し違いを見つめることで理解が生まれ、それが信頼、友好につながっていく。これからも日中友好のために頑張ってほしい」と激励した。

また、グランプリにあたる「中国大使賞」を受賞した原真由美氏をはじめとする受賞者の代表数人が登壇し、それぞれが受賞の喜びや今後の抱負等を語った。

同コンクールは日本僑報社が日中平和友好条約締結40周年を記念して初開催、10代から80代までの幅広い年齢層の応募者が自らの中国滞在の経験を紹介し、40人余りが受賞した。

同社より受賞作品集『心と心つないだ餃子』が出版されている。

表彰式に先立ち、日本僑報社の主宰する中国語翻訳塾で長年にわたり後進の育成に尽力してきた武吉次朗当協会相談役をねぎらう程大使との面談が行われた。

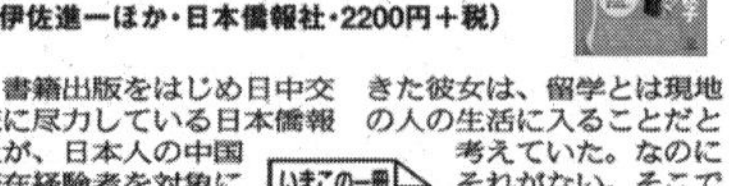

『心と心つないだ餃子— 忘れられない中国滞在エピソード』

（伊佐進一ほか・日本僑報社・2200円＋税）

いまこの一冊 新刊紹介

岡崎雄兒 前中京学院大学教授

心ゆさぶる体験が満載

書籍出版をはじめ日中交流に尽力している日本僑報社が、日本人の中国滞在経験者を対象に「忘れられない中国滞在エピソード」を募集した。本書は応募総数125本から最優秀賞など入選作品40本を収録した第1回受賞作品集である。

作品の書き手は高校生、大学生、会社員、日本語講師、教員、医師など、年齢も10代から70代と老若男女さまざま。体験した内容も多岐にわたってそれぞれに興味を惹かれる。

最優秀賞に選ばれた原真由美さんの「世界で一番美味しい食べ物」は、中国人継父との心の葛藤を描く。餃子は親子の絆をくれ、「そして人と人の絆を強くし、心と心を繋（つな）げてくれる、世界で一番美味しい食べ物だと、私は思っています」と結ぶ。

また三本美和さんの「具だくさん餃子の味」は痛快。留学を始めて3カ月ほど経ち生活にも慣れてきた彼女は、留学とは現地の人の生活に入ることだと考えていた。なのにそれがない。そこで友だちと作戦を練った。食べることが好きなので食べ物に関することにしょう。中国人の家に行って家庭を見てみたい。お願いするだけでなく日本の文化も伝えたい。ひねりだしたのが「ヒッチクック」。画用紙に「餃子を作りたい」と書いて道行く人に声を掛けた。さてこの作戦はどんな展開になったのか。それは本書を読んでのお楽しみ。

いま日中関係は、首脳交流は再開されたものの訪日中国人客に比べ訪中日本人は依然少ない。14億もの人が住む隣国への無関心がこのまま続くのは残念だ。日本人と中国人のさまざまな場面でのふれ合いで得られた心ゆさぶる体験満載の本書が、まだ訪中したことのない日本人が中国を訪れるきっかけになればと願うばかりである。

東京　**作文でつづる中国の思い出**

2019年1月号

中国での体験談を募った日本僑報社主催の第1回「忘れられない中国滞在エピソード」コンクールの表彰式が昨年11月22日、駐日本中国大使館で行われた。同コンクールには、10～80代の幅広い年齢層から125作品の応募があり、40点が入選した。

程永華駐日中国大使はあいさつで、「最初から友好が生まれるのではない。交流から理解が生まれる。理解が深まって、初めて信頼が生まれる。信頼が深まって初めて友好だ。努力することで、友好が初めて実現できる」と交流の重要性を訴えた。

最優秀賞に輝いた原麻由美さんは12歳から中国で暮らし、昨年7月に清華大学を卒業した。受賞作の「世界で一番美味しい食べ物」は、うとましいと感じていた中国人の義父と、ギョーザ作りで心を通わせた経験をつづった。表彰式で原さんは、「心と心のつながりは国境や血縁を越えることを、義父との経験が教えてくれました」とスピーチした。

聖　教　新　聞

2018年12月25日

日中平和友好条約締結40周年を記念

入賞者が中国大使館の程永華駐日大使らと記念のカメラに（11月22日）

日中平和友好条約締結40周年の記念行事を二つ紹介する。

◇

【第1回「忘れられない中国滞在エピソード」コンクール】

日本人の中国滞在経験者を対象とした、このコンクールは、日本僑報社が主催し、中国大使館などが後援。10代から80代まで合計125本の応募があり、40本が入選した。

東京・港区の中国大使館で行われた表彰式（11月22日）で、程永華駐日大使は、中国と日本は「引っ越すことができない」隣国であり、友好への努力を惜しんではならないと力説。「交流から理解が生まれ、理解から信頼が生まれ、信頼から友好が生まれます。ダイナミックに交流を重ね、両国の平和友好関係を一層、強固にしていきたい」と呼び掛けた。

入賞作品は『心と心つないだ餃子——第1回「忘れられない中国滞在エピソード」受賞作品集』に収められている。

段躍中編『心と心つないだ餃子』日本僑報社

◇

【金陵画派新韻——中白水墨画芸術展】

金陵とは、中国・江蘇省の南京のこと。金陵画派とは、明・清の時代に南京を中心に活躍した画家の一派である。日本に留学した画家・傅抱石を中心とする新金陵画派は、伝統を継承しながら新しい芸術を追求し、中国画壇に新風を巻き起こした。

同展は、現代中国画壇で活躍する新金陵画派の世界を紹介。代表作家20人の作品と、日本の関西を中心に活動する40人の作品が公開された。東京・港区の中国文化センターで12月4日から7日まで開かれ、「日中の友好親善の絆を強める展示」（中国大使館の陳諍文化参事官）となった（写真、主催＝江蘇省美術家協会、日中書画芸術交流協会、中国文化センター）。

2018年12月17日

私説　論説室から

想包餃子

「忘れられない中国滞在エピソード」というテーマの作文コンクール表彰式が、中国大使館で行われた。その中に「想包餃子」（ぎょうざを作りたい）と書いた紙を手にした大学生がいた。三本美和さん（二二）だった。

三本さんの作文は二〇一六年から約一年間、上海に語学留学した時のこと。現地の人と交流したいと考え、留学仲間と、この中国語を画用紙に大きく書いて公園で掲げてみた。

多くの人は通り過ぎていく。一人の中年女性が足を止め、三本さんたちを見ていた。

すかさず「中国人の生活を体験したいのです」と頼み込んだ。「私は餃子を作るのがうまくない。家もここから遠いけどいい？」

女性は二人と車に乗り、材料を買って高層マンションの自宅に招き入れた。そして、作り方を丁寧に教えてくれた。お礼に二人は、ツナ缶で日本風のおにぎりを作った。

女性は、日中戦争について語り出した。「だから、日本人を好きになれなかった。でも…」と女性は言葉を継いだ。

「お互い憎み合うのは悲しいことだと、今日気がついた。いつでも遊びにおいで」

中国は怖い、韓国は嫌いと言う人が少なくない。そう言う前に、一歩自分から歩み寄ってほしい。何か感じることがあるはずだ。

三本さんは「あの餃子は幸せの味だった」と作文を締めくくった。入賞作品集は日本僑報社から出版されている。

（五味洋治）

北海道新聞　どうしん電子版
2018年11月22日

忘れられぬ経験つづる　中国滞在の作文コンクール

2018/11/22 18:08 更新

最優秀賞に選ばれ、中国の程永華駐日大使（右）から賞状を受け取る原麻由美さん＝22日、東京都港区の中国大使館

忘れられない中国滞在の経験をテーマにした日本語の作文コンクールの表彰式が22日、東京都港区の中国大使館であり、7月に中国の清華大を卒業して帰国した原麻由美さん（23）＝神奈川県＝に最優秀賞、浜松市の高校1年相曽圭さん（15）ら5人に1等賞が贈られた。

12歳から中国で暮らしていた原さんは作文で、かつて敬遠していた中国人継父と信頼関係を築くまでのエピソードを紹介。表彰式では「心と心のつながりは、国境や血縁を越えることを（継父が）教えてくれた」とスピーチした。

相曽さんは、父親の赴任で天津日本人学校の小学部に通っていたころの体験を文章にまとめた。いつの間にか自分の中にあった「中国人との間の壁」を壊すと「人々の温かさに気づくことができた」とつづった。

西日本新聞　2018年11月22日

西日本新聞 › ニュース › アジア・世界

忘れられぬ経験つづる　中国滞在の作文コンクール

2018年11月22日17時51分 (更新 11月22日 18時12分)

最優秀賞に選ばれ、中国の程永華駐日大使（右）から賞状を受け取る原麻由美さん＝22日、東京都港区の中国大使館

写真を見る

作文コンクールの表彰式で賞状を手にする受賞者たち＝22日、東京都港区の中国大使館

忘れられない中国滞在の経験をテーマにした日本語の作文コンクールの表彰式が22日、東京都港区の中国大使館であり、7月に中国の清華大を卒業して帰国した原麻由美さん（23）＝神奈川県＝に最優秀賞、浜松市の高校1年相曽圭さん（15）ら5人に1等賞が贈られた。

12歳から中国で暮らしていた原さんは作文で、かつて敬遠していた中国人継父と信頼関係を築くまでのエピソードを紹介。表彰式では「心と心のつながりは、国境や血縁を越えることを（継父が）教えてくれた」とスピーチした。

相曽さんは、父親の赴任で天津日本人学校の小学部に通っていたころの体験を文章にまとめた。いつの間にか自分の中にあった「中国人との間の壁」を壊すと「人々の温かさに気づくことができた」とつづった。

コンクールは日本僑報社が主催し、今回が第1回。125本の応募があった。中国の程永華駐日大使は「身近に起きたことがさまざまな角度から書かれていた。交流を通じて理解や信頼が生まれる」と語った。

KYODO 共同通信
2018年11月22日

忘れられぬ経験つづる

中国滞在の作文コンクール

2018/11/22 18:07 (JST)　12/7 15:31 (JST) updated　©一般社団法人共同通信社

最優秀賞に選ばれ、中国の程永華駐日大使（右）から賞状を受け取る原麻由美さん＝22日、東京都港区の中国大使館

忘れられない中国滞在の経験をテーマにした日本語の作文コンクールの表彰式が22日、東京都港区の中国大使館であり、7月に中国の清華大を卒業して帰国した原麻由美さん（23）＝神奈川県＝に最優秀賞、浜松市の高校1年相曽圭さん（15）ら5人に1等賞が贈られた。

12歳から中国で暮らしていた原さんは作文で、かつて敬遠していた中国人継父と信頼関係を築くまでのエピソードを紹介。表彰式では「心と心のつながりは、国境や血縁を越えることを（継父が）教えてくれた」とスピーチした。

相曽さんは、父親の赴任で天津日本人学校の小学部に通っていたころの体験を文章にまとめた。いつの間にか自分の中にあった「中国人との間の壁」を壊すと「人々の温かさに気づくことができた」とつづった。

コンクールは日本僑報社が主催し、今回が第1回。125本の応募があった。中国の程永華駐日大使は「身近に起きたことがさまざまな角度から書かれていた。交流を通じて理解や信頼が生まれる」と語った。

作文コンクールの表彰式で賞状を手にする受賞者たち＝22日、東京都港区の中国大使館

福島民報　2018年11月22日

忘れられぬ経験つづる
中国滞在の作文コンクール

忘れられない中国滞在の経験をテーマにした日本語の作文コンクールの表彰式が２２日、東京都港区の中国大使館であり、７月に中国の清華大を卒業して帰国した原麻由美さん（２３）＝神奈川県＝に最優秀賞、浜松市の高校１年相曽圭さん（１５）ら５人に１等賞が贈られた。

１２歳から中国で暮らしていた原さんは作文で、かつて敬遠していた中国人継父と信頼関係を築くまでのエピソードを紹介。表彰式では「心と心のつながりは、国境や血縁を越えることを（継父が）教えてくれた」とスピーチした。

山陰中央新報 ONLINE NEWS　2018年11月22日

忘れられぬ経験つづる　中国滞在の作文コンクール

忘れられない中国滞在の経験をテーマにした日本語の作文コンクールの表彰式が２２日、東京都港区の中国大使館であり、７月に中国の清華大を卒業して帰国した原麻由美さん（２３）＝神奈川県＝に最優秀賞、浜松市の高校１年相曽圭さん（１５）ら５人に１等賞が贈られた。

最優秀賞に選ばれ、中国の程永華駐日大使（右）から賞状を受け取る原麻由美さん＝２２日、東京都港区の中国大使館

１２歳から中国で暮らしていた原さんは作文で、かつて敬遠していた中国人継父と信頼関係を築くまでのエピソードを紹介。表彰式では「心と心のつながりは、国境や血縁を越えることを（継父が）教えてくれた」とスピーチした。

相曽さんは、父親の赴任で天津日本人学校の小学部に通っていたころの体験を文章にまとめた。いつの間にか自分の中にあった「中国人との間の壁」を壊すと「人々の温かさに気づくことができた」とつづった。

作文コンクールの表彰式で賞状を手にする受賞者たち＝２２日、東京都港区の中国大使館

コンクールは日本僑報社が主催し、今回が第１回。１２５本の応募があった。中国の程永華駐日大使は「身近に起きたことがさまざまな角度から書かれていた。交流を通じて理解や信頼が生まれる」と語った。

福井新聞 FUKUISHIMBUN ONLINE　2018年11月22日

HOME＞ 全国のニュース＞ 国際

忘れられぬ経験つづる
中国滞在の作文コンクール

2018年11月22日 午後5時47分

最優秀賞に選ばれ、中国の程永華駐日大使（右）から賞状を受け取る原麻由美さん＝２２日、東京都港区の中国大使館

忘れられない中国滞在の経験をテーマにした日本語の作文コンクールの表彰式が２２日、東京都港区の中国大使館であり、７月に中国の清華大を卒業して帰国した原麻由美さん（２３）＝神奈川県＝に最優秀賞、浜松市の高校１年相曽圭さん（１５）ら５人に１等賞が贈られた。

１２歳から中国で暮らしていた原さんは作文で、かつて敬遠していた中国人継父と信頼関係を築くまでのエピソードを紹介。表彰式では「心と心のつながりは、国境や血縁を越えることを（継父が）教えてくれた」とスピーチした。

相曽さんは、父親の赴任で天津日本人学校の小学部に通っていたころの体験を文章にまとめた。いつの間にか自分の中にあった「中国人との間の壁」を壊すと「人々の温かさに気づくことができた」とつづった。

沖縄タイムス＋プラス OKINAWA TIMES　2018年11月22日

忘れられぬ経験つづる　中国滞在の作文コンクール

2018年11月22日 17:47

忘れられない中国滞在の経験をテーマにした日本語の作文コンクールの表彰式が２２日、東京都港区の中国大使館であり、７月に中国の清華大を卒業して帰国した原麻由美さん（２３）＝神奈川県＝に最優秀賞、浜松市の高校１年相曽圭さん（１５）ら５人に１等賞が贈られた。

最優秀賞に選ばれ、中国の程永華駐日大使（右）から賞状を受け取る原麻由美さん＝２２日、東京都港区の中国大使館

１２歳から中国で暮らしていた原さんは作文で、かつて敬遠していた中国人継父と信頼関係を築くまでのエピソードを紹介。表彰式では「心と心のつながりは、国境や血縁を越えること

2018年11月22日

忘れられぬ経験つづる　中国滞在の作文コンクール

最優秀賞に選ばれ、中国の程永華駐日大使（右）から賞状を受け取る原麻由美さん＝２２日、東京都港区の中国大使館

忘れられない中国滞在の経験をテーマにした日本語の作文コンクールの表彰式が２２日、東京都港区の中国大使館であり、７月に中国の清華大を卒業して帰国した原麻由美さん（２３）＝神奈川県＝に最優秀賞、浜松市の高校１年相曽圭さん（１５）ら５人に１等賞が贈られた。

１２歳から中国で暮らしていた原さんは作文で、かつて敬遠していた中国人継父と信頼関係を築くまでのエピソードを紹介。表彰式では「心と心のつながりは、国境や血縁を越えることを（継父が）教えてくれた」とスピーチした。

相曽さんは、父親の赴任で天津日本人学校の小学部に通っていたころの体験を文章にまとめた。いつの間にか自分の中にあった「中国人との間の壁」を壊すと「人々の温かさに気づくことができた」とつづった。

佐賀新聞LiVE　2018年11月22日

忘れられぬ経験つづる

中国滞在の作文コンクール

2018/11/22（共同通信）

最優秀賞に選ばれ、中国の程永華駐日大使（右）から賞状を受け取る原麻由美さん＝２２日、東京都港区の中国大使館

作文コンクールの表彰式で賞状を手にする受賞者たち＝２２日、東京都港区の中国大使館

忘れられない中国滞在の経験をテーマにした日本語の作文コンクールの表彰式が２２日、東京都港区の中国大使館であり、７月に中国の清華大を卒業して帰国した原麻由美さん（２３）＝神奈川県＝に最優秀賞、浜松市の高校１年相曽圭さん（１５）ら５人に１等賞が贈られた。

１２歳から中国で暮らしていた原さんは作文で、かつて敬遠していた中国人継父と信頼関係を築くまでのエピソードを紹介。表彰式では「心と心のつながりは、国境や血縁を越えることを（継父が）教えてくれた」とスピーチした。

相曽さんは、父親の赴任で天津日本人学校の小学部に通っていたころの体験を文章にまとめた。いつの間にか自分の中にあった「中国人との間の壁」を壊すと「人々の温かさに気づくことができた」とつづった。

忘れられぬ経験つづる　中国滞在の作文コンクール

中日新聞 CHUNICHI Web　2018年11月22日

忘れられぬ経験つづる
中国滞在の作文コンクール

IWATE NIPPO　2018年11月22日

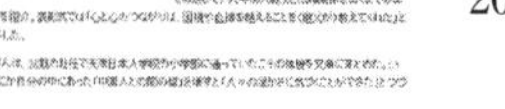

東京新聞 TOKYO Web　2018年11月22日

四国新聞社　2018年11月22日

忘れられぬ経験つづる／中国滞在の作文コンクール

2018/11/22 17:47

メールで記事を紹介　印刷する　一覧へ

ツイート　B! 0　シェア 0

作文コンクールの表彰式で賞状を手にする受賞者たち＝２２日、東京都港区の中国大使館

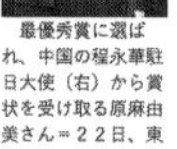

最優秀賞に選ばれ、中国の程永華駐日大使（右）から賞状を受け取る原麻由美さん＝２２日、東京都港区の中国大使館

忘れられない中国滞在の経験をテーマにした日本語の作文コンクールの表彰式が22日、東京都港区の中国大使館であり、7月に中国の清華大を卒業して帰国した原麻由美さん（23）＝神奈川県＝に最優秀賞、浜松市の高校1年相曽圭さん（15）ら5人に1等賞が贈られた。

12歳から中国で暮らしていた原さんは作文で、かつて敬遠していた中国人継父と信頼関係を築くまでのエピソードを紹介。表彰式では「心と心のつながりは、国境や血縁を越えることを（継父が）教えてくれた」とスピーチした。

相曽さんは、父親の赴任で天津日本人学校の小学部に通っていたころの体験を文章にまとめた。いつの間にか自分の中にあった「中国人との間の壁」を壊すと「人々の温かさに気づくことができた」とつづった。

コンクールは日本僑報社が主催し、今回が第1回。125本の応募があった。中国の程永華駐日大使は「身近に起きたことがさまざまな角度から書かれていた。交流を通じて理解や信頼が生まれる」と語った。

YOMISAT
中国・アジア
2018年6月28日

中国滞在時の体験記を募集

日本僑報社

【北京＝比嘉清太】日中関係の書籍を出版している「日本僑報社」（本社・東京都豊島区）が、中国滞在経験のある日本人を対象に、滞在時の忘れられないエピソードをつづる作文を募集している。日中平和友好条約締結40周年の今年、応募作品から40人分を収録して書籍化することも検討している。

同社は昨年、日本人の中国留学経験者を対象に留学エピソードをつづる作文を募集、書籍化しており、日中双方のメディアで話題を読んだ。その拡大版と位置づける今回の事業では、旅行や留学を含め、滞在期間の長短は問わない。現在、中国に滞在中の日本人でも応募できる。

同社編集長の段躍中さんは、「中国での体験を記してもらうことで、日中の相互理解の促進につなげたい」と話している。

最優秀賞（1人）には賞金10万円が進呈される。応募期間は今月30日まで。原稿の送付先は、メール（40@duan.jp）へ。文字数は3000字で、略歴200字。詳細は同社のホームページ（http:duan.jp.cn）で。

忘れられない中国滞在エピソード大募集

日本僑報社主催

日本僑報社が「忘れられない中国滞在エピソード」を左記の要領で募集しています。これは日中平和友好条約締結40周年を記念した取り組み。

▽内容＝中国滞在時の貴重な思い出、帰国後の中国とのかかわり、近況報告、中国の魅力、今後の日中関係への提言など

▽エピソードは日本語3000字＋文末に略歴200字（ワード形式で）

文字数のほか、郵便番号、住所、氏名、年齢、性別、職業、連絡先（E-mail、電話番号、微信ID）といった情報を、エクセル形式で一行にまとめて送付

▽写真＝滞在時の思い出の写真1枚と筆者の近影1枚

▽送付先＝E-mail 40@duan.jp（送信メールの件名（タイトル）は「忘れられない中国滞在エピソード応募」と記入、応募者の氏名も明記

▽応募期間＝6月1日（金）～30日（土）

▽入選発表＝8月31日（金）予定

▽特典＝最優秀賞（中国大使賞）1名（賞金10万円）、1等賞5名、2等賞10名、3等賞24名、佳作賞をそれぞれ進呈

▽問い合わせ＝☎03（5956）2808担当（張本、伊藤）

日中友好新聞　2018年6月15日

公募ガイド

2018年6月号

体験記・作文ほか

＼第1回／

日中平和友好条約締結40周年記念
「忘れられない中国滞在エピソード」募集

副賞 10 万円

原稿 3000字 程度

入選 40 編

2018 6/30

舞台は中国、とっておきの思い出を！
留学生やビジネスパーソン、行政・教育・文化・スポーツ・科学技術関係者や駐在員家族、国際結婚をした人、短期旅行者など、幅広い分野や立場での中国滞在経験者のエピソードを募集。中国人の同僚や部下、恩師や友人、家族との関わり、現在の中国との関わり、知る人ぞ知る中国の魅力、日中関係への提言といった平和友好条約締結40周年を記念するにふさわしい作品を。入選作40編は、作品集として刊行される予定。（ふ）

公募要項

●**内容**／忘れられない中国滞在エピソードを募集。　●**規定**／メールで応募。Word形式で、3000字程度。文末に200字程度の略歴をつける。縦書き。1行の字数、1枚の行数自由。末尾に〒住所、氏名、年齢、性別、職業、連絡先（メールアドレス、TEL、あれば微信ID）を明記。滞在時の思い出の写真1枚と応募者の近影1枚をJPG形式で添付。長辺600ピクセル以内。写真は入選の連絡後に送付しても可。メールの件名は「忘れられない中国滞在エピソード応募（応募者名）」とする。応募数自由。　●**資格**／中国滞在経験のある日本人　●**賞**／1等賞（中国大使賞）1編＝10万円、ほか　●**応募期間**／6月1日～30日　●**発表**／8月31日予定

応募先 40@duan.jp　**問合せ** 03-5956-2808　FAX 03-5956-2809　http://duan.jp/news/jp/20180402.htm　主催：日本僑報社

2018年11月24日

■ TOP＞社会

「餃子が心と心をつないだ」＝忘れられない中国滞在エピソード最優秀賞の原麻由美さん、表彰式で日中国民の友好訴え＜受賞作全文掲載＞

Record china

配信日時：2018年11月24日(土) 11時0分

中国に滞在した経験のある日本人を対象にした第1回「忘れられない中国滞在エピソード」コンクールの表彰式が東京の中国大使館で開催された。最優秀賞を受賞した原麻由美さんの「世界で一番美味しい食べ物」。写真は表彰式風景。

公明新聞

2018年4月13日

◆第１回「忘れられない中国滞在エピソード」募集

日中平和友好条約締結40周年に当たる2018年、中国に滞在したことのある日本人を対象にした第１回「忘れられない中国滞在エピソード」の原稿を募集する。文字数は3000字で、応募期間は６月１～30日。入選発表は８月31日。送信メールのタイトルに「忘れられない中国滞在エピソード応募（氏名）」として、40@duan.jp（Ｅメール）へ。詳しい問い合わせは☎03・5956・2808へ。

2018年5月1日

「忘れられない中国滞在エピソード」

第1回作品を6月1日から募集

1等の中国大使賞は賞金10万円！

日本僑報社は、今年の日中平和友好条約締結40周年を記念して、中国に滞在したことのある日本人を対象とした第１回「忘れられない中国滞在エピソード」（駐日中国大使館、（公社）日中友好協会などが後援）の原稿を募集する。

１９７２年に日中国交正常化が実現し、79年に両国政府が留学生の相互派遣で合意して以来、これまで約23万人の日本人が中国へ留学し、来日した中国人留学生は累計１００万人を超えるという。

今回は、中国滞在時のとっておきのエピソードをはじめ、現在の中国との関わり、知る人ぞ知る中国の魅力、そしてこれからの日中関係にプラスになるような提言といった、40周年を記念するにふさわしい内容のオリジナリティーあふれる作品を募集する。

40周年に合わせて、原則として40作品を入選作として選び、それらを1冊の作品集として刊行する予定。さらに入選作から、１等賞1人（中国大使賞）、2等賞10人、3等賞29人（以上40人・作品）、佳作賞若干名を選出し、１等賞には副賞10万円が贈られる。

応募期間は6月1日から6月30日まで。応募の詳細は同社ホームページ（http://duan.jp/news/jp/20180402.htm）を参照のこと。

2018年5月1日

日本僑報社主催 「忘れられない中国滞在エピソード」募集はじまる

日本僑報社（段躍中編集長）は、6月1日から30日まで、第1回「忘れられない中国滞在エピソード」への原稿の公募を実施する。

公募内容は、中国滞在時の思い出や、帰国後の中国との関わり、中国の魅力、日中関係への提言など。中国滞在経験者が対象。入選発表は8月31日を予定しており、40本の入選作品は単行本として出版される予定。当協会後援。

応募方法、特典など詳細は、ＨＰ（http://duan.jp/cn/2018.htm）参照。

2019年1月9日

讲述交往故事，增进交流理解

《连心饺子》汇集日本友人记忆

本报驻日本记者　刘军国

■"难忘的旅华故事"征文比赛显示中日民众相互交流的热情

■通过在中国学习历史、以史为鉴，理解了和平的珍贵

日本庆应大学学生正在翻看《连心饺子》一书。　本报记者　刘军国摄

为纪念中日和平友好条约缔结40周年，由日本侨报出版社主办、中国驻日本大使馆担任后援单位的第一届"难忘的旅华故事"征文比赛颁奖典礼日前在东京举行。中国驻日本大使程永华、日本侨报社总编辑段跃中、日本财务大臣政务官伊佐进一、日中友好协会顾问小岛康誉以及获奖者等约150人出席了此次颁奖礼。

在颁奖礼上，获奖者先后上台分享了各自在中国的见闻以及与中国朋友交往的感人故事。各位获奖者均表示，通过在中国工作、学习和生活的经历，认识了一个完全不一样的中国，今后愿做日中友好交流的桥梁，增强两国关系发展的民意纽带。

期待日本民众多去中国走走看看

"难忘的旅华故事"征文比赛面向所有拥有旅华经历，包括目前正在中国的日本民众，征集他们旅华期间的故事，旨在促进日中友好交流和相互理解。在众多参赛作品中，有的讲述与中国民众的交往故事，有的抒发体验中国文化的感悟。获奖文章已经结集为《连心饺子》一书出版，并在日本各大实体和网络书店销售。

日本自民党干事长二阶俊博发来贺信表示："希望有旅华经历的日本人将这一宝贵经历充分运用到日中友好交流中，希望广大日本读者能够铭记阅读时的感动，能够亲眼去看一看中国，从而写出更多新的难忘的旅华故事。"

国之交在于民相亲。程永华在颁奖礼致辞中说，"难忘的旅华故事"征文比赛成功举办，充分显示了中日两国民众相互交流的热情。很高兴看到很多日本民众从对中国一无所知，到通过交流与中国民众加深相互了解，增进理解和信任，最终建立起牢固的友谊。

2018年是中日和平友好条约缔结40周年。程永华表示，在中日关系保持良好改善发展势头的大背景下，希望两国民众特别是青年之间进一步扩大交流、增进友谊，为中日关系长期健康稳定发展发挥积极作用。

段跃中对本报记者说，希望日本全国各地的民众都能读到《连心饺子》一书，能够多去中国走走看看，感受中国悠久灿烂的文化、日新月异的变化，结识中国淳朴善良的民众。

希望向更多人讲述中国的魅力

很多日本民众读了《连心饺子》中的故事后备受感动，希望去中国看看。日本前首相福田康夫为《连心饺子》撰写序言，称赞这些珍贵的经历对于促进日中两国人民相互理解发挥着重要作用。

2018年7月刚从清华大学毕业的原麻由美回忆自己10年的赴华学习生活，撰写了《世界上最美味的食物》一文，讲述了饺子作为心与心之间的纽带，给自己人生带来的积极影响。

在颁奖礼上，原麻由美激动地讲述了自己在中国的美好回忆。2008年，由于母亲与中国继父结婚，12岁的原麻由美跟随母亲从日本来到中国上学。初到中国，原麻由美每次考试都在班级里倒数第一，这令她很难受。

一天放学后，中国继父带着原麻由美去一家饺子馆吃饭。吃着热腾腾的饺子，中国继父打破了沉默："不要为倒数第一名感到羞愧。你只学习了一年汉语，同学们的母语是汉语，你们成绩不一样是正常的。你把中国同学当作榜样去努力，为超越过去的自己而奋斗，慢慢进步就可以了。"这段话深深地温暖了原麻由美。那年春节，原麻由美向继父提议全家人一起包饺子，边吃边聊。从那以后，原麻由美从心底里接受了中国继父，融为真正意义上的一家人。

原麻由美在文中写道："十年在中国的学习生活中，给予我如饺子一样热腾腾的爱的人无疑就是中国继父。与继父一起吃饺子的温暖和鼓励就像太阳一样，照亮了我的心灵，给予了我无限的希望，给予我和继父超越国境与血缘的父女之情。从此，我们一起吃的饺子也变成了世界上最美味的食物，成为心与心之间的纽带。"

原麻由美认为，与中国人相处、交流并学习中国文化的经历是她一生中宝贵的经验。在文章结尾，原麻由美表示："希望通过介绍自己在中国的美好回忆，向更多人传达中国的魅力。"

从历史中理解和平的珍贵

程永华说，尤其令人感到欣慰的是，有的作者通过参观历史纪念馆和战争遗迹，加深了对中日之间不幸历史的了解，写下了对中日关系的深入思考。正是这种正视历史、以史为鉴、面向未来的正确态度，才有助于两国民众超越历史纠葛，构筑两国和平友好合作关系。

一名叫中关令美的东京获奖者在文章中讲述了自己与一名南京姑娘的故事。当中关令美告诉家人，应中国朋友之邀要去南京旅游时，祖父母表达了深切担忧和强烈反对。中关令美不顾家人反对，只身一人前往南京。

曾经在中学历史教科书中了解了南京大屠杀历史的中关令美到达南京之后，起初特别在意自己的国籍。在海关入关处，为把护照正面的"日本"两字藏起来，她刻意把护照反面朝上交给工作人员。每当被出租车司机、餐馆服务员问起自己的国籍，她内心都十分忐忑。但令她惊讶的是，当她告诉对方自己是日本人时，对方依然友善地对待她。

当她的南京朋友问她最想去哪里时，中关令美说，希望去侵华日军南京大屠杀遇难同胞纪念馆参观。在认真参观纪念馆后，她的中国朋友说道："历史不容篡改，南京大屠杀铁证如山，不容推翻。但我们永远是朋友。"中关令美顿时泪如泉涌。她意识到，虽然时钟无法拨回到1937年，无法阻止那场大屠杀，但是我们可以以史为鉴，从历史中学习和平的珍贵。

中关令美最后写道："在机场与中国朋友道别之后，我种下了一个新的梦想，那就是将来做日本和中国友好的桥梁。我将把在南京的经历铭记在心，继续努力下去。"

（本报东京电）

2018年11月29日

"难忘的旅华故事" 东京颁奖

2018年4月4日

■ TOP > 社会

「忘れられない中国滞在エピソード」大募集！＝日中平和友好条約締結40周年記念

配信日時：2018年4月4日(水) 18時0分

Email

Share

Tweet

コメント

中華人民共和国駐日本国大使館

日本僑報社は、日中平和友好条約締結40周年を記念して、中国に滞在したことのある日本人を対象とした第1回「忘れられない中国滞在エピソード」原稿を大募集します！

1972年の日中国交正常化以降、とくに1979年に両国政府が留学生の相互派遣で合意してから、これまでに中国は累計約23万人の日本人留学生を受け入れており、来日した中国人留学生は累計100万人を超えています。

人民日报 海外版
PEOPLE'S DAILY OVERSEAS EDITION
2018年12月7日

改革开放与党的九十年

读王蒙《中国人的思路》

《连心饺子》在日首发

为纪念中日和平友好条约缔结40周年，由日本侨报出版社主办、中国驻日大使馆支援的第一届"难忘的旅华故事"征文比赛颁奖典礼暨获奖文集《连心饺子》首发式，近日在东京举行。中国驻日本大使程永华、日本众议院议员、财务大臣政务官伊佐进一、日本著名作家海老名香叶子等及获奖者约150人出席。

日本前首相福田康夫在为《连心饺子》撰写的序言中写到，读完"旅华故事"后心潮澎湃，这些珍贵的经历对于促进日中两国民相互理解发挥不可替代的重要作用，无疑将成为日中关系发展的正能量。

日本自民党干事长二阶俊博发来贺信表示，希望有旅华经历的日本人将这一宝贵经历充分运用到日中友好交流中，希望广大日本读者能够铭记阅读时的感动，去亲眼看一看中国，从而写出更多新的难忘的旅华故事。

（刘军国）

首届"难忘的旅华故事"征文比赛在东京揭晓

2018年11月23日 12:01　来源：经济日报-中国经济网　苏海河

〔手机看新闻〕〔字号 大 中 小〕〔打印本稿〕

程永华大使为获奖作者颁奖

2018年11月23日

经济日报-中国经济网东京11月23日讯（记者　苏海河）为纪念中日和平友好条约缔结40周年，由日本侨报出版社主办、中国驻日大使馆支援的首届"难忘的旅华故事"征文比赛，11月22日评选揭晓并在我国驻日大使馆举行颁奖典礼。

中青在线　2018年11月26日

《连心饺子》首发：旅华故事传递中日友好

发布时间：2018-11-26 14:04 来源：中青在线　作者：蒋肖斌

中青在线讯（中国青年报・中青在线记者 蒋肖斌）为纪念中日和平友好条约缔结40周年，由日本侨报出版社主办、中国驻日大使馆支持的第一届“难忘的旅华故事”征文比赛颁奖典礼暨获奖文集《连心饺子》首发式，11月22日在东京举行。

程永华大使在会场和原麻由美合影。段跃中摄

中国驻日本大使程永华向清华大学留学生原麻由美颁发了“中国大使奖”，向日本众议院议员兼财务大臣政务官伊佐进一颁发了“特别奖”，另有54位日本人分别获得一二三等和佳作奖。

2018年11月24日

第一届“难忘的旅华故事”征文比赛颁奖典礼在东京举行

2018-11-24 14:18:40　来源：新华网

新华网东京11月24日电（记者 姜俏梅）为纪念中日和平友好条约缔结40周年，由日本侨报社主办的第一届“难忘的旅华故事”征文比赛颁奖典礼近日在中国驻日本大使馆举行，日本各界代表160余人出席了颁奖典礼。

曾在清华大学留学的日本女孩原麻由美以《世界最美味食物》一文获得最高奖项“中国大使奖”。原麻由美在文章中写道，“饺子如太阳一般照耀到我的心底，给我希望，支撑着我在中国的留学生活，并帮助我和继父之间建立起超越国界和血缘的亲子关系。在我心里，饺子是能够超越国界，让人与人心灵相通的全世界最美味的食物。”

中国驻日本使馆举行“难忘的旅华故事”征文比赛颁奖仪式

11月22日，中国驻日本使馆举行“难忘的旅华故事”征文比赛颁奖仪式，中国驻日本大使程永华，众议院议员、财务大臣政务官伊佐进一，日中友好协会顾问小岛康誉以及获奖者等约150人出席。

程大使在致辞中表示，“难忘的旅华故事”征文比赛成功举办，充分显示了中日两国民众相互交流的热情。在众多参赛作品中，有的讲述与中国人的交往趣事，有的描写体验中国文化的感悟，这些发生在普通日本民众身边的故事令人感动。很高兴看到很多日本民众从对中国一无所知，到通过交流与中国民众加深相互了解认识，在此基础上增进相互理解和信任，进而建立起牢固的友好感情。尤其令人感到欣慰的是，有的作者通过参观历史纪念馆和战争遗迹，加深了对中日之间不幸历史的了解，写下了对中日关系的深入思考。正是这种正视历史、以史为鉴、面向未来的正确态度，才有助于两国民众超越历史纠葛，实现民族和解并构筑两国和平友好合作关系。

程大使表示，今年是中日和平友好条约缔结40周年，在双方共同努力下，两国关系在重回正轨基础上取得新的发展。今年5月，李克强总理成功访问日本。安倍首相上个月访问中国，两国领导人一致同意开展更加广泛的人文交流，增进相互理解。两国领导人还同意将明年定为“中日青少年交流促进年”，鼓励两国各界特别是年轻一代踊跃投身中日友好事业。2020年、2022年，东京和北京将相继迎来夏季和冬季奥运会，在中日关系保持良好改善发展势头的大背景下，希望两国民众特别是青年进一步扩大交流，增进友谊，为中日关系长期健康稳定发展发挥积极作用。

自民党干事长二阶俊博发来贺信表示，希望有旅华经历的日本人将这一宝贵经历充分运用到日中友好交流中，希望广大日本读者能够铭记阅读时的感动，多去亲眼看一看中国，从而写出更多新的“难忘的旅华故事”。希望通过此次征文比赛，日本民众可以增加与中国的交往，加深对中国的了解，为日中关系改善发展贡献更多力量。

伊佐进一和获奖者分别上台发言，分享了在中国的见闻以及与中国朋友交往的感人故事。获奖者表示，通过在中国生活、旅行，增进了了解中国，改变了对中国的刻板印象。日中关系不仅是政治（转第3版）

大富報　2018年12月2日

2018年11月23日

驻日本使馆举行“难忘的旅华故事”征文比赛颁奖仪式

11月22日，驻日本使馆举行“难忘的旅华故事”征文比赛颁奖仪式，程永华大使、日本侨报社社长段跃中、众议院议员、财务大臣政务官伊佐进一、日中友好协会顾问小岛康誉以及获奖者等约150人出席。

程大使在致辞中表示，“难忘的旅华故事”征文比赛成功举办，充分显示了中日两国民众相互交流的热情。在众多参赛作品中，有的讲述与中国人的交往趣事，有的描写体验中国文化的感悟，这些发生在普通日本民众身边的故事令人感动。很高兴看到很多日本民众从对中国一无所知，到通过交流与中国民众加深相互了解认识,在此基础上增进相互理解和信任，进而建立起牢固的友好感情。尤其令人感到欣慰的是，有的作者通过参观历史纪念馆和战争遗迹，加深了对中日之间不幸历史的了解，写下了对中日关系的深入思考。正是这种正视历史、以史为鉴、面向未来的正确态度，才有助于两国民众超越历史纠葛，实现民族和解并构筑两国和平友好合作关系。

2018年11月23日

“难忘的旅华故事”征文比赛在东京举行颁奖仪式

2018/11/23 22:59:44　来源：人民网-人民视频

2018年11月22日

“难忘的旅华故事”征文比赛东京颁奖 日本留学生荣获“中国大使奖”

2018年11月22日17:14　来源：人民网-日本频道

首届征文大赛颁奖典礼颁奖嘉宾及获奖者合影

人民网东京11月22日电（吴颖）11月22日，第一届“难忘的旅华故事”征文比赛在中国驻日本使馆举行颁奖典礼。本次征文比赛为纪念中日和平友好条约缔结40周年，由日本侨报出版社主办、中国驻日大使馆支援。

人民日報 2018年4月3日

“难忘的旅华故事”征文比赛在东京启动

本报东京4月2日电　（记者**刘军国**）为纪念中日和平友好条约缔结40周年，第一届“难忘的旅华故事”征文比赛4月2日在东京启动。

您在中国生活和工作期间有哪些难忘的故事？您心中一直怀念哪位中国朋友？您现在与中国割舍不断的联系是什么？您是怎样讲述您认识的中国人及中国魅力的……主办方希望在中国生活和工作过的日本各界人士拿起笔来，写出珍藏在心中的记忆，分享各自的原创故事，从而让更多的日本人了解到在中国生活和工作、旅游的快乐，让更多的人感受到中国独特的魅力，促进中日之间的相互理解。

2017年，日本侨报出版社举办了首届“难忘的中国留学故事”征文比赛，受到日本各界好评。据悉，由于很多没有在中国留学的日本人也想参加该活动，在中日和平友好条约缔结40周年之际，主办方把参加对象扩大至所有在中国生活和工作过的日本人，并表示将把此项活动长期办下去。中国驻日本大使馆是本次活动的后援单位。

国际 22

“武术让我亲近中国文化”

人工智能，需要“负责任的创新”

电子屏幕对法国“新一代”危害大

“清洁印度”运动仍有待观念变革

2018年9月13日

第一届“难忘的旅华故事”征文比赛结果揭晓

2018年09月13日07:18　来源：人民网-国际频道　分享到：

人民网东京9月12日电（记者 刘军国）为纪念中日和平友好条约缔结40周年，由日本侨报社主办的第一届“难忘的旅华故事”征文比赛评选结果9月12日揭晓。清华大学留学生原麻由美获中国大使奖，另有54位日本人分别获得一二三等和佳作奖。

本次“旅华故事”征文活动是以促进中日友好交流和相互理解为目的，向拥有旅华经验（包括目前正在中国）的日本人征集他们旅华期间的珍贵往事，特别是那些符合中日和平友好条约精神的原创作品。

据了解，主办方审查员评价作品主要依据以下标准。一是符合“难忘的旅华故事”主题，写出了令人感动、印象深刻的故事，二是通过自己独特的旅华经验，使读者感受到勇气、希望等充满“正能量”，三是对今后的中日关系的良性发展，有着积极引导的作用。

此次征文是去年举办、广受好评的“难忘的中国留学生故事”的扩大版。据主办方介绍，此次共收到125篇作品，都是作者亲历的倾心之作，有的作者依然生活在中国，有的作者已经回到日本。

获奖名单如下：http://duan.jp/cn/2018shou.htm。

主办方将把获得中国大使奖和一二三等奖的40部作品结集出版在日本公开发行。颁奖典礼暨出版纪念酒会将于11月22日中国驻日大使馆举行。

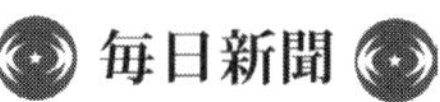

2017年5月14日

中国留学エピソード募集

日中国交正常化から今年で45周年を迎えるのを機に、出版社「日本僑報社」（東京都豊島区）が「忘れられない中国留学エピソード」の作文を募集している。対象は中国留学経験者で、原則として日本人（現役留学生可）。テーマは「中国との出会い」や「恩師やクラスメートとの交流」「日中関係にプラスになるような提言」など。31日締め切り。問い合わせは同社（03・5956・2808）。

2018年4月3日

首页　新闻聚焦　新报专题　新报时评　文华TV　日中飞鸿　玩转日本　东瀛

当前位置：新闻聚焦 > 日中之间 > > 内容

《难忘的旅华故事》征文赛在东京启动

来源：东方新报　作者：朱耀忠　时间：2018-04-03　分享到：

纪念中日和平友好条约签订40周年

首届《难忘的旅华故事》征文比赛在东京启动

2018年
10月26日

中国 私の留学時代

公明党参院議員 西田 実仁

学生、教授との交流は「宝」

日中関係をテーマに出版する、日本僑報社の段躍中代表から、「中国留学のエピソードを」と依頼があり、『忘れられない中国留学エピソード』【写真】に拙文を寄せた。そこで私の中国留学時代をお伝えしてみたい。

留学したのは1982年、私が慶応義塾大学経済学部の2年生で19歳だった。留学先は、北京語言学院。世界各国からの留学生で溢れていた。中国に留学したいという思いは、高校時代からだろうか。

母が10歳まで旧満州で育ち、「戦争に敗れて逃げ帰ってくるときに、現地の中国人に食べるものや着るものなど、大変に世話になった」と幼い頃から聞いていた。もし、母がそこで亡くなれば、今の私は存在しないわけで、「自らのルーツともいうべき中国大陸に渡って、中国の人々と中国語で話ができるようになりたい」という素朴な思いからだった。

初めての海外が中国・北京。両親と離れて一人暮らしをするのも初めて。薄暗い洗い場で、衣服を手洗いするのも初めて。その思い出は、年を重ねるごとに、より膨らみ、私にとって貴重な「宝」となっていることを実感する。

2004年、参院議員に送り出していただき、日中の諸問題に直接、携わる機会を拝した。13年、国家主席就任前の習近平氏と公明党の山口那津男代表が約70分間、会談する場に陪席した。その後、15年、そして今年9月、山口代表とともに中国・北京へ渡り、安倍晋三首相の親書を要人に手渡すなど、中国との交流窓口として、働かせていただいている。

留学の思い出は、楽しいことばかりだ。語言学院の前の五道口の商店で、当時はまだ配給制だった肉票や布票を使って、肉や洋服を買ったこと、ちょうど20歳になったお祝いに、同班同学と気の抜けたビールで乾杯したこと、郊外には馬車でわらを運ぶ農民がいて、その糞に当たりそうになったこと、などなど。

ある初老の大学教授との出会いも忘れられない。当時、中華人民共和国が誕生して33年。先生はそれまでの様々な出来事を振り返りながら、自宅で夜の「互相学習」の時間を持ってくださった。とても心地よかった。目的は、日本語と中国語を相互に学びあうことだったが、実際にはほとんど中国語による会話となった。ときに諭すように、ときに嘆き、ときに笑い、そして期待を込めて、話しかけてくれた優しい眼差しは今も忘れていない。当時の中国を、そして日中関係を深く考えるきっかけとなった。

日中の学生が集まって、誰かの誕生日に「餃子会」と称して、宿舎内で、いろいろなものを餃子の皮に包んで食べたことは昨日のことのように思い起こす。中国に留学できれば最高だ。そして、旅行でも、仕事でも、とにかく触れ合うことから交流は始まる。お互いに引っ越すことのできないお隣の国にいるのだから。

（にしだ・まこと）

中国留学時代の西田氏（右から3人目）＝1982年

段躍中編『忘れられない中国留学エピソード』（日本僑報社＝☎03・5956・2808＝2600円＋税）

THE YOMIURI SHIMBUN
讀賣新聞 2018年3月18日

記者が選ぶ

忘れられない中国留学エピソード

段躍中編

中国で日本語を学ぶ学生たちの作文コンクールを長く催してきた出版社が、今度は日本人の中国留学経験者を対象に、留学エピソードをつづる作文を募集した。本書は入賞作を含む計48本を収録した。

還暦を過ぎてMBA（経営学修士）コースに入学した人、現在はネットラジオで活躍する人など、経歴も様々だが、体験している内容も幅広い。不幸な歴史を抱えているだけに、心温まる体験ばかりではない。だが、留学がそれぞれの人生に、大切な何かを刻んだことがよく分かる。行って暮らしてみることの意義や魅力が伝わってくる。

今回の取り組みで友好親善が深まるというのは、単純すぎる理解かもしれない。だが、継続していくことで育つものが、確実にあると感じられた。（日本僑報社、2600円）　（佑）

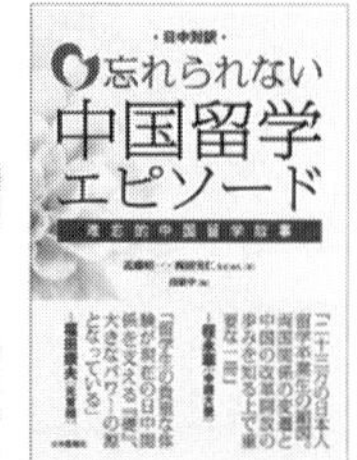

讀賣新聞 オンライン　2018年3月28日

ライフ　本よみうり堂　コラム　記者が選ぶ

『忘れられない　中国留学エピソード』段躍中編

2018年03月28日

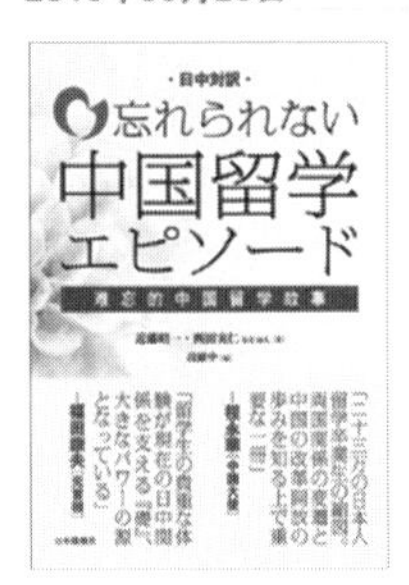

中国で日本語を学ぶ学生たちの作文コンクールを長く催してきた出版社が、今度は日本人の中国留学経験者を対象に、留学エピソードをつづる作文を募集した。本書は入賞作を含む計48本を収録した。

還暦を過ぎてMBA（経営学修士）コースに入学した人、現在はネットラジオで活躍する人など、経歴も様々だが、体験している内容も幅広い。不幸な歴史を抱えているだけに、心温まる体験ばかりではない。だが、留学がそれぞれの人生に、大切な何かを刻んだことがよく分かる。行って暮らしてみることの意義や魅力が伝わってくる。

今回の取り組みで友好親善が深まるというのは、単純すぎる理解かもしれない。だが、継続していくことで育つものが、確実にあると感じられた。（日本僑報社、2600円）（佑）

2018年5月13日

忘れられない中国留学エピソード

段躍中編

中国政府の発表によるとこれまでに中国を訪れた日本人留学生は約23万人。日中国交正常化45周年の2017年、これら留学経験者を対象に呼びかけられた第1回「忘れられない中国留学エピソード」コンクールの入選作品集です。抗日戦線にも従事した日本嫌いの先達の学者に思い切って質問し、快く受け入れられた経験（堀川英嗣氏）など45作品を収録します。中国語対訳つき。

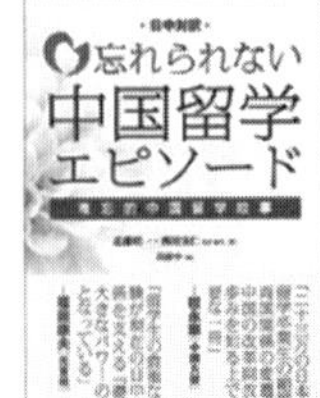

（日本僑報社・2600円）

2018年1月30日

近着の 図書紹介

■『忘れられない中国留学エピソード』（段躍中編・日本僑報社・2600円＋税）

日本僑報社は17年、日中国交正常化45周年を記念して第1回「忘れられない中国留学エピソード」コンクール（当協会などが後援）を実施した。93本の応募があり、45本が入賞。応募者は20代から80代、留学時期は70年代から現代まで。入賞作と留学経験のある国会議員の近藤昭一、西田実仁氏による寄稿、親族から送られた故幾田宏氏（享年89歳）の日記の一部を収録。小林陽子氏（深圳大学留学）は日本にいた時に中国人から日本の習慣について質問攻めに遭い、答えに窮していた。しかし、留学してみると、日本人の習慣になかったことを不思議に思い、質問ばかりしている自分を発見した。日中対訳になっている。（亜娥歩）

2018年2月号

世代を超えた留学交流

昨年12月8日、駐日本中国大使館は中国留学経験者の交流の場として、「2017年中国留学経験者の集い」を開催した。約250人の参加者の年齢層は幅広く、世代を越えて中国留学の思い出や帰国後の様子を和やかに語り合った。

当日は「『忘れられない中国留学エピソード』入選作品集発刊式」も同時開催され、28年前の北京大学留学での経験をつづって一等を受賞し、訪中旅行の機会を得た岩佐敬昭さんは、「訪中旅行では中国人の友人と28年ぶりに再会した。見た目は変わったが、優しい瞳がそのままだった。ウイーチャットアドレスも交換したので、これからはいつでも連絡ができる」と喜びを語り、これを機会に引き続き中日交流を大切にしていく決意を新たにしたと締めくくった。

中国関連書籍紹介

【日中対訳】忘れられない中国留学エピソード
－難忘的中国留学故事－

近藤昭一、西田実仁など48人〈共著〉・段躍中〈編〉

日本僑報社
2,600円（税別）

日中国交正常化45周年記念・第1回「忘れられない中国留学エピソード」受賞作品集。お隣の国・中国がこれまでに受け入れた日本人留学生は累計23万人！この「中国留学エピソード」は、日中相互理解の促進をめざし中国留学の経験者を対象として2017年にスタート（日本僑報社主催）。記念すべき第1回には短期募集にも関わらず北京大学、南京大学など留学先は52校、20～80代までの幅広い世代による93本もの作品が寄せられた。本書には入賞作を含め計48本を収録。心揺さぶる感動秘話や驚きの体験談などリアル中国留学模様を届ける。

日本と中国
Japan and China Friendship Newspaper
2018年2月1日

23万人の日本人留学卒業生の縮図『忘れられない中国留学エピソード』が発売

タグ：留学　中国　作文　コンクール

発信時間：2018-01-08 15:00:56 | チャイナネット | 編集者にメールを送る

中日国交正常化45周年にあたる2017年、在日本中国大使館の支援のもとで、日本僑報社は日本の中国留学経験者を対象とした第1回『忘れらない中国留学エピソード』コンクールを開催した。45日間の募集期間に、政治家や外交官、ジャーナリスト、会社員、日本語教師、主婦、現役の留学生など各分野で活躍する人たちから93本の寄稿が集まった。入賞作を含め、その中から選ばれた48本の応募作品を日本僑報社は『忘れられない中国留学エピソード』という本に収録し、12月に出版した。

中国网
2018年1月8日

憂楽帳　可愛い人

「あなたは顔が大きすぎるから、美容整形をして骨を削ったら？」。最近出版された「忘れられない中国留学エピソード」（日本僑報社）に、タレントを目指して北京電影学院に留学し、中国の同級生から整形手術を勧められた元留学生の体験談が載っている。

筆者で埼玉県在住の中国語講師、小林美佳さん(48)に聞くと、「結局、整形しなかったけれど、本当にショックで食事ものどを通らなかった」とふり返った。美容整形が珍しかった1990年代の話だ。

中国は今、市場規模で米国、ブラジルに次ぐ世界3位の「整形大国」になっている。旧知の女性が大きな整形手術をしていたことを知り、驚いたことも一度や二度ではない。その際、どう声をかけるか。実に悩ましい。

整形しようか悩んでいた小林さんを救ったのは「あなたは可愛い人」という別の同級生の一言だったという。

「美しい人が可愛いのではなく、可愛らしい人が美しいのです」。ロシアの文豪トルストイの言葉だ。もっと知られてほしい。【浦松丈二】

2018.1.27

日中友好新聞

本の紹介

『忘れられない中国留学エピソード』近藤昭一・西田実仁など48人著　段躍中 編

日本僑報社は、日中国交正常化45周年の節目に当たる2017年を記念して、第1回「忘れられない中国留学エピソード」コンクールを開催しました。

本書は入賞作含め48本を収録。いずれも中国留学の楽しさ、つらさ、意義深さ、そして中国の知られざる魅力を日中対訳版で紹介。

発行に当たり、程永華中国大使は「23万の日本人留学生の縮図。両国関係の変遷と中国の改革開放の歩みを知るうえで重要な一冊」と評しています。

日本僑報社発行、定価2600円＋税。問い合わせは同社☎03（5956）2808

☝2018年1月25日　☟2017年8月5日

「忘れられない中国留学エピソード」作文の受賞者決まる

日中国交正常化45周年記念・第1回「忘れられない中国留学エピソード」を主催する日本僑報社は7月3日、厳正な審査の結果、作文の各賞受賞者を決定しました。

主催者にとっては、中国留学に関する作品の初めての募集。また募集発表から応募締切まで約45日間と短期間だったにもかかわらず、応募総数延べ93本、留学先の大学・学校は延べ52校で中国のほぼ全土にわたることが、明らかになりました。応募者は男性45人、女性48人。年代別では20代から80代まで幅広い年齢層でした。

入選作は、国交正常化45周年に合わせて原則として45作品とし、さらに入選作から1等賞10本、2等賞15本、3等賞20本を選出しました。

1等賞は、東京都の五十木正さん（留学先＝北京大学）らで、男性8人、女性2人。いずれもかけがえのない留学体験にもとづいた力作、秀作ぞろいで甲乙つけがたく、各審査員も大いに頭を悩ませました。

その中でも上位に選ばれた作品は、（1）「忘れられない中国留学エピソード」というタイトルにふさわしく、具体的かつ印象的なエピソードが記されたもの

（2）テーマ性、メッセージ性のはっきりしたもの

（3）独自の中国留学体験から、読者に勇気や希望、感動を与えてくれたもの――などの点が高く評価されました。

主催者は、入選作45本など計48本を1冊の作品集としてまとめ、日中2カ国語版として年内に刊行する予定です。

2018年
7月26日

中国留学作文コンクール
県出身2人が1等賞

山本勝巳さん

市川真也さん

日中関係の出版社・日本僑報社（東京）の作文コンクール「忘れられない中国留学エピソード」で、星城大事務職員、山本勝巳さん（三二）＝東海市富貴ノ台二＝と、安城市出身の早稲田大四年、市川真也さん（二二）＝東京在住＝が一等賞の十人の中に選ばれた。二人とも中国での体験を通じ、市民レベルでの交流や相手の立場で考えることの大切さを訴えた。

コンクールは、日中国交正常化四十五周年を記念して行われた。二十代から八十代までの中国留学経験者や現役留学生九十三人から応募があり、今月上旬に受賞者が決まった。

山本さんは二〇〇七年三月から約一年間、北京の演劇大学・中央戯劇学院で中国語や演技を学んだ。作文では、中国のドラマに日本兵役で出演した経験に触れた。ロケ地で子どもたちから「バカヤロ」と怒鳴られたが、自分から中国語で話し掛けると次第にうち解け、日本のアニメのことで質問攻めにあった体験をつづった。

市川さんは一五年二月から半年余り、北京大に留学。寮で同室だった中国人と一緒に「抗日ドラマ」を見たのをきっかけに、日中戦争について知ろうと、旅順やハルビン、南京などを訪問。生存者の悲痛な声も聞き、「彼らの戦争体験、私が見てきたもの、すべてを伝えていかなければならないと心から感じた」と書いた。

受賞の知らせに、山本さんは「自分の考えに共感してもらえたのでうれしい」と述べた。市川さんは「一等賞になるとは思わなかった。多くの人に中国の現場を訪れてほしいと思う」と話した。

一等賞の受賞者十人は十一月に一週間の中国旅行に招待される。

（重村敦）

讀賣新聞 2017年5月27日

よみうり抄

◆「忘れられない中国留学エピソード」募集　中国留学の経験者や現役の留学生を対象に、思い出や日中関係への提言などを原稿用紙5枚（2000字）程度で募集。1等賞10人は1週間の中国旅行に招待。入賞者の作品は刊行予定も。31日まで。問い合わせは主催の日本僑報社（☎03・5956・2808）。

週刊読書人 2017年5月26日

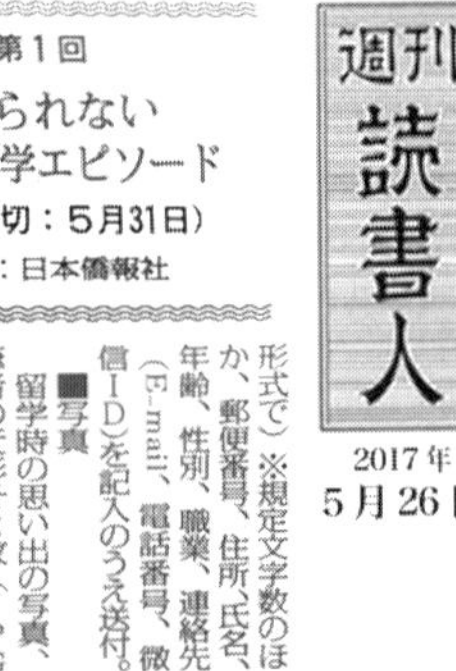

第1回
忘れられない
中国留学エピソード
募集（締切：5月31日）
主催：日本僑報社

■内容
忘れられない中国留学エピソード
※中国留学の思い出、帰国後の中国とのかかわり、今近況報告、中国の魅力、今後の日中関係への提言など。テーマ性を明確に。
■対象
中国留学経験者※原則として日本人。現役留学生可。
■入賞数
45名（作品）
■文字数
400字詰め原稿用紙5枚（2000字）＋文末に略歴200字以内（ワード形式で）※規定文字数のほか、郵便番号、住所、氏名、年齢、性別、職業、連絡先（E-mail、電話番号、微信ID）を記入のうえ送付。
■写真
留学時の思い出の写真、筆者の近影計2枚（JPG形式で、サイズは長辺600ピクセル以内）
■送付方法
原稿と写真を、E-mailで送付。
【あて先】
E-mail:45@duan.jp
※送信メールの「件名（タイトル）」は「忘れられない中国留学エピソード応募（お名前）」として、応募者の名前も明記。
■応募期間
2017年5月8日～5月31日
■入選発表
6月30日（予定）
■問い合わせ
「忘れられない中国留学エピソード係」☎03・5956・2808

聖教新聞 SEIKYO SHIMBUN 2017年5月13日

第1回 忘れられない中国留学エピソード

31日締め切り 日本僑報社

募集

日本僑報社が、日中国交正常化45周年を記念し、第1回「忘れられない中国留学エピソード」の作品を募集している。

中国への日本人留学生は、受け入れが始まった1962年から2015年までに累計22万人を超えた。そうした多くの留学経験者（現役留学生含む）が対象で、留学時代の思い出や中国の魅力、帰国後の中国との関わり、日中関係への前向きな提言など、各人のエピソードを、テーマ性を明確にしてまとめる。

入選作45作品は作品集として8月に同社から刊行される。また、入選作の中から1等賞（10作品、中国大使館主催の「一週間中国旅行」に招待）、2等賞（15作品、2万円相当の同社書籍贈呈）、3等賞（20作品、1万円相当の同社書籍贈呈）が選ばれる。

詳細は公式ホームページ（http://duan.jp/cn/2017.htm）を参照。

文字数＝400字詰め原稿用紙5枚と掲載用略歴200字以内（どちらもワード形式）。規定文字数のほか、住所・氏名・年齢・職業・連絡先を記載。

写真＝2枚（留学時のもの、筆者の近影）を添付。

応募先＝日本僑報社内「忘れられない中国留学エピソード」係まで、メール（45@duan.jp）で作品と写真を送信する。

募集期間＝5月31日(水)まで。入選発表は6月30日(金)。

問い合わせ先＝日本僑報社、忘れられない中国留学エピソード係、電話03（5956）2808。

中日新聞 2017年5月12日

★中国留学エピソード募集　今年秋が日中国交正常化四十五周年の節目になるのを記念し、東京都豊島区西池袋の出版社・日本僑報社が「忘れられない中国留学エピソード」の原稿を募集している。

入選四十五作品を今年八月に同社が作品集として刊行するほか、後援の在日中国大使館が入選のうち一等賞の十人を八月に一週間の中国旅行に招待する。

同社は「経験者以外にあまり知られていない中国留学の楽しさ、つらさ、意義深さ、中国の知られざる魅力を書いてください」と積極的な応募を呼びかけている。

中国は国交正常化前の一九六二年から日本人留学生を受け入れ、二〇一五年までに累計で二十二万人を超えるという。作品募集の対象は日本人の中国留学経験者で、現役留学生も可。

四百字詰め原稿用紙五枚の本文と二百字以内の略歴、留学時の思い出の写真と筆者近影の二枚をEメールで送る。宛先は45@duan.jp。締め切りは今月三十一日。入選発表は六月三十日。問い合わせは日本僑報社＝電03（5956）2808＝へ。

日中国交正常化45周年記念

第1回「忘れられない中国留学エピソード」大募集

日本僑報社は、日中国交正常化45周年の年である今年、中国留学の経験者を対象とした第1回「忘れられない中国留学エピソード」原稿を募集します。

中国は1962年から日本人留学生を受け入れ、2015年までにその数は累計22万人を超えています（うち中国政府奨学金を受けた留学生は、計7000人余り）。

また2015年時点で、中国国内で学ぶ日本人留学生は1万4085人を数え、これは世界202カ国・地域にわたる計39万8000人の日本人留学生のうち、国別・地域で第7位にランクされています。

留学時代のとっておきのエピソード――中国との出合い、恩師とクラスメートなどとの思い出をはじめ、現在の中国とのかかわり、知る人ぞ知る中国の魅力、そしてこれからの日中関係にプラスになるような提言といった、国交正常化45周年にふさわしい幅広い内容のオリジナリティーあふれる作品が期待されています。

同社では、原則として45作品を入選作として選び、それらを1冊の作品集として刊行する予定。さらに入選作から、1等賞10本、2等賞15本、3等賞20本を選出。副賞として1等賞の受賞者10人は、中国大使館主催の「1週間中国旅行」に招待。2等賞と3等賞の受賞者には、それぞれ2万円相当と1万円相当の日本僑報社の書籍が贈呈されます。

募集内容は以下の通り。

■内容＝忘れられない中国留学エピソード
※中国留学の思い出、帰国後の中国とのかかわり、近況報告、中国の魅力、今後の日中関係への提言など。中国留学の忘れられない思い出に触れつつもテーマ性を明確にしてください。

■主催＝日本僑報社（http://jp.duan.jp）

■対象＝中国留学経験者
※原則として日本人、現役留学生可。

■入賞数＝45人

■文字数＝400字詰め原稿用紙5枚（2000字）＋掲載用略歴200字以内
※日本語、縦書きを想定のこと。表記は『記者ハンドブック』『用語の手引』等を参考にしてください。文字数のほか、住所、氏名、年齢、職業、連絡先（E-mail、電話番号、微信ID）を記入。

■写真＝留学時の思い出の写真、筆者の近影 計2枚

■応募期間＝5月8日～5月31日

■入選発表＝6月30日

〇あて先＝〒171-0021 東京都豊島区西池袋3-17-15 日本僑報社内「忘れられない中国留学エピソード」係 担当、段、張本
E-mail：45@duan.jp（※作品はE-mailでお送りください）

〇問い合わせ＝☎03（5956）2808 Fax03（5956）2809

※応募作品は、返却しません。

※個人情報は、本プロジェクトについてのみ使用します。

日中友好新聞 2017年5月5日

東京新聞

2017年5月2日

日中国交正常化45周年を記念

中国留学 体験談を教えて

都内の出版社 作品募集へ

今年、日中国交正常化四十五周年となるのを記念し、中国留学の経験者を対象とした「忘れられない中国留学エピソード」を東京・西池袋にある出版社、日本僑報社が募集する。在日中国大使館などが後援しており、入選四十五作品を書籍として刊行するほか、一等賞十人には一週間の中国旅行が贈られる。

（五味洋治）

旅行は中国政府が主催するもので、国内の有名な史跡や都市を回り、歴史、文化を学ぶ内容。

中国は一九六二年から日本人留学生の受け入れを始めた。二〇一五年までに累計約二十二万人（うち中国政府奨学金を受けた留学生は、計七千人）を超えた。

また、中国国内で学ぶ日本人留学生数は約一万三千六百人（一六年現在、中国政府まとめ）となり、韓国、米国などに次ぎ九番目だが、若者の留学離れの影響などから日本の順位は年々下がっている。

テーマは、留学時代のエピソードや、恩師とクラスメートなどとの思い出、自分が出会った中国の魅力、日中関係への提言など自由。日本僑報社の段躍中社長は、「中国留学の楽しさを伝える作品を期待します」と話している。

四百字詰め原稿用紙五枚分で、年齢制限はなく、現在留学中でも可。応募方法など詳細は、日本僑報社＝http://jp.duan.jp＝へ。

応募期間は五月八～三十一日まで。入選発表は六月三十日。

（五味洋治）

中国の名門・復旦大学で行われた日本人留学生と中国人学生の交流会＝4月、上海で（坂井華海さん提供）

日本僑報社、「忘れられない中国留学エピソード」を募集

日中国交正常化45周年を記念し、第1回「忘れられない中国留学エピソード」を開催する。中国留学経験のある日本人を対象に、5月8日、作品の募集を開始した。
応募作品のなかから入選45作を選出し、1等賞10点、2等賞15点、3等賞20点を決める。1等賞受賞者は、中国大使館主催の「一週間中国旅行」に招待される。また、入選作は1冊にまとめて単行本化し、8月に日本僑報社から刊行される予定。
応募締切は5月31日。入選発表は6月30日。

2017年5月9日

西日本新聞 2017年5月1日

中国留学思い出文募集
国交正常化45周年で

日本僑報社(東京)は、中国留学経験者を対象に「第1回忘れられない中国留学エピソード」の作品を募集している。今年が日中国交正常化45周年に当たることから企画した。入選作45作品は、同社が8月に書籍として刊行する予定。

中国留学の思い出や帰国後の中国との関わりなどをテーマに、日本語で400字詰め原稿用紙5枚(2千字)にまとめる。書籍掲載用の略歴(200字)、留学時の思い出の写真と筆者近影を添えて、メールで申し込む。募集は5月8～31日。入選者には在日中国大使館が主催する1週間の中国旅行などが贈られる。

メールアドレス＝45@duan.jp。問い合わせは同社＝03(5956)2808。

ニューストップ > 海外ニュース > 中国 > 記事　　@nifty ニュース

あなたの「忘れられない中国留学エピソード」は？―日中国交正常化45周年を記念した作文コンクール始まる

いいね！0　シェア　ツイート

2017年4月23日

出版社・日本僑報社はこのほど、日中国交正常化45周年の節目の年である今年、中国に留学した経験を持つ日本人を対象としたコンクール第1回「忘れられない中国留学エピソード」の原稿の募集を開始すると発表した。

出版社・日本僑報社はこのほど、中国に留学した経験を持つ日本人を対象としたコンクール第1回「忘れられない中国留学エピソード」の原稿の募集を開始すると発表した。写真は留学経験者パーティー。（撮影・提供/段躍中）

中国は1962年から日本人留学生を受け入れ、2015年までにその数は累計22万人を超えている。2015年時点で、中国国内で学ぶ日本人留学生は1万4085人を数え、世界202カ国・地域で学ぶ計39万8000人の日本人留学生のうち、国・地域別で第7位にランクされている。

中国留学を経験した日本人は多数に上り、そこには1人ひとりにとってかけがえのない、数多くの思い出が刻まれてきた。駐日中国大使館がこれまでに中国に留学した「日本人卒業生」を対象にした交流会を開催したところ、卒業生たちがそれぞれに留学の思い出話に花を咲かせ、大いに盛り上がったという。

日中文化交流　2017.5.1

日本僑報社がエピソード募集「忘れられない中国留学」

日本僑報社（段躍中代表）が第1回「忘れられない中国留学エピソード」を5月8日から募集する。中国留学経験者を対象に、帰国後の中国との関わり、日中関係への提言など幅広い内容を受け付ける。入選した45作品は8月に単行本として刊行される予定。一等の10名は、中国大使館主催による一週間の中国旅行へ招待される。締切りは5月31日。入選発表は6月30日。字数、応募方法などお問合せは日本僑報社（電話03・5956・2808）まで。日中文化交流協会などが後援。

---

(1)第398号　日中月報　2017（平・29）年5月1日

一般社団法人　日中協会　編集

日中月報

題字　茅　誠司

発行日　平成29年5月1日
発行所　一般社団法人 日中協会
毎月1回1日発行（4月・10月休刊）
〒112-0004　東京都文京区後楽
1-5-3　日中友好会館本館 3F
TEL (03) 3812－1683
FAX (03) 3812－1694
ホームページ　http://jcs.or.jp/

日中国交正常化45周年記念

第1回「中国留学の思い出」エピソードを大募集

入選作品集を刊行、1等賞10名は「一週間中国旅行」に招待

主催／日本僑報社　後援／日中協会、駐日中国大使館　他

日本僑報社は、日中国交正常化45周年の節目の年である今年、中国留学の経験者を対象とした第1回「中国留学の思い出」エピソード原稿を大募集します！

公明新聞　2017年4月21日

◆第1回「忘れられない中国留学エピソード」募集

中国は1962年から日本人留学生を受け入れ、2015年までにその数は累計22万人を超え、数多くの思い出が刻まれた。そこで「忘れられない中国留学エピソード」を募集する。文字数は2000字で。応募期間は5月8～31日。入選発表は6月30日。作品は日本僑報社内「忘れられない中国留学エピソード」係あてにEメール＝45@duan.jpへ送信を。詳しい問い合せは☎03・5956・2808へ。

日本と中国　2017年5月1日

忘れられない中国留学エピソード作品募集中！

1等賞10人に「一週間中国旅行」招待

日本僑報社はこのほど、中国留学の経験者を対象とした第1回「忘れられない中国留学エピソード」作品を5月8日から31日まで募集する。（公社）日中友好協会などの後援。

中国は1962年から日本人留学生を受け入れ、2015年までに累計22万人を超える（うち中国政府奨学金を受けた留学生は7000人余り）。そこで、中国留学経験者なら必ずあるだろう「忘れられない中国留学エピソード」を募集する。応募作品の中から国交正常化45周年にちなみ45作品（1等10人、2等15人、3等20人）を選び、副賞として1等10人を、中国大使館主催の「一週間中国旅行」に招待する。

中国留学の楽しさ、つらさ、中国の魅力などを伝えるユニークな作品を幅広く集め、入賞作品は作品集としてまとめ刊行する予定。

第1回「忘れられない中国留学エピソード」募集内容

■内容：忘れられない中国留学エピソード　※思い出、帰国後の中国とのかかわり、近況報告、中国の魅力、日中関係への提言など（テーマ性を明確に！）。

■対象：中国留学経験者　※原則として日本人、現役留学生可。

■文字数：400字詰め原稿用紙5枚（2000字）＋掲載用略歴200字以内 ※日本語、縦書きを想定のこと。表記は『記者ハンドブック』等をご参考ください。規定文字数のほか、住所、氏名、年齢、職業、連絡先（E-mail、電話番号、微信ID）をご記入ください。

■写真：留学時の思い出の写真、筆者の近影　計2枚

■入賞数：45名（作品）■特典：応募作品は単行本として8月に日本僑報社から刊行予定。※入選作品から、1等賞10本、2等賞15本、3等賞20本を選出。1等賞の受賞者は中国大使館主催の「一週間中国旅行」（8月実施予定）に招待。2等賞と3等賞の受賞者にはそれぞれ2万円相当と1万円相当の日本僑報社の書籍を贈呈。

■応募期間：2017年5月8日～5月31日　■発表：6月30日

○作品応募先　E-mail：45@duan.jp　※作品はE-mailでお送りください。

○問合せ：Tel 03-5956-2808　Fax03-5956-2809　担当：段、張本

※応募作品は、返却しません。※個人情報は、本件のみに使用します。

応募の詳細は、日本僑報社HP（http://duan.jp/cn/2017.htm）に掲載

2018年1月5日

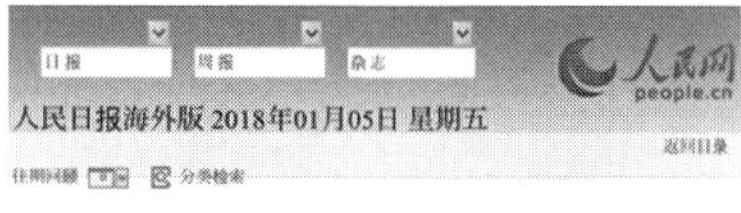

人民日报海外版 2018年01月05日 星期五

《难忘的中国留学故事》在日出版

《人民日报海外版》（2018年01月05日 第07版）

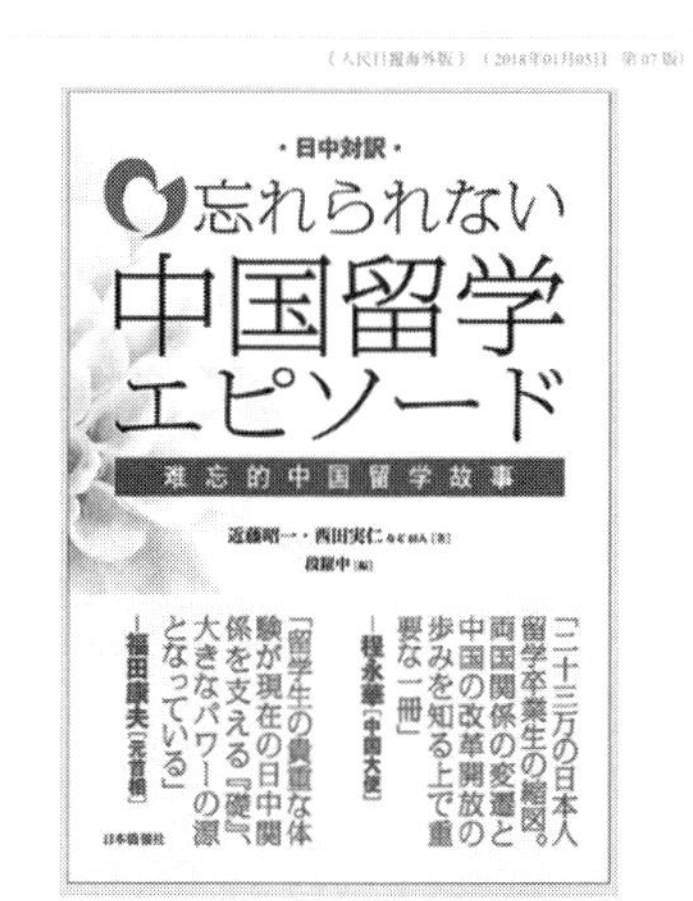

2017年12月中旬，刊登了45篇获奖文章的《难忘的中国留学故事》在日本各大书店上架。

为纪念中日邦交正常化45周年，在中国驻日使馆支持下，日本侨报社今年4月举办首届“难忘的中国留学故事”征文活动。45天里收到93篇文章，作者既有退休老人，也有还在中国学习的年轻学子，有外交官、大学教授还有企业高管，文章记录了因留学与中国的相遇结缘、结识的朋友与感受到的中国魅力，有的还对中日关系发展提出了积极建议。中国驻日本大使程永华与日本前首相福田康夫为该书作序。日本侨报社总编辑段跃中说，希望通过日本留华毕业生的文字，让更多日本人感受到中国的魅力。

（刘军国）

光明日報

2018年4月3日

报纸　杂志　光明日报 2018年04月03日 星期二

往期回顾　数字报检索　返回目录　〈 上一期　下一期 〉

感知中国 “用真心碰撞真心”

作者：本报记者 张冠楠　《光明日报》（ 2018年04月03日 12版）

自1979年，中日两国政府就互派留学生达成协议后，两国留学生交流不断得到发展。据统计，截至目前，日本累计赴华留学人数超过24万人，其中享受中国政府奖学金的日本留学生超过7000名。2016年，在华日本留学生人数为13595人，在205个国家44.3万留学生中位列第九位。

从2015年开始，中国驻日本大使馆每年年底都会举办日本留华毕业生交流会，受到日本各界好评。在去年的交流会上，日本文部科学省、外务省、人事院、日本学生支援机构、日本中国友好协会等机构、团体的有关负责人、各界留华毕业生代表等约300人出席交流会。中国驻日本大使馆公使刘少宾代表程永华大使在致辞中表示，希望留华毕业生充分发挥自己的优势，积极推动中日两国在各领域的交流合作，为增进两国人民的相互理解和长期友好作出更大贡献。期待更多日本青年到中国留学，加入到中日友好的行列。

留学中国故事多

国之交在于民相亲。中日两国作为一衣带水的邻邦，2000多年来人文交流对两国文化和社会发展一直发挥着重要的作用。2017年，为纪念中日邦交正常化45周年，在中国驻日本大使馆的支持下，日本侨报社在2017年4月举办首届“难忘的中国留学故事”征文活动，45天里收到93篇文章，其中获奖的文章均被收录至《难忘的中国留学故事》一书中，其中的作者有已经退休的老人，也有尚在中国学习的年轻学子；有经济界人士，也有知名的国会议员，讲述了在中国的留学经历，分享了在中国留学的体验。

中国驻日本大使程永华在《难忘的中国留学故事》序言中表示，因作者的留学年代跨越了近半个世纪，留学大学遍及中国多省，由一个个小故事汇集而成的文集相映成趣，构成了23万日本留华毕业生的缩影，既反映出中日两国关系的时代变迁，也从一个个侧面反映出中国改革开放以来的发展历程。日本前首相福田康夫为该书所作的序言表示，“通过阅读作品，充分了解到日本留学生在中国各地经历了各种体验，与中国老百姓深入开展真挚交流，这些成为支撑日中关系的重要基石和强劲力量源泉。”

2017年12月11日

中国驻日使馆举办2017年度日本留华毕业生交流会

中国驻日本大使馆公使刘少宾在交流会上致辞。新华网记者 姜俏梅摄

新华网东京12月11日电(记者 姜俏梅)2017年度日本留华毕业生交流会8日在中国驻日本大使馆举行。日本文部科学省、外务省、日本学生支援机构、日本中国友好协会等机构及各界留华毕业生代表200多人出席交流会。

2017年4月17日

“难忘的中国留学故事”征文活动在日本启动

2017-04-17 12:35:48　来源：新华社

新华社东京4月17日电（记者杨汀）为纪念中日邦交正常化45周年，首届“难忘的中国留学故事”征文活动17日在东京启动。

“难忘的中国留学故事”征文活动由日本侨报出版社主办，获得中国驻日本大使馆、日中协会等支持，邀请有在中国留学经历的日本各界人士，以2000字的篇幅讲述在中国留学期间的难忘故事，介绍所认识和理解的中国及中国人等，在中日邦交正常化45周年的大背景下弘扬中日友好。

日本侨报出版社社长段跃中表示，希望通过留学生的作品，让更多人了解到在中国留学的意义，让更多人感受到中国的魅力。

活动将在5月8日至31日期间受理投稿，遴选45篇获奖作品结集出版，并从中选出一等奖10名、二等奖15名、三等奖20名。评选结果将于6月30日公布。

按照活动规则，一等奖得主将获得中国大使馆赞助赴中国旅行一周的奖励。二等奖及三等奖得主将获得日本侨报出版社出版的书籍。

据中国驻日本大使馆教育处的数据，中国从1962年开始接受日本留学生，55年来日本累计赴华留学人数超过22万，其中享受中国政府奖学金的日本留学生超过7000名。截至2015年12月，在华日本留学生人数为14085人。中国驻日本大使馆从2015年年底开始每年举行一次日本留华毕业生交流会，受到日本各界好评。

2017年12月10日

“到中国留学是人生的宝贵财富”

本报驻日本记者　刘军国

2017年12月09日

《难忘的中国留学故事》在东京首发

2017年12月09日20:09　来源：人民网-人民电视

视频介绍

当地时间12月8日晚，2017年度日本留华毕业生交流会暨《难忘的中国留学故事》首发式在中国驻日本大使馆举办。来自日本文部科学省、外务省、日本中国友好协会等机构、团体的有关负责人，各界留华毕业生代表等约300人出席交流会。（人民日报记者 刘军国）

2017年4月17日

“难忘的中国留学故事”征文活动在日本启动

原标题：“难忘的中国留学故事”征文活动在日本启动

为纪念中日邦交正常化45周年，首届“难忘的中国留学故事”征文活动17日在东京启动。

“难忘的中国留学故事”征文活动由日本侨报出版社主办，获得中国驻日本大使馆、日中协会等支持，邀请有在中国留学经历的日本各界人士，以2000字的篇幅讲述在中国留学期间的难忘故事，介绍所认识和理解的中国及中国人等，在中日邦交正常化45周年的大背景下弘扬中日友好。

日本侨报出版社社长段跃中表示，希望通过留学生的作品，让更多人了解到在中国留学的意义，让更多人感受到中国的魅力。

活动将在5月8日至31日期间受理投稿，遴选45篇获奖作品结集出版，并从中选出一等奖10名、二等奖15名、三等奖20名。评选结果将于6月30日公布。

「中国滞在エピソード」友の会
(略称「中友会」) 設立のお知らせ

2017年開催した「忘れられない中国留学エピソード」をきっかけに、2018年から始まった「忘れられない中国滞在エピソード」コンクールは、日本人留学生だけでなく、ビジネスパーソン、外交官、教育・文化・スポーツ・科学技術関係者、駐在員家族など幅広い分野の非常に多くの中国滞在経験者から投稿を頂きました。

日本各地の中国滞在経験者から、お互いの交流の場を持ちたいとの要望も寄せられました。このご要望に応えて、この度、「中国滞在エピソード」友の会（略称「中友会」）を設立する運びとなりました。

日本各地に点在しておられる中国滞在経験者に末永い交流の場を提供し、日本と中国をつなげるために、この事業を更に充実、発展させたいと考えております。

中国滞在経験をお持ちの日本人の方、日中交流に関心を持ち本事業の趣旨に賛同される日本人や中国人の方など、どなたでもご登録できます。

皆さまのご理解とご協力を切にお願い申し上げます。

2020年10月　日本僑報社

「中国滞在エピソード」友の会
(中友会) ホームページ

詳しくは下記のページをご参照ください。

http://duan.jp/cn/chuyukai.htm

中国滞在エピソード友の会

毎月第1水曜日 メールマガジン配信!

編者略歴

段 躍中（だん やくちゅう）

日本僑報社代表、日中交流研究所所長。1958年中国湖南省生まれ。有力紙「中国青年報」記者・編集者などを経て、1991年に来日。2000年新潟大学大学院で博士号を取得。

1996年日本僑報社を創立。以来、書籍出版をはじめ、日中交流に尽力している。2005年から作文コンクールを主催。2007年に「星期日漢語角」（日曜中国語サロン、2019年7月に600回達成）、2008年に出版翻訳のプロを養成する「日中翻訳学院」を創設。

2008年小島康誉国際貢献賞、倉石賞を受賞。2009年日本外務大臣表彰受賞。北京大学客員研究員、湖南大学客員教授、立教大学特任研究員、日本経済大学特任教授、湖南省国際友好交流特別代表などを兼任。主な著書に『現代中国人の日本留学』『日本の中国語メディア研究』など多数。

詳細：http://my.duan.jp/

中国産の現場を訪ねて
第3回「忘れられない中国滞在エピソード」受賞作品集

2020年11月22日　初版第1刷発行

著　者　海江田万里・矢倉克夫・池松俊哉 など82人
編　者　段 躍中
発行者　段 景子
発売所　日本僑報社
〒171-0021 東京都豊島区西池袋3-17-15
TEL03-5956-2808　FAX03-5956-2809
info@duan.jp
http://jp.duan.jp
中国研究書店 http://duan.jp

　ISBN 978-4-86185-304-3

張立ほか 著
日中翻訳学院 監訳
日中翻訳学院 田中京碁、西岡一人 訳
8800円+税

チャイナ・パブリッシング・ブルーブック

中国デジタル出版産業

中国“デジタル化”の動向を追う

最も権威性あるチャイナ・パブリッシング・ブルーブックの注目作！　中国の各分野におけるデジタル化や標準化、著作権保護、産業育成政策などを分析。

ISBN 978-4-86185-275-6

魏玉山ほか 編著
日中翻訳学院 監訳
日中翻訳学院 大久保健、佐々木惠司 訳
7700円+税

チャイナ・パブリッシング・ブルーブック

中国アニメ・漫画・ゲーム産業

世界に広がる中国産業を分析

今や一大産業・市場へと発展しつつある中国アニメ・漫画・ゲーム産業の実態を、中国政府系出版シンクタンクの公的データに基づき多角的に分析。

ISBN 978-4-86185-272-5

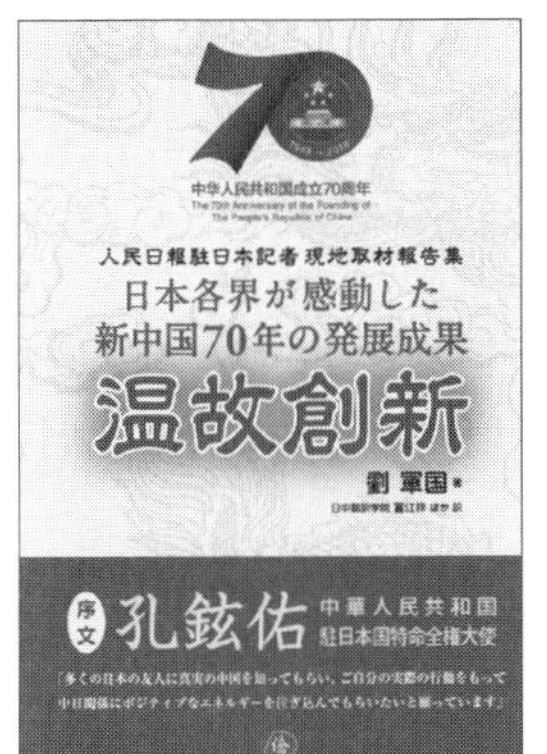

劉軍国 著
日中翻訳学院 冨江梓ほか 監訳
2800円+税

★孔鉉佑 中華人民共和国駐日本国特命全権大使 推薦！

日本各界が感動した新中国70年の発展成果

温 故 創 新

人民日報駐日本記者現地取材集

「人民日報」駐日本記者が、日本の政界・財界・学術界など各界の人々に取材し、中国の発展成果などについての生の声をまとめた現地取材報告集。

ISBN 978-4-86185-284-8

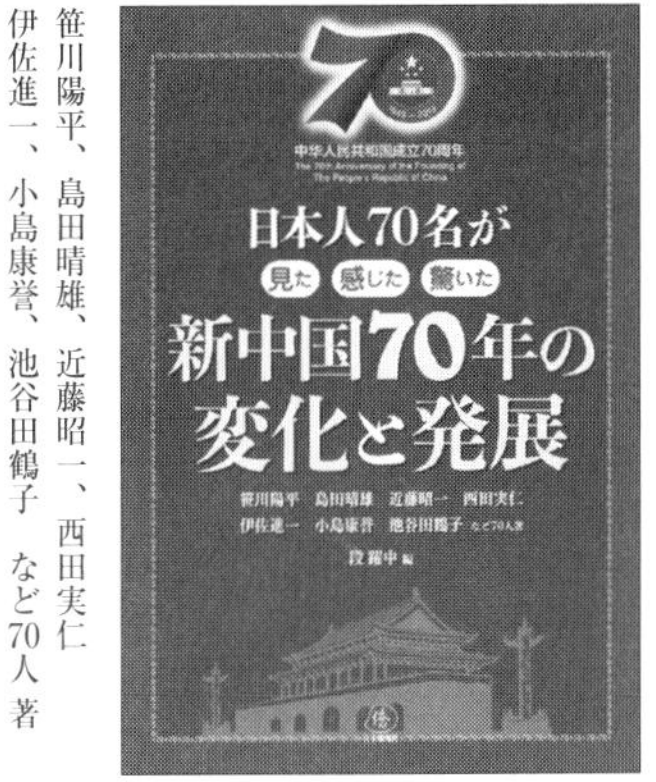

笹川陽平、島田晴雄、近藤昭一、西田実仁
伊佐進一、小島康誉、池谷田鶴子 など70人 著
4900円+税

日本人70名が 見た 感じた 驚いた

新中国70年の変化と発展

「正能量」（ポジティブ）に満ちた一冊

中国は2019年に成立70周年を迎えた。日本人たちは隣人である中国の変化と発展をどう見ているのか。日本の各界人士70人からのメッセージを収録。

ISBN 978-4-86185-283-1